Guide
des parcs nationaux
du Canada

Marylee Stephenson

Traduit de l'anglais
par Michel Beaulieu

ÉDITIONS DU TRÉCARRÉ

Données de catalogage avant publication (Canada)
Stephenson, Marylee, 1943-
　　Guide des parcs nationaux du Canada
　　Traduction de: *Canada's National Parks.*
　　Comprend un index.
　　2-89249-118-5
　　1. Parcs nationaux — Canada — Guide. I. Titre.
FC215.S8314 1986　　917.1'04647　　C86-096154-0
F1011.S8314　1986

Conception de la couverture: Martin Dufour
Photocomposition et montage: Compélec inc.

Photographies de la couverture: *plat supérieur*, sentier de randonnée dans une anse du parc national de Forillon (Québec); *plat inférieur*, la Grande Île du parc national de l'Archipel de Mingan (Québec). Photo G. Davey, Parcs Canada.

Sauf indication contraire, toutes les photographies de l'ouvrage sont de Marylee Stephenson.

Éditeur-conseil: Jean Lemieux

L'édition originale de cet ouvrage a paru sous le titre:
Canada's National Parks, A Visitor's Guide
© 1983 by Prentice-Hall Canada Inc., Scarborough, Ontario

ISBN 2-89249-118-5

Dépôt légal — 2ᵉ trimestre 1986
Bibliothèque nationale du Québec

Imprimé au Canada

Éditions du Trécarré
Saint-Laurent (Québec) Canada

A926839

À ma chère amie Pamela

Remerciements

J'ai mis près de quatre ans à écrire ce livre et plusieurs personnes m'ont aidée en cours de route. Plutôt que de leur dire qu'elles se reconnaîtront, ici, je désire les remercier personnellement.

Soulignons tout d'abord que l'idée de ce livre me vient de Frank Hintenberger, un vieil ami qui travaillait chez Prentice-Hall, l'éditeur original. Il m'a suggéré de l'écrire et m'a conseillée lors de la présentation du projet. Après un premier été consacré à visiter des parcs, j'ai partagé une maison avec Frank et son amie Jane Martin. Peu après, un automobiliste en état d'ébriété les tuait tous deux. Les encouragements de Frank m'ont suivie à travers toutes les étapes de ce livre tandis que son souvenir et celui de Jane m'attristaient et me fortifiaient à mesure que les années passaient. Si ce livre ajoute au plaisir de ses lecteurs lorsqu'ils visiteront les magnifiques parcs nationaux du Canada, ils doivent en remercier d'abord et avant tout Frank Hintenberger.

En ce qui a trait, par la suite, à la mise en forme de ce livre, j'éprouve une dette de reconnaissance à l'égard de mon ami Scott Meis, l'actuel coordinateur du Groupe d'information socio-économique de Parcs Canada. Il a été ma principale personne-ressource tout au long de ce travail. Joanne Meis m'a de même énormément encouragée en me fournissant l'hospitalité, des renseignements et des conseils.

Ma dernière année de travail a été en grande partie rendue possible grâce à une bourse du programme Explorations du Conseil des Arts du Canada. Celle-ci m'a donné la latitude nécessaire à la visite de treize parcs. Au Conseil, Paul Savoie s'est montré des plus serviables. Greame Gibson et David Young m'ont incitée à demander cette bourse; Al Mattes m'a aidée à clarifier ma demande; et Margaret Atwood, Adele Crowder et

John Marsh ont eu l'amabilité de me fournir des lettres de recommandations. Gary Sealey, de Parcs Canada, a transmis au Conseil des explications supplémentaires et, par la suite, a écrit une introduction relative à ces treize parcs.

Dans les parcs eux-mêmes, on a constamment fait preuve à mon endroit de beaucoup de patience, de bonté et de générosité. J'éprouve la plus grande reconnaissance à l'égard de Barry et Margot Spencer. Lors de mon premier voyage, à Fundy, je me suis blessée au dos en cours de route. Barry a insisté pour que je vois leur médecin, puis il m'a rendu visite à l'hôpital. Lorsque j'ai obtenu mon congé, Margot et lui m'ont hébergée une semaine durant dans leur roulotte. Je clopinais sur les pistes puis rentrais où m'attendaient des repas chauds, ma propre chambre et la chaleur de leur vie familiale. Barry m'a même menée dans le parc un jour à 5 heures du matin dans le but d'apercevoir un orignal et nous en avons effectivement vu un. Sans tous ces appuis, il est fort possible que j'aurais abandonné dès le début.

Plusieurs autres membres du personnel des parcs m'ont reçue à leur table et ont accepté de parler avec moi, ou encore m'ont accompagnée en randonnée ou dans leur embarcation, m'ont prêté leur canot ou leur bicyclette. On trouvera leur nom plus loin en même temps que ceux des personnes qui m'ont aidée lors d'entrevues, en me servant d'interprète, en vérifiant mon équipement ou en m'expliquant certaines informations. Et je souhaite que ces personnes qui m'ont offert l'hospitalité acceptent d'être remerciées plutôt deux fois qu'une lorsqu'elles verront leur nom apparaître.

Certains membres du personnel des parcs ont joué un autre rôle: ils ont révisé les chapitres portant sur leurs parcs respectifs. Et comme je ne suis qu'une profane en histoire naturelle, cette tâche a exigé d'eux beaucoup de temps et dut parfois leur paraître extrêmement frustrante. Une bonne part des renseignements que ce livre contient découle d'une révision attentive effectuée dans chaque parc. J'ai ajouté un astérisque à côté des noms des réviseurs qui me sont connus, mais on ne m'a pas fourni celui de tous ceux qui ont effectué ce travail:

Parc national de Pacific Rim: Bill McIntyre*, Roger Wilson*, Howie Hambleton, Barry Campbell, Trudy Carson, Heather Plewes, Kathy O'Brian, Stephen Suddes, Pat Marcellus, Angela Kronig;

Parcs nationaux du Mont Revelstoke et de Glacier: John Woods*, Lynn Hardstaff*, Jim Mulchinock*;

Parc national de Yoho: Sue Wolff*, Ian Donaldson*, Gord Rutherford, Jackie Moore*, Susan Krys, Harry Abbott, Risa Oblekshy, Rima Bond;

Parc national de Kootenay: Larry Halverson*, Ted Hogg, D.L. Pick, Ian Jack*, Danny Catt, Pat Dunn, Ruth Kihm, George Sranko;

Parc national des Lacs Waterton: Duane Barrus*, Bernard Lieff*, Linda Sutterlin, Joanne Newman, Glen Rogers, Robin McCullough;

Parc national de Banff: Ron Seale*, Liz Holroyd;

Parc national de Jasper: Jim Todgham*, Jenny Clark, Dave Biederman, Doug Willock, John Pitcher, Bob Barker, Tobi Fenton, Peter Lemieux, Bradley Brant Cobb;

Parc national d'Elk Island: Fred Bamber, Heather Oxman*;

Parc national de Kluane: Brent Liddle*, Allison Wood, Kim Henkel, Steve Osborne;

Parc national de Nahanni: Lou Comin*, Mart E. Johanson;

Parc national de Wood Buffalo: Bernard Lieff*, Ken Walker;

Parc national de Prince-Albert: Shelley Ross*, Merv Syroteuk*;

Parc national du Mont Riding: Jacques Saquet*, Celes Davar*, Steve Langdon, de même que les visiteurs et chercheurs David Kennedy, Steve Panasuk et Tom Schloessin;

Parc national de Pukaskwa: Karen Tierney*, Mike Hawrylez, Bill Milliken*, Mike Jones, ainsi que le visiteur David Kennedy;

Parc national des Îles de la Baie Georgienne: Greg Gemmell*, Leslie Joynt, Tim Sweeting, Denise Jordan, Linda Lines, Gerry Bird, John Bowyer, John Francis, ainsi que les visiteurs et chercheurs David Kennedy, Serge Panasuk et Tom Schloessin;

Parc national de Pointe-Pelée: Rob Watt*, Don Ross;

Parc national des Îles du Saint-Laurent: Don Ross*;

Parc national de la Mauricie: Jacques Pleau*, Marie-Claire Hamel*, Julie Cartier;

Parc national d'Auyuittuq: Pat Ruisseau*, ainsi que le visiteur Roberto Cavalcanti;

Parc national de Forillon: Marc Trudel*, Michèle Boulanger, ainsi que le visiteur Roberto Cavalcanti;

Parc national de Kouchibouguac: Barry* et Margot Spencer, Bert Crossman*, Gilles Babin, Mike Porter, Lucille LeBlanc;

Parc national de Fundy: Barry et Margot Spencer, Bob Walker*, Anne Marceau*;

Parc national de l'Île-du-Prince-Édouard: Philip Michael, Paul de Mone*, Allyre Choisoin, Don Stewart, Gerry Gabriel;

Parc national de Kejimkujik: Rick Swain*, Millie Evans, Eric Mullen, Larry Coldwell;

Parc national des Hautes Terres du Cap-Breton: Tim Reynolds*, Betty Rooney, Allyre Choisoin, Pam MacKay;

Parc national de Gros Morne: Rob Walker*, Dave* et Sue Huddlestone, Terry Walsh, Michael Lavigueur, ainsi que les visiteurs Molly et Hardy Main et Joan Rendell;

Parc national de Terra Nova: Roger Burrows*, Gaileen Marsh*, Jenny Feick, Larry Coldwell, Don Powell, Hank Deickman;

Parc national des Prairies: Louis Guyot*;

Parcs Canada, à Ottawa: Jim Ewers, André Guindon, Jim Shearon, Gilles Gauthier, Jean O'Connor, Dave McBurney, Ian Joyce, Bob Gray, Jean-Paul Gauthier.

Parcs Canada, à Québec: Michel de Courval.

Pour préparer ce livre, j'ai parcouru environ 42 000 kilomètres en ne disposant que d'un budget limité. En cours de route, j'ai séjourné la plupart du temps chez des amis dont voici, en témoignage de ma gratitude, les noms: Peter et Susan Clark; Marylou Dietz et sa famille; Fran, Bill, Daegan et Jean Pierre Reimer; Alanna Horner; Irv et Ruth Whitford; Lisa Mitchell et Garry Spotowski; Hassan, Norma, Ramsey, Omar et Dean Azim; Karen Lewis; Clasina von Bemmel; Myra Eadie; Helga Jacobson; B. Gene Errinton; Marlene Hebert; Hugh Christante; et Rob Krienke.

Je tiens à remercier mon neveu, Cricket Griesman, qui m'a accompagnée à Terre-Neuve et au Nouveau-Brunswick. Sa compagnie m'a été extrêmement agréable — et quel cuisinier! De même que ma soeur, Kay Griesman, qui m'a accompagnée à Pacific Rim. Lorsque j'ai séjourné par la suite chez eux, Fredie et Skeeter Griesman ont fait en sorte que je puisse me reposer et travailler confortablement. Pamela Sachs m'a accompagnée lorsque j'ai visité plusieurs parcs de l'est du pays et m'a aussi aidée à mettre au point un certain nombre de chapitres. Je lui suis très reconnaissante pour ces deux formes d'aide, ainsi que pour son soutien beaucoup plus large au cours des années.

Janice Whitford, de Prentice-Hall, m'a énormément aidée dès le début de ce livre et l'arrivée d'Elynor Kagan au sein du personnel éditorial m'a permis d'y travailler avec une autre personne merveilleuse. Pam Ehrlichman a révisé les premiers jets, et Diane Devins, Susan Christopherson et Beth DeSchutter ont patiemment et efficacement dactylographié le manuscrit.

Je tiens à remercier Jennifer Stoddart, Donna Greenslade et Joy Brown, mes collègues du Conseil consultatif canadien du Statut de la femme de leur compréhension au sujet des dates de tombée. Mes remerciements aussi à Paul Hottman et au personnel de Pentax-Canada qui ont veillé sur mes caméras.

Bien que ce livre possède son histoire propre, l'intérêt que je porte à la nature je le dois pour une large part à trois personnes qui m'ont apporté leur amitié, leur connaissance de l'histoire naturelle et un merveilleux enseignement informel. Il s'agit de Walter Tschinkel, de David Shaw King et de Don de S. Thomas.

Ce livre témoigne, au bout du compte, de mon amour de la nature et de mon désir de transmettre cet amour à d'autres. Mon intérêt pour la nature, je le dois plus qu'à quiconque à Carey M. Stephenson, ma mère. Elle m'a transmis son sens de la curiosité, un don que je chérirai toujours.

M. S.

TERRITOIRE
DU YUKON

10

● Whitehorse

11 Fort
Simpson
●

TERRITOIRES DU NORD-OUEST

● Yellowknife

Fort Smith
12 ●

COLOMBIE-
BRITANNIQUE

ALBERTA

8

9
Edmonton
●

SASKATCHEWAN

MANITOBA

4

2 3 7

13

1

5

● Calgary

Saskatoon
●

● Vancouver

Victoria

6

29

Regina
●

14

Winnipeg
●

Thur
E

ÉTATS-UNIS

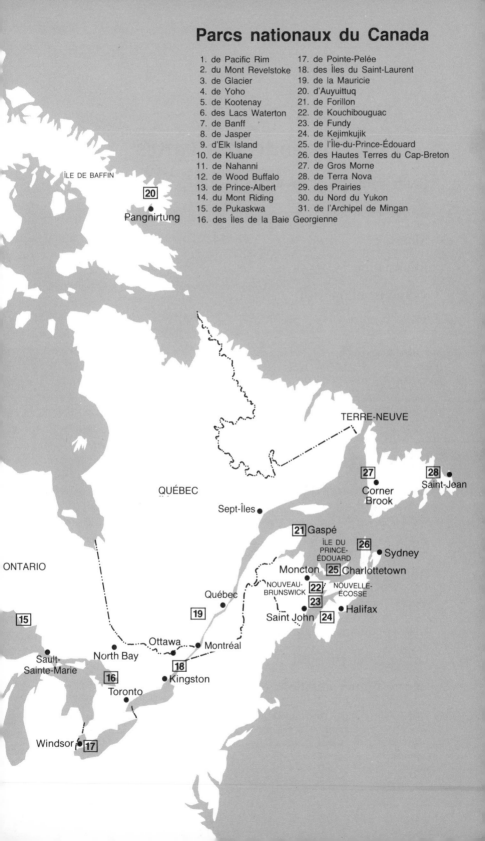

Parcs nationaux du Canada

1. de Pacific Rim
2. du Mont Revelstoke
3. de Glacier
4. de Yoho
5. de Kootenay
6. des Lacs Waterton
7. de Banff
8. de Jasper
9. d'Elk Island
10. de Kluane
11. de Nahanni
12. de Wood Buffalo
13. de Prince-Albert
14. du Mont Riding
15. de Pukaskwa
16. des Îles de la Baie Georgienne

17. de Pointe-Pelée
18. des Îles du Saint-Laurent
19. de la Mauricie
20. d'Auyuittuq
21. de Forillon
22. de Kouchibouguac
23. de Fundy
24. de Kejimkujik
25. de l'Île-du-Prince-Édouard
26. des Hautes Terres du Cap-Breton
27. de Gros Morne
28. de Terra Nova
29. des Prairies
30. du Nord du Yukon
31. de l'Archipel de Mingan

ÎLE DE BAFFIN

20
Pangnirtung

TERRE-NEUVE

QUÉBEC

27
Corner
Brook

28
Saint-Jean

Sept-Îles

21 Gaspé

ÎLE DU
PRINCE-
ÉDOUARD

26
Sydney

Moncton   25 Charlottetown

ONTARIO

NOUVEAU-
BRUNSWICK

22
NOUVELLE-
ÉCOSSE

Québec

23

15

19

Halifax

Saint John   24

Ottawa   Montréal

North Bay

Sault-
Sainte-Marie

16

18
Kingston

Toronto

Windsor   17

Légende des cartes

Route principale ▬

Route secondaire ▬

Marécage

Informations ⑦

Administration Ⓐ

Piste ----

Camping ⋀

Camping en groupe ⋏⋏

Camping sauvage* ⋀

Observatoire ⵊ

Gardien Ⓖ

Entrée du parc Π

Gîte ⋔

Montagne ▲

Abri ⋀

Voies ferrées ┿┿┿┿

Champ de glace, glacier

Lac, rivière, ruisseau

Centre d'interprétation, expositions Ⓔ

---

* Ce vocable indique l'absence de toilettes à chasse d'eau, d'abris pour la cuisine, de prises de courant ou de réceptacles à déchets pour les roulottes. Ces terrains de camping disposent habituellement de toilettes sèches et d'eau de puits ou de source.

Introduction

On a souvent dit du Canada qu'il s'agissait d'une anomalie : un immense pays habité par une population sans commune mesure avec son étendue et concentrée le long du fleuve Saint-Laurent et de la frontière qui le sépare des États-Unis. Être Canadien signifie pourtant avoir conscience de ses vastes espaces, de la splendeur de ses ressources, de ses neiges et des vents de ses prairies. Un réseau de parcs nationaux permet aux Canadiens, de même qu'à d'innombrables visiteurs étrangers, de faire l'expérience de ce décor et de participer à ce magnifique héritage national.

Les 31 parcs nationaux du Canada protègent quelques-unes des ressources naturelles les plus précieuses de notre pays et, dans plusieurs cas, de notre planète. Ce réseau a pour but

> de sauvegarder à jamais des aires naturelles représentatives d'intérêt canadien dans le cadre d'un réseau de parcs nationaux et favoriser chez le public la connaissance, l'appréciation et la jouissance de ce patrimoine naturel, afin de le léguer intact aux générations à venir (*Politique de Parcs Canada*, p. 39).

Il serait naïf de croire que cette protection est sans failles ou que ce réseau ne puisse être amélioré, mais ce dont nous disposons est véritablement merveilleux.

Le réseau national date de 1885, année où l'on a créé ce qui s'appelle aujourd'hui le parc national de Banff. L'établissement de Banff et d'autres parcs par la suite, tels que Yoho, Glacier et celui des Lacs Waterton a été rendu possible en grande partie parce que le gouvernement fédéral a agi de concert avec les compagnies de chemins de fer ou avec d'autres intérêts économiques en réservant au tourisme certaines régions spectaculaires que les voies ferrées traversaient. Dans certains cas, quelques personnes habitant ces régions ont été conscientes de ce que l'environnement était menacé par l'empiètement rapide des agglomérations, des mines, des chasseurs ou des bûcherons, mais il ne s'agissait pas là de l'impulsion première au moment de l'établissement des tout premiers parcs. En fait, la chasse, l'extraction minière et la coupe du bois se sont poursuivies dans certains parcs durant plusieurs décennies et, de nos jours, le développement commercial représente un aspect important dans certains domaines anciens comme en font foi les parcs nationaux de Banff, du Mont Riding ou de l'Île-du-Prince-Édouard.

Peu à peu, cependant, on a assisté à un renversement de l'équilibre entre la protection des ressources en vue de leur exploitation commerciale et leur sauvegarde dans le but de préserver des réserves naturelles à cause de leurs valeurs propres. Aujourd'hui, le principe qui préside à l'établissement de parcs nationaux consiste à protéger de façon significative une partie importante de chacun des 48 types de régions naturelles que l'on retrouve au Canada. Parmi ces régions, 39 sont terrestres, comme le nord du Yukon ou les terres hautes du nord-ouest boréal, tandis que neuf sont aquatiques, comme la mer du Labrador ou le détroit de la Reine-Charlotte. Il n'existe en ce moment des parcs que dans 20 de ces régions naturelles. (Les montagnes Rocheuses bénéficient de six parcs nationaux, tandis que 29 régions ne disposent d'aucun.) Il reste donc beaucoup à faire avant que le réseau de parcs nationaux ne soit complet*.

L'établissement, en 1981, du parc national des Prairies représente l'exemple le plus récent de cette nouvelle politique. Ce parc a été établi en Saskatchewan dans le but de préserver une partie de la véritable prairie à herbe rase du Canada, presque entièrement disparue. Le parc national des Prairies témoigne aussi du poids relatif des intérêts commerciaux confrontés à la conservation : s'il est vrai que cette région a été décrétée parc national dans le but de préserver une partie des Prairies, ses frontières définitives ne seront pourtant fixées qu'après sept ans durant lesquels les entreprises pétrolières auront la possibilité d'y faire de l'exploration. Les frontières seront alors délimitées et on y interdira toute forme d'extraction. Qu'arrivera-t-il si l'on découvre du gaz naturel ou du pétrole, et si l'on détecte ces ressources dans les terres où les antilopes d'Amérique passent l'hiver ou encore dans le territoire d'une espèce peu courante de chien de prairie ? Dans un tel

---

* *Note de l'éditeur*: Comme l'orthographe des noms des parcs n'est pas encore fixée, nous nous sommes basés sur la nomenclature publiée dans le *Mini-guide des parcs nationaux*, en 1984.

cas, nous serions aux prises avec un autre de ces conflits angois-
sants que le réseau de parcs et le public canadien devront résou-
dre à propos de l'usage des ressources naturelles.

De tels conflits existent tout aussi bien dans les parcs établis.
Construira-t-on un barrage près de Wood Buffalo ou davantage
de condominiums à Banff? Devrait-on conserver les cottages
érigés dans plusieurs parcs qui ont une longue histoire en ce sens,
alors qu'on les démolit dans d'autres comme à Pointe-Pelée? De
telles décisions ne sont jamais simples. Si vous voulez participer à
la solution de ces problèmes, vous pouvez vous reporter à la liste
des organismes nationaux et provinciaux, à la fin du volume.

Ce livre a deux buts. Le premier, explicite, est de faciliter la
visite d'un parc national: il devrait vous aider à planifier votre
visite et, une fois sur place, à comprendre et à apprécier le décor
naturel qui vous entoure.

Son deuxième but est implicite: il a trait aux conflits conser-
vation-exploitation dont nous venons de parler. Quel que soit le
point de vue défendu par une personne — et le mien est fortement porté vers la conservation — il est certain que plus il y aura
de gens conscients de l'existence du réseau de parcs nationaux et,
de façon plus générale, de l'environnement naturel, plus ceux-ci
seront en mesure de participer aux débats publics portant sur ces
problèmes cruciaux de façon informée et responsable. Si ce livre
contribue à ce que votre visite à un parc national soit à la fois
merveilleuse et instructive, ce deuxième but aura été atteint.

Les lecteurs doivent savoir sur quelles assises cet ouvrage
repose. Sociologue de formation, la nature m'enthousiasme depuis environ 16 ans. Ce livre est le fruit de près de quatre ans de
recherches au cours desquels j'ai visité 25 des 31 parcs, les
exceptions étant ceux de Wood Buffalo, de Nahanni, d'Auyuittuq,
des Prairies, de l'Archipel de Mingan et de Kluane. Dans ces
derniers cas, j'ai interviewé des personnes qui les connaissaient
fort bien et j'ai beaucoup lu. Par contre, j'ai séjourné en moyenne
cinq jours et quatre nuits dans chacun des 25 parcs que j'ai visités.
J'y ai interviewé des membres du personnel, ai assisté à la plupart
des programmes d'interprétation, ai effectué des randonnées en
empruntant la plupart des principales pistes, ai planté ma tente
dans au moins un ou deux terrains de camping et visité à toutes
fins utiles tous les autres de façon à connaître leur site et les
aménagements qu'ils offrent. Dans la mesure du possible, j'ai
visité les installations commerciales situées à proximité des parcs.
Bien que j'aie effectué la plupart de mes visites seule, mes
appréciations reposent sur l'idée que je me fais de ce que peuvent

rechercher dans un parc des visiteurs tels que des couples à la retraite, des familles comprenant des enfants ou des excursionnistes expérimentés. Tous les parcs bénéficient de programmes d'interprétation. Ces programmes consistent en causeries et en marches dirigées par des « interprètes » ou des naturalistes qui traitent de l'histoire naturelle ou humaine de chaque parc. Un tel programme, lorsqu'il fait preuve d'imagination, d'une planification mûrie, et qu'il éveille l'intérêt, peut augmenter de beaucoup le plaisir et l'appréciation qu'on retire d'un parc. Toutes mes visites ont été planifiées en fonction de ces programmes et je recommande aux visiteurs d'agir de même.

Les informations contenues dans ce livre ont été révisées par des membres du personnel des parcs quelques mois avant sa publication, de telle sorte qu'elles sont autant que possible d'actualité. Certains changements peuvent cependant survenir et il ne faut pas hésiter à écrire ou à téléphoner pour obtenir les informations les plus récentes. On trouvera des adresses à la fin de chaque chapitre.

Les parcs nationaux du Canada constituent certainement l'un des trésors les plus importants de notre planète. On pourrait croire qu'il est paradoxal d'écrire un livre qui incite davantage de personnes à visiter ces parcs alors qu'une foule de gens risquent de détruire l'environnement tout en dérangeant leur calme et leur tranquillité. Mais je crois que si la population chérit ses parcs en encourageant l'établissement de nouvelles aires de conservation et en soutenant la protection de celles qui existent déjà, si elle se montre soigneuse en les visitant, alors cette même population et les parcs sont susceptibles d'enrichir leur existence mutuelle. C'est dans cet espoir que ce livre a été écrit.

PACIFIC RIM

L'océan Pacifique a façonné une bonne part de l'histoire naturelle et humaine de la côte ouest et le parc national de Pacific Rim est l'endroit idéal pour qui veut expérimenter la nature puissante et toujours changeante de l'océan.

Pacific Rim est une mince bande de territoire le long de la côte sud-ouest de l'île de Vancouver. Le parc comprend trois secteurs. Le plus accessible se trouve au nord: Long Beach comprend, en effet, un théâtre d'interprétation, des pistes balisées et des kilomètres ininterrompus de plages. Au départ de Victoria, il est possible de s'y rendre en roulant 4 ou 5 heures sur une route agréable mais tortueuse.

Les îles Broken Group se trouvent, pour leur part, au sud-est de Long Beach. Ce deuxième secteur, situé à Broken Sound, comprend une centaine d'îles et couvre une superficie d'environ 58 kilomètres carrés. Certaines îles ne sont rien d'autres que de minuscules rochers exposés où s'accrochent quelques lambeaux de végétation tandis que d'autres ont une superficie de plusieurs centaines d'hectares et sont suffisamment importantes pour qu'il soit possible d'y débarquer, d'y entreprendre des randonnées ou d'y camper. Il est possible de parvenir à Broken Group par bateau, mais les usagers d'embarcations de toutes sortes devraient faire attention de ne pas se retrouver dans les eaux froides de cet océan tumultueux.

Le troisième secteur est aménagé en territoire sauvage. Situé à l'extrémité sud du parc, il comprend une mince bande de 72 kilomètres de Bamfield à Port Renfrew, le long de laquelle court le sentier West Coast. Ce sentier, ouvert en 1891, servait à l'origine de route télégraphique avant d'être utilisé, de 1908 à 1915, comme « sentier vital ». Ce sentier avait été rendu nécessaire à cause des

nombreuses pertes de vies occasionnées par des tragédies maritimes survenues au large. La forêt était d'une densité telle qu'il
était impossible de tenter, depuis les rives, de porter secours aux
naufragés. Certains d'entre eux parvenaient bien à se rendre à
terre, mais la forêt leur demeurait impénétrable et ils mouraient
de froid sur le rivage! Le terrain où court le sentier n'appartient
pas officiellement à Pacific Rim, mais le parc en a restauré certaines sections de sorte que le sentier est d'un abord plus sécuritaire
et plus aisé. Les gardiens du parc patrouillent en outre le sentier
pour le protéger des mauvais usages que l'on pourrait en faire et
secourir les excursionnistes en difficulté.

Si l'on veut comprendre l'histoire naturelle et humaine de
Pacific Rim, il est préférable de le visualiser à la façon d'une série
de longues bandes étroites d'eau et de terre qui courent parallèlement du nord au sud. Ces bandes sont constituées d'une zone
subtidale d'eaux profondes, d'une zone intertidale située entre les
limites des marées hautes et basses, d'une zone riveraine de
traverses de gravier, de bois flottant et de plaques de végétation,
de même, enfin, que d'une zone forestière elle-même formée de
bandes successives de végétation.

Le site de Pacific Rim, son climat relativement modéré, ainsi
que la luxuriance de sa faune marine et forestière ont conféré à
ces lieux une longue histoire humaine. La peuplade Nootka y a
vécu, pêché, chassé et s'y est rassemblée des milliers d'années
durant. Les Espagnols, les Russes et les Anglais ont chassé la
loutre de mer dans ces eaux grouillantes de vie. La région se
trouvait sur les principales routes maritimes tant à l'arrivée qu'au
départ de Victoria et de Vancouver. Les gens s'y sont rendus pour
y faire le commerce des fourrures, pour y pratiquer la coupe du
bois et pour en extraire l'or, puis, enfin, pour y établir leurs
fermes.

À la fin des années 60, avant que Pacific Rim ne soit
transformé en parc national, la région de Long Beach a servi de
refuge auprès des jeunes qui désiraient vivre quelque temps sans
être soumis aux exigences de la vie urbaine. J'y ai séjourné
brièvement il y a plusieurs années. De nos jours, l'environnement
a connu un certain développement et il existe quelques règlements qui ont pour but de le protéger. Mais il n'apparaît pas si
différent d'alors et je suis heureuse qu'il s'agisse maintenant d'un
parc national.

COMMENT VISITER LE PARC

Le secteur de Long Beach

Il est possible de faire l'expérience en solitaire d'une bonne partie du secteur de Long Beach. D'excellentes cartes et des brochures explicatives indiquent les sentiers de randonnées ou décrivent la faune et la flore que l'on retrouve tant dans la forêt que dans l'océan, mais je recommanderais néanmoins de participer au programme d'interprétation. Ce programme est l'un des plus variés, des mieux coordonnés et des plus agré-

La vie dans une mare tidale.

ables du réseau de parcs nationaux. C'est un excellent moyen d'ajouter à vos propres vagabondages et observations. Si l'on veut connaître la zone subtidale, c'est le seul moyen offert, à ceux qui ne pratiquent pas la plongée sous-marine, d'explorer ces lieux autrement inaccessibles.

La **zone subtidale** recouvre une région de plaines sous-marines formées par le plateau continental. Les conditions y sont idéales pour le varech qui y pousse en bancs, certains à des profondeurs de 30 mètres. Ces bancs attirent les baleines grises qui se nourrissent de la faune des profondeurs qui gîte dans ou à proximité des bancs de varech. Les baleines migrent le long de la côte ouest depuis leurs territoires nourriciers estivaux de la mer de Béring et de l'océan Arctique jusqu'à leurs territoires hivernaux de la péninsule de Baja California, au Mexique, où naissent leurs baleineaux. Les visiteurs viennent de loin à Pacific Rim dans l'espoir d'apercevoir les nuages de vapeur d'eau éjectés par les baleines grises lorsque celles-ci refont surface après avoir plongé vers les profondeurs. On peut aussi observer des otaries qui se prélassent dans les îles ou qui nagent dans les vagues de la zone intertidale.

Pour observer de plus près la faune de la zone subtidale, vous pouvez pratiquer la plongée sous-marine ou simplement vous munir d'un masque et vous diriger vers des eaux relativement profondes. La vie sous-marine est d'une grande richesse, mais les eaux sont extrêmement froides, souvent difficiles, et les

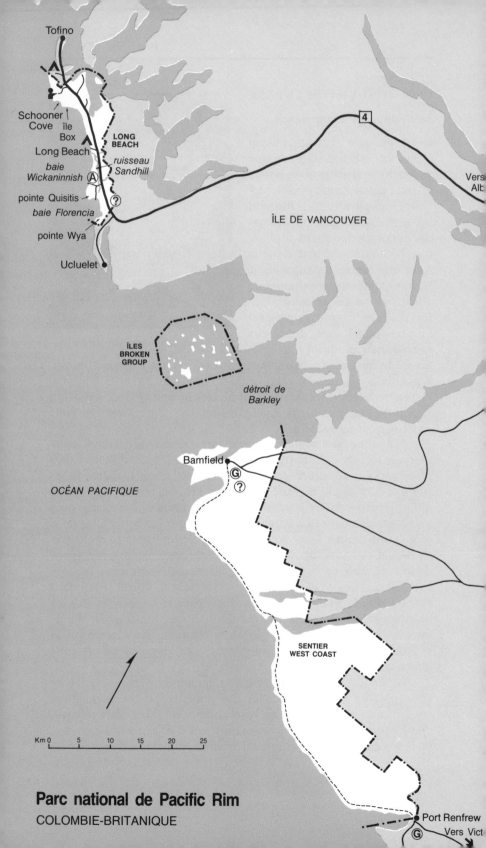

Tofino

Schooner
Cove   île
          Box
Long Beach
*baie
Wickaninnish* (A)
pointe Quisitis
baie Florencia
pointe Wya

Ucluelet

**LONG
BEACH**

*ruisseau
Sandhill*

(?)

4

Vers
Alb:

ÎLE DE VANCOUVER

ÎLES
BROKEN
GROUP

*détroit de
Barkley*

Bamfield
(G)
(?)

OCÉAN PACIFIQUE

**SENTIER
WEST COAST**

Km 0   5   10   15   20   25

Parc national de Pacific Rim
COLOMBIE-BRITANIQUE

Port Renfrew
(G)
Vers Vict

courants, dangereux. Malheureusement, les sites les plus propices à la plongée sous-marine se trouvent dans des lieux exposés. Faisant fi de cette difficulté, certains membres du personnel ont pratiqué la plongée sous-marine et ont rapporté des images de la vie marine à l'intention des visiteurs. Les superbes photographies qu'ils y ont réussies sont exhibées au cours du programme d'interprétation présenté le soir au terrain de camping Green Point.

Environ trois fois, au cours de l'été, on présente un « Spécial plongée sous-marine » au cours duquel les plongeurs remontent des profondeurs une grande variété de faune et de flore sous-marines provenant de la zone subtidale. Ils déposent leurs trésor dans des mares laissées par la marée basse, de façon à les préserver, puis les interprètes guident vers ces mares d'importants groupes de visiteurs au cours de courtes randonnées. Tandis que les plongeurs pataugent dans ces flaques, l'interprète en retire chaque plante et chaque animal et explique de quelle façon ceux-ci sont adaptés à leur habitat froid des profondeurs. Ces échantillons passent de l'un à l'autre visiteur, mais les plus fragiles sont protégés grâce à des sacs de plastique remplis d'eau. Tous ces échantillons sont éventuellement rapportés par les plongeurs sur les lieux d'où ils proviennent. Les visiteurs adorent cette présentation; avant de planifier un séjour à Pacific Rim, il est possible de téléphoner de façon à connaître la date de la prochaine présentation.

Pour explorer la **zone intertidale**, il est nécessaire de se procurer un exemplaire des horaires des marées de Tofino pour le secteur de Long Beach. Ces horaires sont disponibles au kiosque du terrain de camping, au centre d'information situé à proximité de la jonction de la route qui mène à Port Alberni et au centre d'information du parc. Ils sont en outre affichés sur les « babillards » d'un certain nombre de points d'intérêt. Il est possible de marcher le long des plages de sable tant à marée haute qu'à marée basse. Mais en terrain rocailleux, ou encore là où il est possible de franchir de petites péninsules, voire de se diriger vers de petites îles, il faut connaître la direction des eaux afin de ne pas avoir à battre précipitamment en retraite tout en risquant de se faire arroser.

Les terrains rocailleux abritent de superbes mares. À marée basse, on y découvre des merveilles telles qu'anémones brillamment colorées, étoiles de mer, balanes et petits poissons presque invisibles qui s'élanceront vivement pour éviter votre ombre.

Mon endroit préféré pour observer la zone intertidale demeure la **pointe Wya**, à l'extrémité sud de la **baie Florencia**.

Quatre sentiers mènent à cette baie et la randonnée vers la pointe Wya elle-même représente une expérience agréable. Le plus au sud de ces sentiers, le **Willowbrae**, commence en fait à l'extérieur du parc, mais il est celui qui aboutit le plus près de la pointe. Cette marche d'environ une demi-heure permet de traverser en entier la séquence de zones forestières avant de parvenir à l'étroite laisse de mer puis à la zone intertidale.

La région immédiatement à l'ouest du terrain de camping Schooner Walk-In représente un autre excellent endroit où trouver des plages de sable, des mares tidales et des îlots. De cet endroit, on peut apercevoir l'**île Box** dont les étonnantes strates de roc font penser à d'innombrables lames de scies tassées en position verticale.

Les programmes d'interprétation portent d'abord et avant tout sur la zone intertidale. Chaque semaine ont lieu un certain nombre de marches accompagnées de guides de même que plusieurs diaporamas, sur le sujet, auxquels il est recommandé d'assister en soirée.

Ceux qui aiment fréquenter la nature sauvage se voient offrir une merveilleuse occasion de faire eux-mêmes l'expérience de la zone intertidale en visitant les **îles Broken Group** et le **sentier West Coast**. À défaut d'explications formelles, il existe un certain nombre de livres et de brochures portant sur la faune et la flore de la zone intertidale publiés tant par le musée provincial de Colombie-Britannique que par des éditeurs locaux. Il est habituellement possible de se procurer ces publications dans les bonnes librairies de Victoria et de Vancouver, voire sur les traversiers ou dans les petites boutiques de Tofino ou d'Ucluelet.

La laisse de mer: une zone de transition

La moindre marche le long des plages qui bordent la forêt permet d'observer la haute plage couverte d'échouries, son sable fin apporté par les vents, de même que la végétation dispersée qui tente désespérément de s'y agripper.

À **Florencia**, la laisse de mer est très différente puisqu'elle se trouve limitée par des falaises blanches luisantes parsemées de petits trous qui sont l'oeuvre des hirondelles à ailes hérissées qui y nichent. Ces oiseaux fondent sur leurs proies et caquètent au-dessus des plages; ils se nourrissent des insectes qui fourmillent dans les andains formés de débris pourrissants de créatures piégées sur les plages lors des tempêtes.

G. E. Tayler, Parcs Canada.

Îles Broken Group.

À l'extrémité nord de la baie Florencia, une petite lagune a été formée par l'arrivée du **ruisseau Lost Shoe** dans l'océan. Les mouettes apprécient cet endroit et j'y ai vu de nombreux huîtriers-pies qui se lavaient dans l'eau de source à l'endroit où celle-ci aboutit dans l'océan. Il est assez facile de s'y rendre depuis un terrain de stationnement situé à proximité de l'entrée de la plage sur la route qui mène à Wickaninnish Centre. Cette route continue sur la gauche.

Forêts

La partie terrestre de Pacific Rim est constituée, pour la plus grande part, de forêts, parfois entrecoupées de brèches où la végétation brûlée repousse, de tourbières de littoral ou de marécages comme c'est le cas à la **baie Grice**. Il existe au moins trois excellents postes d'observation d'où l'on peut apercevoir les couches de la croissance des forêts, depuis les buissons qui bordent les plages, en passant par la bande où poussent les épinettes Sitka, jusqu'aux thuyas et sapins qui prédominent. À environ les trois quarts de la distance que l'on parcourt sur la route numéro 4 en direction de Tofino se trouve le sentier qui mène à **Schooner Cove**. Ce sentier d'à peine 0,8 kilomètre descend abruptement le long de marches en zigzag depuis la forêt de thuyas et de sapins, en passant par la frange d'épinettes Sitka, pour aboutir au secteur relativement ouvert réservé au camping.

Un autre court sentier permet d'accéder au bas des falaises de **Green Point**. À proximité du sommet des falaises, il est possible de constater le sort réservé à certains des plus grands thuyas lorsqu'ils sont constamment exposés aux vents salins en provenance de l'océan. Le sel arrive à la longue à les tuer, mais avant que cela ne se produise, les arbres font jaillir de leurs troncs d'énormes branches qui constituent presque des deuxièmes ou troisièmes troncs. Ces branches poussent horizontalement sur une longueur de quelques dizaines de centimètres puis bifurquent vers le haut. Lorsque l'arbre succombe enfin et qu'il a perdu son feuillage, ses restes ressemblent à un candélabre fantomatique. En descendant des falaises, on pourra constater le long du sentier de quelle façon le salal occupe l'espace ouvert en atteignant une taille très supérieure à celle d'un humain.

Lorsque le sentier se redresse au bas des falaises, on découvre des toilettes sèches qui, en réalité, appartiennent à un segment du sentier qui court à l'arrière du mur rugueux d'épinettes Sitka qui longe la laisse de mer. Ce très court segment de sentier mène à une autre ouverture sur la plage et, en cours de route, des tables de pique-nique sont disposées en plusieurs endroits. Le fait de se trouver si près de l'océan tout en étant complètement séparé de celui-ci témoigne, on ne peut plus clairement, de l'efficacité de l'adaptation à des vents incessants représentée par la rugosité des arbres et leurs couches superposées. Il faut s'assurer de tourner le dos à l'océan et de jeter un coup d'oeil aux arbres qui surplombent, puis au rivage. Je m'y suis trouvée par un jour de grisaille; les arbres humides et noirs ressortaient à la façon d'un fond de scène sur un ciel terne.

Le troisième endroit d'où il est possible d'apprécier la forêt côtière du nord-ouest pourrait être situé dans l'un ou l'autre segment du **sentier Rain Forest**. Il existe deux courts sentiers en boucle, un de chaque côté de la route 4 à environ 16 kilomètres au nord du Centre d'informations. Le pin amabilis y pousse de concert avec le thuya et le sapin et il s'agit là des essences dominantes d'une forêt humide parvenue à maturité. Le sentier permet de franchir des torrents et de parcourir dans les deux sens des pentes légères. Trottoirs de planches et escaliers facilitent souvent la marche.

Sentier de la forêt humide de la baie Florencia.

SERVICES ET AMÉNAGEMENTS

Le Centre d'information du parc est situé immédiatement à l'intérieur des limites de l'emplacement, le long de la principale route d'accès. On peut y obtenir les derniers renseignements portant sur le camping et sur les programmes naturalistes et se procurer certains articles, tels que brochures, qui abondent sur les présentoirs. Ce Centre est ouvert tous les jours, de Pâques à l'Action de grâces.

Programmes d'interprétation

Le service le plus original qu'offre le parc demeure son programme d'interprétation. Les présentations y sont très bien planifiées et, bien que chacune soit autonome, elles sont si bien coordonnées qu'après quelques jours de marches et de causeries diverses, il est possible de se faire une très bonne idée des interrelations qui régissent les différents secteurs de l'environnement marin. Pour que les marches soient confortables, il faut se munir d'un imperméable ou d'un coupe-vent et porter soit des bottes de caoutchouc soit des chaussures de marche dont les semelles exercent une bonne traction. Plusieurs programmes portent sur l'histoire

de la région. Ils couvrent un éventail allant de randonnées guidées qui ont pour but l'observation des pétroglyphes amérindiens, à des diaporamas portant sur l'utilisation des plantes de la
région par les aborigènes, sur l'histoire de la coupe du bois, de
l'extraction minière et des navires dont, trop souvent, le destin se
jouait le long de cette côte rocheuse. Le théâtre d'interprétation
de Green Point est accessible aux fauteuils roulants.

Camping

Il existe deux terrains de camping dans le parc. Celui de **Green
Point** est le plus important pour ceux qui arrivent en voiture. Il
dispose de 92 emplacements dans une zone forestière au sommet
de falaises. La plage se trouve à cinq minutes de marche le long
d'un sentier bien entretenu. Dans les toilettes on trouve de l'eau
chaude et froide. À tous les deux ou trois emplacements, des
robinets permettent d'obtenir de l'eau pour la cuisson. Chaque
emplacement dispose d'une table de pique-nique et d'une grille à
cuisson et on y fournit le bois. Par contre, aucun n'offre d'abri
pour la cuisine, ni de douches, ni d'électricité, ni de raccords à
l'usage des roulottes qui, par ailleurs, bénéficient d'un poste de
vidange. Les ordures doivent être déposées dans des contenants à
l'épreuve des ours. La durée du séjour est fixée à sept jours, au
maximum.

Soulignons que ce terrain de camping est extrêmement populaire et qu'il est chaque jour occupé à pleine capacité. Il est
possible que vous deviez d'abord vous installer sur le terrain de
camping commercial situé plus loin sur la route et dépêcher le
membre le plus patient de votre groupe au parc vers 5 heures du
matin pour qu'il y attende en ligne de se voir accorder un
emplacement !

Le terrain de camping **Schooner Walk-In** se trouve à l'extrémité nord de Long Beach et dispose de toilettes sèches et de
robinets d'eau douce. Un gardien y perçoit un droit d'entrée
minime et s'assure que l'environnement soit protégé. Les emplacements ne sont pas spécifiquement indiqués, mais on a limité
l'accès à 100 tentes. Pour atteindre le terrain de camping depuis le
terrain de stationnement, il faut marcher durant environ un
kilomètre. Ce sentier magnifique, plutôt tortueux et abrupt, dispose d'escaliers dans les endroits les plus propices.

Camping sauvage

Il existe quelques sites munis de toilettes sèhes dans les îles **Clark, Gilbert, Hand, Willis, Benson, Turret** et **Gibraltar** de l'archipel Broken Group. L'eau y est fournie mais la source risque de se tarir vers la fin de l'été; il ne faut donc pas oublier d'en apporter.

Il est possible de pratiquer le camping sauvage le long du **sentier West Coast**. Les campeurs doivent s'être entièrement approvisionnés et être capables de pratiquer le camping de façon autosuffisante durant au moins une semaine. Le Sierra Club de la Colombie-Britannique a fait paraître un guide du sentier, disponible dans la plupart des librairies. Les campeurs choisissent habituellement des emplacements à proximité des plages ou sur celles-ci. L'eau douce provient des torrents. Il faut se débarrasser soigneusement de ses ordures personnelles et les porter dans des lieux éloignés des sources d'eau douce. Les échouries peuvent servir à alimenter de petits feux qui ne doivent être allumés que sur le sable ou le roc sous la ligne de haute marée.

Autre terrain de camping

À quelques kilomètres au nord du parc, il existe un terrain de camping commercial de 500 emplacements, le **Pacific Rim Resort**. Peuplé plutôt densément, il est pourvu de douches, d'une petite boutique où l'on peut manger sur le pouce ou s'approvisionner, d'une salle de jeux à l'usage des enfants, etc. Ce terrain se trouve sur la plage. Son adresse postale est la suivante : Case postale 309, Tofino, C.-B. [604] 725-3202. Il est possible de réserver un emplacement en téléphonant. La région comporte aussi trois autres terrains de camping commerciaux de moindre envergure.

Autres agréments, essence, nourriture et approvisionnements

À Tofino, à Ucluelet et dans les régions voisines on peut trouver un certain nombre de motels de différente qualité. Ils sont rarement inoccupés et il importe de téléphoner ou d'écrire pour réserver. Pour de plus amples informations, on consultera le *Travellers' Handbook* des services touristiques de la Colombie-Britannique.

Victoria, Port Alberni, Ucluelet et Tofino offrent un vaste éventail d'épiceries, de restaurants, de garages et de boutiques d'approvisionnement. On y trouve, de plus, des boutiques où sont exposées oeuvres d'art et artisanat locaux.

Loisirs

Natation   On peut pratiquer la natation sous surveillance à North Long Beach durant l'été, mais les eaux sont froides et souvent agitées. Il faut être très prudent, même lorsqu'on patauge, à cause des courants et des marées.

Plongée sous-marine, kayak, surf   Ces sports peuvent tous être pratiqués dans les eaux du parc, mais les eaux froides, les grands vents, les courants puissants et les ressacs exigent des précautions considérables : il faut demeurer au chaud, ne pas s'approcher des rochers, et surveiller les écarts de température.

Pêche   La pêche est autorisée sur les rives, mais il faut d'abord se munir d'un permis fédéral de pêche en eau salée. On peut obtenir renseignements et permis en écrivant au Department of Fisheries and Oceans, 1090, rue Pender Ouest, Vancouver, C.-B. Plusieurs boutiques d'Ucluelet et de Tofino disposent de ce permis. Pour pêcher en eau douce, il faut obtenir un permis provincial.

Cueillette de coquillages   Ceux qui pratiquent la plongée sous-marine peuvent toujours attraper quelques crabes ou quelques ormeaux, mais la collecte de palourdes, de moules ou d'huîtres dans le but de s'alimenter est souvent interdite à cause de la présence d'une « marée rouge » extrêmement toxique. Avant de songer à faire la cueillette de ces mollusques, il est préférable de se renseigner ou de voir s'il existe des écriteaux à cet effet.

Navigation   La location et le nolisement s'effectuent à Tofino et à Ucluelet lorsque l'on veut se déplacer sur l'eau, observer les oiseaux ou pêcher. On pourra obtenir une liste des entreprises de location ou de nolisement en consultant le *Travellers' Handbook* de la Colombie-Britannique ou en écrivant aux Services aux visiteurs du parc. À Ucluelet et à Tofino, on trouvera toutes les accommodations maritimes tandis qu'il est possible de mettre à l'eau une embarcation dans le parc à la baie Grice.

Canotage   Il est possible de pratiquer le canotage à la baie Grice, au lac Kennedy, à Clayoquot Sound, à Clayoquot Arm et dans les zones protégées des îles Broken Group. On peut encore pratiquer le canotage, mais de façon limitée, dans la zone du Nitinat Triangle du sentier West Coast.

Randonnées   La brochure *Hiker's Guide*, portant sur les sentiers de Long Beach, est disponible au parc. Le sentier West Coast est réservé à ceux qui ont l'expérience des randonnées. On pourra se procurer la brochure qui lui est consacrée en écrivant au parc.

COMMENT S'Y RENDRE

On obtiendra une brochure détaillée en écrivant aux Services aux visiteurs. Soulignons qu'il n'est possible d'atteindre les îles Broken Group que par bateau. Durant l'été, un service de traversiers transportant les passagers deux fois la semaine entre Ucluelet et Port Alberni permettra de débarquer ceux qui disposent de canots ou de kayaks sur l'île Gibraltar. Il s'agit d'un voyage aller-retour de 10 heures. On accède au sentier West Coast depuis la tête nord du sentier et le Centre d'information à Camp Ross, baie Pachena, à 5 kilomètres de Bamfield. Bamfield se trouve à 90 kilomètres de Port Alberni en empruntant une route de gravier. Un service de traversiers opère quatre fois la semaine de Port Alberni à Bamfield.

Pour de plus amples informations

Le Surintendant,
Parc national de Pacific Rim,
C.P. 280,
Ucluelet, Colombie-Britannique,
V0R 3A0

Tél. : [604] 726-7721 et 726-4412

Tourism B.C.,
1117, rue Wharf,
Victoria, Colombie-Britannique,
V8W 2Z2

Tél. : [604] 387-6417

MONT REVELSTOKE
ET DE
GLACIER

En raison de leur histoire naturelle et humaine, il est préférable d'aborder les parcs nationaux du Mont Revelstoke et de Glacier comme deux segments du même parc, le Mont Revelstoke représentant la « petite soeur » de Glacier. Ces deux parcs protègent essentiellement le même habitat, constitué de parties des monts Columbia, à l'est de la Colombie-Britannique.

Les monts Columbia se trouvent à l'ouest des Rocheuses et peuvent être subdivisés en quatre regroupements de montagnes: les Purcell, les Selkirk et les Monashee s'étendent d'est en ouest en minces bandes orientées du nord au sud, tandis que les Cariboo forment un triangle aigu à l'extrémité nord du système. Le fleuve Columbia constitue une frontière naturelle avec sa basse vallée orientée directement du nord au sud entre les Monashee et les Selkirk. Le parc national du Mont Revelstoke est visible depuis le fleuve Columbia, tandis que le parc national de Glacier, moins de 50 kilomètres à l'est, comprend une partie des Selkirk et des Purcell.

Les monts Columbia diffèrent des Rocheuses en ce qu'il s'agit d'un ensemble de montagnes plus ancien, formé de roc beaucoup plus dur. En montagne, le roc dur signifie que les forces érosives agissent excessivement lentement sur des périodes infiniment longues. La plupart des montagnes sont, à l'origine, déchiquetées et leurs arêtes sont tranchantes; mais les vents, la pluie, le gel et le dégel les adoucissent. Les Columbia résistent toutefois à l'érosion. On y trouve des montagnes abruptes et angulaires dont les étroites vallées sont flanquées de falaises escarpées.

Leur site et le climat contribuent eux aussi à l'aspect naturel tourmenté de ces montagnes. D'énormes quantités d'air humide sont soufflées vers cette région en survolant les montagnes côtières moins élevées et en traversant la vallée du fleuve Columbia. Cet air s'élève naturellement lorsqu'il se heurte aux Columbia; il se refroidit alors rapidement et produit des pluies lourdes et persistantes durant l'été et d'abondantes chutes de neige durant l'hiver. La couverture de nuages maintient toutefois la chaleur relative des masses d'air du Pacifique. Il en résulte dans la région des températures plutôt douces en comparaison de celles qu'on retrouve aux altitudes plus élevées des Rocheuses.

La combinaison de falaises montagneuses escarpées, d'énormes quantités de neige accumulée et de températures voisines de zéro, ou même un peu moins froides, crée des conditions idéales pour les avalanches. Celles-ci rugissent le long des pentes à des vitesses allant jusqu'à 325 km/h et à peu près rien ne peut résister à leur élan. Les pentes où se produisent des avalanches dans le parc national de Glacier sont si nombreuses et si étendues qu'elles recouvrent une part considérable de ce qui serait autrement des zones forestières. Il est possible de constater de quelle façon les avalanches ont façonné un tout nouvel habitat pour les plantes et les animaux en ouvrant la voie à un nouveau cycle naturel.

Les énormes quantités de neige ont aussi créé une multitude de glaciers. Le parc national de Glacier en compte plus de 400, ce qui représente 10 % de sa superficie.

Les escarpements des monts Columbia ont causé d'épineux problèmes à la fin du XIXe siècle alors qu'on s'efforçait de découvrir une voie au sud qui permettrait d'atteindre l'océan à travers les montagnes de l'ouest. Trouver un passage représentait un premier problème et rendre ce passage sécuritaire pour les trains en représentait un second. Le col Rogers a été découvert en 1881, mais ses pentes escarpées, ses avalanches et le climat s'uniraient pour détruire en quelques secondes ce qu'on avait mis des semaines, voire des années, à aménager. Plus de 200 personnes ont été tuées par des avalanches dans la région du col Rogers entre 1885 et 1911. On devait, au bout du compte, entreprendre le forage du tunnel Connaught, long de 8 kilomètres, sous le mont Macdonald. Ce tunnel permettait de raccourcir le trajet et d'éviter le col Rogers.

De nos jours, de nouvelles techniques ont permis de mettre au point une méthode assez précise pour prédire où et quand des avalanches sont susceptibles de se produire. Le parc est équipé à cette fin. On a aménagé 17 emplacements circulaires le long du col Rogers où il est possible de rouler des canons Howitzer de 105 mm; on les utilise pour viser puis pour tirer sur les endroits dangereux. L'avalanche en préparation se trouve déclenchée avant que trop de neige ne s'accumule. Les glissements se produisent en toute sécurité par-dessus les nombreux pare-avalanches aménagés au-dessus de la route. La neige est ainsi rejetée plus bas sur les pentes. Il s'agit là d'une opération énorme et complexe

Lis des glaciers.

qui nécessite l'interruption du trafic, celui-ci devant rebrousser chemin ou s'arrêter dans une zone sécuritaire; mais les tragédies sont virtuellement absentes du col Rogers.

Bien que les parcs nationaux du Mont Revelstoke et de Glacier soient très rapprochés l'un de l'autre et témoignent du même genre d'habitat, leur aménagement et les services qu'ils offrent visent des buts différents. Glacier est un parc à usages multiples disposant de terrains de camping, de nombreux sentiers et de randonnées quotidiennes dirigées par des interprètes. Le Mont Revelstoke est d'abord et avant tout ouvert le jour; une route mène au sommet et plusieurs courts sentiers y mènent aux prairies alpines.

Dans les deux parcs, toutefois, l'étroitesse des vallées et l'escarpement des montagnes signifient que les différentes zones habitées sont comprimées. Les deux parcs comprennent trois zones principales — une forêt humide à l'intérieur, une forêt subalpine et une forêt alpine — auxquelles succèdent une toundra rude, battue par les vents, et les sommets des montagnes couverts de glaciers. Leur caractère compact rend plus intense une visite des Columbia, même si l'on y passe en voiture; mais les randonnées guidées augmentent énormément l'impression d'intimité.

COMMENT VISITER LES PARCS

À Glacier, le programme d'interprétation s'efforce de faire découvrir aux visiteurs les zones habitées et l'histoire humaine par le

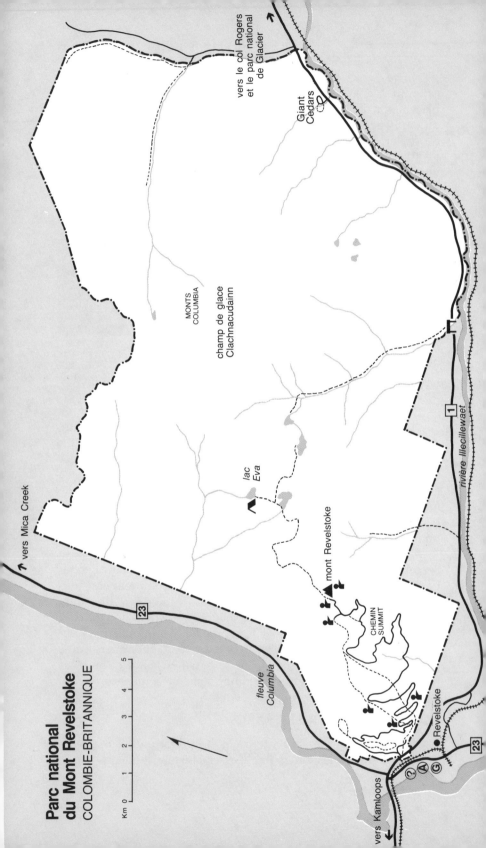

Parc national du Mont Revelstoke
COLOMBIE-BRITANNIQUE

Km 0 1 2 3 4 5

↑ vers Mica Creek

MONTS COLUMBIA

champ de glace Clachnacudainn

lac Eva

mont Revelstoke

CHEMIN SUMMIT

Giant Cedars

vers le col Rogers et le parc national de Glacier

rivière Illecillewaet

fleuve Columbia

23

1

23

Revelstoke

vers Kamloops

biais de randonnées guidées. Au Mont Revelstoke, les visiteurs sont davantage laissés à eux-mêmes : deux courtes marches peuvent être entreprises sans le secours de guides à partir de la route et un trajet de 26 kilomètres mène au plateau du sommet et à un réseau de sentiers. Il existe de plus des sentiers à la base de la montagne et il est possible d'y entreprendre une randonnée qui mène presque directement à la zone du sommet.

Le parc national de Glacier

Le programme d'interprétation du parc national de Glacier ne ressemble à aucun autre de ceux qui sont offerts par le réseau des parcs. On n'y offre pas de diaporamas en soirée ou de courtes randonnées guidées en après-midi. On vous prend plutôt par la main, parfois littéralement, et on vous mène chaque jour sur différentes pentes. Les randonnées durent habituellement de 3 à 5 heures et commencent au milieu de l'avant-midi. Il est toujours suggéré d'apporter un casse-croûte et de disposer de vêtements chauds et d'un imperméable au cas où la température se rafraîchirait ou deviendrait pluvieuse. Les randonnées s'effectuent selon un cycle de sept jours et chaque jour la destination est différente. Toutes commencent au terrain de camping Illecillewaet, qui semble être l'endroit le plus populaire où demeurer.

Au cours des randonnées, l'interprète fait fréquemment halte et fait état de la flore caractéristique de chaque niveau. Il identifie les oiseaux à leur chant et décrit les relations de ceux-ci avec chaque zone. Les couloirs d'avalanches sont passés au peigne fin au cas où l'on apercevrait des grizzlys, mais vous n'apercevrez sans doute que des lis des glaciers dont les pousses et les racines nourrissent les ours. La plupart des randonnées permettent de se rendre jusqu'à la limite des forêts si la neige a reflué jusque-là, ce qui signifie en juillet au plus tôt. Vous pourrez observer des coussins de silènes acaules qui se protègent du froid en formant des touffes de racines et de feuilles basses. Des marmottes blanchâtres prennent le soleil sur la végétation des rochers. Plusieurs sentiers surplombent les glaciers. Pour savoir où chaque sentier mène, il faut consulter les babillards et lire la brochure explicative, mais la plupart des sentiers mènent jusqu'aux habitats des plus hautes altitudes.

Le programme de randonnées personnalisées représente la façon idéale de visiter cet environnement. Dans une région où les températures varient radicalement, où le terrain est plutôt escarpé (bien que les sentiers soient larges et bien entretenus), et où un

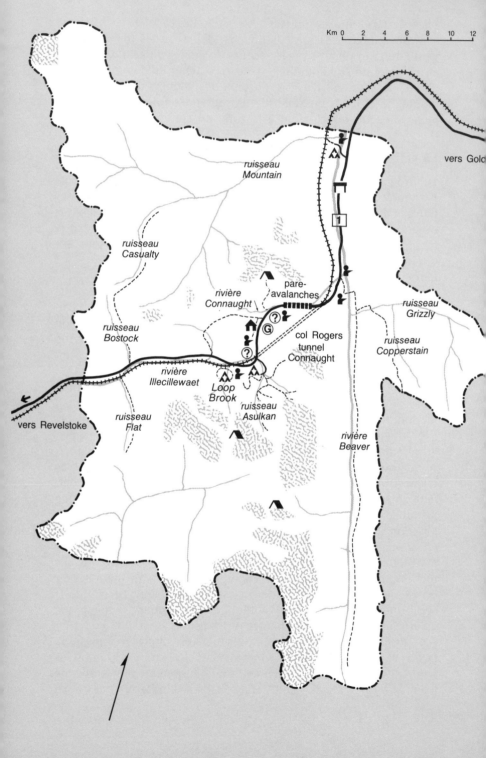

Parc national de Glacier
COLOMBIE-BRITANNIQUE

Km 0   2   4   6   8   10   12

vers Gold

ruisseau
Mountain

ruisseau
Casualty

rivière
Connaught

pare-
avalanches

ruisseau
Grizzly

ruisseau
Bostock

col Rogers
tunnel
Connaught

ruisseau
Copperstain

rivière
Illecillewaet

Loop
Brook

ruisseau
Asulkan

rivière
Beaver

vers Revelstoke

ruisseau
Flat

grizzly apparaît à l'occasion, il est préférable d'être accompagné de personnes expérimentées. Ne vous inquiétez cependant pas de ce que ces randonnées puissent être trop rigoureuses puisque chacune accueille des personnes de tous âges et de toutes conditions. Un naturaliste m'a confié qu'un enfant de quatre ans et une personne de 84 ans avaient participé à la même randonnée récemment et que ni l'un ni l'autre n'avaient abandonné en cours de route. Pour ma part, j'ai participé à des randonnées plusieurs jours d'affilée et je ne saurais conseiller trop vivement un tel programme.

Je recommanderais d'entreprendre deux ou trois randonnées guidées avant de partir seul. Bien que la brochure portant sur les randonnées soit excellente, vous serez alors mieux préparé à comprendre ce que vous voyez, à affronter le temps erratique et à évaluer la possibilité de rencontrer des grizzlys.

L'histoire humaine à Glacier

Depuis la route ou à proximité des terrains de camping, vous serez en mesure d'apercevoir les traces d'une voie ferrée au **col Rogers**. Le **sentier Trestle**, situé immédiatement derrière le terrain de camping Mountain Creek à l'extrémité nord du parc, permet d'accéder rapidement au ruisseau qui court à travers un canyon très escarpé. Ce canyon est traversé par un imposant pont en ciment et en acier. Anciennement, cette structure était en bois et constituait la plus importante construction des chemins de fer du Pacifique canadien. Un écriteau résume son histoire.

Le **sentier Loop** suit la route de l'ancienne voie ferrée depuis le terrain de camping Loop Brook. Il s'agit d'une randonnée facile d'une demi-heure à travers la plus dense des forêts humides, laquelle regorge de fougères et de champignons, de thuyas et de sapins. À certains endroits, vous passerez tout à côté des énormes piles de pierres qui supportaient autrefois les voies ferrées. On peut aussi apercevoir les ruines d'un hangar à neige en bois qui servait à protéger les voies mais qui a, depuis longtemps, subi les outrages de l'âge et des avalanches. Des écriteaux tout au long du sentier racontent l'histoire d'un passé dramatique.

Un autre sentier, le **Meeting of the Waters**, permet d'apprécier l'histoire ferroviaire du parc. Ce sentier commence à l'arrière du terrain de camping Illecillewaet et s'incurve en direction d'un pont rustique pour piétons qui permet de traverser la rivière Illecillewaet et de revenir en passant à proximité des ruines de l'hôtel Glacier House, un centre touristique de la fin du XIXe siècle.

Le sentier est la plupart du temps tout à fait plat et ne quitte pas la forêt. Il mène, de l'autre côté d'un pont pour piétons, à l'endroit où le ruisseau en provenance du glacier Asulkan se jette dans la rivière Illecillewaet. Le ruisseau Asulkan est habituellement plus laiteux que l'Illecillewaet, à cause des débris de glace, et ils coulent parallèlement sur une courte distance à la « rencontre des eaux », chacun conservant sa couleur distinctive.

Un dernier sentier, l'**Abandoned Rails**, a trait à l'histoire ferroviaire. Celui-ci commence à proximité du Summit Monument du col Rogers où se trouve le Centre des visiteurs et on l'emprunte sans guide. On peut parcourir ce très court sentier en une demi-heure dans chaque direction. Celui-ci emprunte la route suivie par les voies ferrées avant l'ouverture du tunnel Connaught.

Le parc national du Mont Revelstoke

Le Mont Revelstoke est surtout constitué d'une forêt dense, de torrents impétueux et de prairies subalpines qui conduisent à la toundra et à ses importants glaciers et champs de glace. Il bénéficie toutefois d'une petite zone qui rappelle les tranquilles rivières qui serpentent dans les vallées à travers la brèche intérieure à l'est des monts Columbia. Là où la rivière Illecillewaet coule lentement dans un lit suffisamment large pour avoir permis la formation de marécages, il existe un magnifique sentier qu'on emprunte sans guide et qui porte le nom peu élégant de **Skunk Cabbage**. Ce sentier court à l'arrière de l'aire aménagée pour pique-niques Skunk Cabbage, environ 8 kilomètres à l'est du kiosque situé à l'entrée du parc. Ce court sentier est presque entièrement constitué d'un trottoir de planches. La richesse et la variété de la flore en font le meilleur endroit du parc pour l'observation des oiseaux. À proximité du trottoir de planches, la plante de marécages la plus remarquable est le chou puant, une plante différente dans l'ouest de celle qui porte le même nom dans l'est. Toutes deux poussent au début du printemps, mais celle de l'ouest atteint des proportions gigantesques. Lorsque j'ai entrepris cette randonnée au début de juillet, ses feuilles étaient de la taille de feuilles de bananiers et jaillissaient directement des eaux. À environ 2 kilomètres à l'est en suivant la route depuis le sentier Skunk Cabbage se trouve l'un des courts sentiers les plus spectaculaires de l'ensemble du réseau de parcs. Le **sentier Giant Cedars** permet d'apprécier intimement l'intérieur de la forêt humide des monts Columbia. Un terrain de stationnement et une aire pour pique-

Plusieurs pistes du parc national Glacier permettent d'observer des glaciers tels que celui-ci.

niques ont été aménagés à proximité du sentier. Celui-ci, en pente douce le long d'un trottoir tortueux, a été merveilleusement bien conçu et soigneusement remblayé de façon à faciliter la marche. Même si vous ne faites que traverser le parc, même s'il pleut, vous pourrez apprécier ce sentier en quelques minutes.

Si vous voulez expérimenter les transitions entre les divers habitats du Mont Revelstoke, empruntez la route depuis la périphérie de la ville de Revelstoke et grimpez en serpentant jusqu'au sommet de la montagne. Cette route n'est déneigée que de la mi-juillet au mois de septembre. En cours de route, un certain nombre d'aires pour pique-niques et points de vue vous permettront d'observer l'immense mouvement circulaire de la **vallée du fleuve Columbia** et des Monashee, les montagnes les plus à l'ouest des monts Columbia. Plusieurs sentiers traversent la route, et certains commencent aux aires de repos aménagées en cours de route.

Cette route constitue l'un des seuls endroits du réseau des parcs où il est possible de conduire jusqu'au sommet d'une montagne à une altitude suffisamment élevée pour atteindre les prairies alpines. Vous pourrez pique-niquer au **lac Balsam**, avant d'arriver au sommet. Là-haut, vous pourrez vagabonder dans la région en empruntant plusieurs courts sentiers qui mènent à des points de vue ou entreprendre de plus longues randonnées vers les nombreux lacs alpins disséminés sur 5 ou 6 kilomètres le long de la crête de cette montagne. Ces sentiers sont légèrement incurvés et passent successivement de la forêt subalpine à la toundra alpine. On emprunte sans guide le sentier **Mountain Meadows**.

Les fleurs sauvages y abondent à la fin de l'été; elles poussent aussi densément que le gazon. C'est surtout cette beauté que les habitants de Revelstoke désiraient préserver lorsqu'ils ont proposé, en 1914, que la région soit transformée en parc national. Une excursion a lieu chaque année dans le parc, le premier lundi du mois d'août, à l'intention des résidents et des visiteurs, et tous sont alors invités à accompagner les naturalistes jusqu'aux prairies du **lac Eva** et à passer la journée ensemble.

SERVICES ET COMMODITÉS

Programme d'interprétation

Les services d'interprétation de ces parcs ont deux fonctions principales. La première consiste en un programme quotidien de randonnées guidées auxquelles viennent se greffer des dépliants et des brochures disponibles au kiosque situé à l'entrée des parcs et portant sur la flore, la faune, le climat, la géologie, l'histoire humaine et les sentiers. La seconde fonction de l'interprétation découle de la construction du Centre du col Rogers qui se trouve au sommet du col. Ce centre ressemble aux pare-avalanches de la lutte entreprise contre les avalanches et sert de quartier général au personnel de naturalistes. Il représente un premier pas logique dans le parc. Vous pourrez y trouver toutes les brochures vous renseignant sur les parcs et y examiner des photographies et des artefacts qui témoignent tant des monts Columbia que de leur histoire naturelle et humaine. Le théâtre et les aires réservées aux pièces ont aussi été aménagés à cet endroit.

Camping

Il n'existe de terrains de camping que dans le parc national de Glacier. Trois terrains de camping sont situés à proximité de la route transcanadienne. Le **terrain de camping de Mountain Creek** occupe le site le plus éloigné au nord-est. Aménagé juste à l'intérieur du parc, environ 5 kilomètres avant l'entrée, il sera nécessaire d'ouvrir l'oeil si l'on veut apercevoir l'écriteau. Il s'agit

Sentier Giant Cedars.

d'un grand terrain fortement boisé dont le sous-bois est couvert de plaques de fleurs. Il comporte 250 emplacements et trois boucles traversées de bandes routières en ligne droite à l'usage des longues caravanes. Ce terrain est équipé de toilettes à chasse d'eau, d'eau froide dans les salles de toilettes et aux robinets extérieurs, de dépôts de bois pour les feux de foyer ainsi que d'abris pour la cuisine, lesquels sont pourvus de cuisinières. Par contre, il ne dispose pas de raccords pour les roulottes bien qu'on y trouve un poste de vidange. Le sentier Trestle commence à cet endroit. Ce terrain de camping ne se remplit que rarement; tenez-en donc compte si vous entrez dans le parc un vendredi soir du mois d'août.

En comparaison, le **terrain de camping d'Illecillewaet** n'est pas très grand puisqu'il ne dispose que de 59 emplacements, mais il occupe une position centrale et constitue le point de départ de la plupart des randonnées. Modérément boisé, il est magnifiquement situé le long de l'étroite rivière Illecillewaet. Ce terrain dispose d'abris pour la cuisine, de toilettes à chasse d'eau où l'on trouvera de l'eau froide, de dépôts pour l'eau et le bois, de tables à pique-niques et de grilles à cuisson sur chaque site.

Le **terrain de camping de Loop Brook** est encore plus petit puisqu'il ne dispose que de 20 emplacements. Il ressemble beaucoup au terrain de camping d'Illecillewaet puisqu'il est situé le long d'une rivière et qu'il offre les mêmes commodités. Le sentier Loop Brook, qu'on ne devrait éviter à aucun prix, commence à ce terrain.

Camping sauvage

Dans ces deux parcs, il n'existe pas de sites de camping aménagés dans l'arrière-pays. Les accidents du terrain font qu'il serait déraisonnable de tracer des sentiers en boucle que favoriseraient la plupart des excursionnistes de l'arrière-pays. Les excursionnistes ont la permission de passer la nuit dans le parc national de Glacier, mais ils doivent d'abord s'enregistrer au bureau du gardien. Il serait sage de vous informer préalablement au sujet des ours, des règlements portant sur les feux, des chemins qu'il est possible d'emprunter, etc.

Autres agréments, essence, nourriture et approvisionnements

Il existe un grand hôtel au col Rogers. Il vaut mieux en profiter, car les possibilités de logement les plus proches se trouvent à Revelstoke, à 48 kilomètres de Glacier et au pied du mont Revelstoke. Ce village n'est pas très grand mais on y trouve un nombre raisonnable de motels et de petits hôtels. Golden se trouve à 56 kilomètres de la limite est de Glacier et dispose aussi de motels et d'hôtels.

Le seul endroit dans les parcs où l'on puisse faire le plein d'essence se trouve à l'hôtel du col Rogers. Je recommanderais de faire le plein ailleurs puisque l'essence peut y être particulièrement coûteuse. L'hôtel du col Rogers comprend une grande salle à manger et un petit magasin général. On trouvera à Revelstoke et à Golden tout ce dont on a besoin en fait de stations-service, d'épiceries et de boutiques d'approvisionnements.

Loisirs

Randonnées   C'est l'activité la plus populaire dans ces parcs. Glacier dispose de 140 kilomètres de sentiers aménagés tandis que le Mont Revelstoke en compte 65 kilomètres. Les changements d'altitude sont souvent considérables, mais les sentiers sont bien entretenus et les points de vue sont magnifiques. On peut se procurer dans les parcs un excellent guide de randonnées. *Footloose in the Columbias*. Des cartes topographiques de la région sont aussi disponibles à un coût modique.

Pêche   La pêche dans les cours d'eau donne de piètres résultats puisqu'ils proviennent des glaces. Il est toutefois possible de pêcher la truite dans certains lacs situés au sommet du Mont Revelstoke. À cet effet, un permis des Parcs nationaux est nécessaire et on peut se le procurer au Centre du col Rogers ou aux bureaux de l'administration du parc, au 313 3rd Street Ouest, à Revelstoke.

Sports d'hiver   Les conditions sont habituellement trop rigoureuses dans le parc de Glacier pour qu'il soit possible d'y pratiquer le ski de randonnée, mais le parc a beaucoup à offrir au skieur expérimenté. Si le ski alpin vous intéresse, vous devez absolument être conscient de la possibilité d'avalanches. Vous devez vous enregistrer aux bureaux de l'administration pour toute randonnée loin des routes. Le terrain de camping d'Illecillewaet reste ouvert pour le camping hivernal. Toilettes et abris pour la cuisine servent à l'année. Les motoneiges sont interdites à Glacier.

Au Mont Revelstoke, il existe plusieurs pistes bien entretenues pour le ski de randonnée. Au pied de la montagne, à proximité de Revelstoke, on trouve une piste de 2 kilomètres et une autre de 5 kilomètres. On trouvera d'autres pistes à Maunder Creek et à Summit Road.

POUR PLUS AMPLES INFORMATIONS

Le Surintendant,
Parcs nationaux du Mont Revelstoke et de Glacier,
C. P. 350,
Revelstoke, Colombie-Britannique,
V0E 2S0

Tél.: [604] 837-5155

LE PARC NATIONAL DE

YOHO

Yoho est le plus au nord des deux parcs des montagnes Rocheuses situés en Colombie-Britannique. Flanqué, à l'est, des parcs nationaux de Banff et de Kootenay, il est parcouru du nord au sud par la route Transcanadienne. Avec ses 1313 kilomètres carrés, Yoho est le deuxième plus petit parc des Rocheuses et, sans doute, est-ce à cause de cela que les visiteurs éprouvent le sentiment de vivre aussi intimement avec ses montagnes escarpées et ses puissants cours d'eau, de même qu'avec son histoire naturelle et humaine.

Les sommets les plus impressionnants de Yoho se trouvent à proximité de sa limite est, adjacents à la ligne de partage des eaux continentales. Ces montagnes appartiennent à la principale chaîne de la partie est des Rocheuses. Leurs falaises dramatiques et leurs hauteurs altières découlent de la nature de leur roc constitué de calcaire ainsi que de grès quartzeux qui résiste à l'érosion. Au cours du processus de formation de ces montagnes, ces rocs puissants ont été soulevés par énormes pans et les blocs montagneux massifs que nous observons de nos jours en ont résulté. Les glaciers et l'érosion ont joué, depuis lors, un rôle dans l'adoucissement des contours des vallées.

Plus à l'ouest, approximativement à la hauteur du village de Field, la physionomie des montagnes change. Celles-ci, qui appartiennent à la principale chaîne de la partie ouest des Rocheuses, ne reposent pas sur du grès résistant. Le calcaire y est entrecoupé de roches moins dures telles que le schiste. À la longue, ces montagnes se sont usées davantage que celles qui longent la ligne de partage des eaux ainsi qu'on peut le constater à leurs arêtes moins vives.

Les célèbres gisements de fossiles de Burgess Shale se trouvent dans les rochers qui séparent les deux chaînes principales. Il y a environ 530 millions d'années, des espèces marines ont été enterrées vives à l'occasion de catastrophiques glissements de boue. Leurs restes ont été préservés avec un extraordinaire luxe de détails et fournissent aujourd'hui aux scientifiques un excellent dossier sur la vie à cette époque. Burgess Shale appartient maintenant au patrimoine de l'humanité. Il fait ainsi partie d'une liste de sites tels que les pyramides d'Égypte et autres lieux célèbres qui témoignent de l'héritage naturel et culturel de l'humanité. Les fossiles de Yoho sont fortement protégés. Il est possible d'entreprendre l'épuisante randonnée qui mène aux gisements de fossiles, mais il faut d'abord s'enregistrer auprès du gardien. Et, bien entendu, il est interdit de déplacer ou de recueillir tout fossile.

Le site du parc et la forme de ses montagnes ont exercé un impact considérable sur son histoire humaine. L'une des deux routes ferroviaires des Rocheuses traverse le parc national de Yoho. Le Pacifique canadien a reculé des années durant devant l'altitude des cols des Rocheuses et les pentes abruptes des flancs ouest. À la longue, on a cependant décidé de traverser la ligne de partage des eaux en empruntant le col du Cheval-qui-rue. Les travaux sur le segment qui traverse Yoho ont été entrepris en 1884. La dénivellation de l'ouest du lac Louise à Field, la petite ville ferroviaire sise au centre du parc national de Yoho, était de 4,5 % ce qui signifie une dénivellation de près de 1,4 mètre pour une distance de 30 mètres.

Une telle déclivité limitait le nombre de wagons qu'il était possible de tirer jusqu'au sommet ou de retenir en descendant la pente en direction de la côte ouest. Les tunnels en spirale constituent la solution de ce problème. En 1907, on a incurvé 9 kilomètres de voies par rapport à l'axe principal des rails, de façon qu'ils passent à travers deux montagnes qui chevauchent cet axe. La déclivité a ainsi été réduite à 2,2 %. L'observatoire des tunnels en spirale est un des sites d'interprétation les plus visités.

Le chemin de fer a joué un rôle de premier plan dans l'extraction du plomb et du zinc à Yoho. On a découvert ces métaux dans deux secteurs de la tête de la vallée du Cheval-qui-rue peu avant que les voies ferrées ne soient terminées. L'entrée de l'une de ces mines, qu'on peut apercevoir depuis la route, se trouve au flanc du mont Field, à côté du terrain de camping du Cheval-qui-rue.

Il a fallu attendre 1927 pour qu'une route carrossable soit construite à travers le col du Cheval-qui-rue. À la longue, cette route a été améliorée et elle fait, de nos jours, partie de la Transcanadienne. Il s'agit là du principal accès au parc, bien qu'il soit toujours possible de monter à bord du train de passagers quotidien qui va du lac Louise à Field.

Orchis à feuilles rondes.

COMMENT VISITER LE PARC

Quatre importants segments du parc sont aisément accessibles aux visiteurs. Depuis le nord, il s'agit de la région du lac O'Hara, uniquement accessible sur réservation, même pour une excursion d'une journée; de la route de la vallée Yoho qui a son point de départ au terrain de camping du Cheval-qui-rue et qui conduit, en serpentant à travers un site magnifique, jusqu'aux chutes Takakkaw et, au-delà, au réseau de sentiers de l'arrière-pays; de la région du lac Emerald et du pont naturel au sud de Field; et de la Transcanadienne, surtout à cause du poste d'observation des tunnels en spirale.

Le lac O'Hara

La région du **lac O'Hara**, à Yoho, constitue presque un parc en soi. Son épicentre est le lac O'Hara, patit mais entouré de magnifiques montagnes crénelées. Il existe 25 autres lacs ou étangs alpins dans un rayon de 5 kilomètres autour du lac O'Hara. Dans un rayon de 8 kilomètres, on trouve 80 kilomètres de sentiers.

Cette zone de sentier entrecroisés qui courent à travers les prairies des montagnes et le long de lacs bleu glacé demeure à mes yeux l'une des régions les plus magnifiques et les plus excitantes de l'ensemble du réseau des parcs. L'extrême fragilité des prairies et la grande popularité du site ont imposé d'en contrôler l'accès. Quelques personnes empruntent le sentier qui mène au lac, mais la plupart réservent une place à bord de l'autobus qui se rend sur les lieux deux ou trois fois par jour. Il est

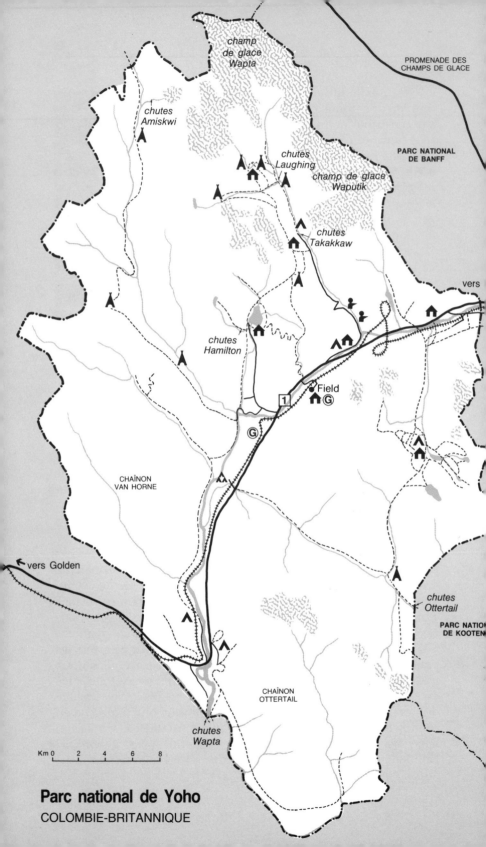

champ
de glace
Wapta

PROMENADE DES
CHAMPS DE GLACE

chutes
Amiskwi

chutes
Laughing

PARC NATIONAL
DE BANFF

champ de glace
Waputik

chutes
Takakkaw

vers

chutes
Hamilton

Field
G

1

G

CHAÎNON
VAN HORNE

vers Golden

chutes
Ottertail

PARC NATION
DE KOOTEN

CHAÎNON
OTTERTAIL

chutes
Wapta

Km 0   2   4   6   8

Parc national de Yoho
COLOMBIE-BRITANNIQUE

possible d'y effectuer une visite d'une journée, ou de s'installer dans le terrain de camping de Parcs Canada, ou encore de séjourner dans la luxueuse auberge privée du lac O'Hara. Le Club alpin du Canada y dispose d'une hutte à l'usage de ses membres. Dans un sens comme dans l'autre, l'autobus impose un tarif réduit. Les places sont réservées pour les campeurs, pour ceux qui séjournent à l'auberge et, chaque jour, pour 36 visiteurs dont le séjour ne dure qu'une journée. À l'auberge, les naturalistes du parc offrent des programmes à tous les visiteurs.

La vallée Yoho et les chutes Takakkaw

Cette combinaison de conduite automobile et de marche mène depuis la large vallée de la **rivière du Cheval-qui-rue** et emprunte une pente constante le long de la **rivière Yoho**, beaucoup plus abrupte et turbulente. La route des **chutes Takakkaw** est étroite et tortueuse. Roulottes et grandes maisons mobiles sont incapables de négocier certains de ses virages, mais il est possible de laisser sa roulotte au bureau de renseignements situé à proximité du début de la route. Ce terrain de stationnement est bien indiqué et on se doit de l'utiliser. La route permet de traverser des régions forestières subalpines que les avalanches dépouillent périodiquement de leur végétation. La végétation qui survit ou qui repousse d'abord est basse, souple et touffue, et regorge de fleurs et de baies. En bordure de la route, il est souvent possible d'apercevoir des chèvres des montagnes, mais il est important de ne pas les nourrir. Cette route de 13 kilomètres prend fin dans un terrain de stationnement à proximité des chutes Takakkaw. Ces chutes sont les troisièmes plus hautes du Canada avec leurs 384 mètres. Un observatoire a été aménagé en bordure de la rivière et la courte marche qui mène à la base des chutes est bordée de panneaux d'interprétation. Une aire de pique-niques et des toilettes à chasse d'eau occupent un espace voisin du terrain de stationnement.

Il est possible de remonter à pied la vallée Yoho depuis l'aire d'observation. Le chalet situé au pied des chutes, en raison de l'excellent panorama qu'il présente, demeure la principale destination. Cette randonnée est idéale si l'on veut observer les interactions des couches disloquées des montagnes et de la puissance des cours d'eau. Au départ des chutes Takakkaw, le sentier côtoie trois autres chutes de toutes formes et dimensions. Leurs noms sont merveilleusement descriptifs: **Laughing Falls, Point Lace Falls, Angel's Staircase Falls** et, plus prosaïquement, **Twin Falls**.

C'est le sentier le plus populaire de la vallée Yoho. Long d'environ 9 kilomètres, à l'est, il est d'un abord facile et ne comporte que deux segments abrupts, immédiatement au-delà de Point Lace Falls et immédiatement en deçà du salon de thé de Twin Falls. Un terrain de camping sauvage se trouve au bord de la rivière juste en deçà de cette ultime pente. Le sentier continue effectivement au-delà du chalet, bien que plusieurs personnes redescendent après s'y être reposées. Il est possible de grimper jusqu'au **glacier Yoho** ou d'emprunter un réseau très étendu de sentiers ardus dans l'arrière-pays avant de retourner aux chutes Takakkaw. Il existe un site réservé au camping sauvage sur une saillie rocheuse au sommet des Twin Falls, à quelques mètres seulement de cette dénivellation plutôt vive.

Mais à mes yeux, la destination elle-même, — le salon de thé, — a représenté le temps fort de ma randonnée. Ce chalet rustique a été construit par le Pacifique canadien en 1900 à l'intention des touristes qui visitaient la région à cheval. Administré par une société privée, il semble se fondre entièrement dans la nature protégée de la région. Il ne dispose ni d'électricité ni d'eau courante et tous les approvisionnements sont empaquetés. Les visiteurs peuvent y prendre le thé et y consommer de légers casse-croûte.

En se déplaçant lentement, cette randonnée dure environ six heures, dont deux heures et demie pour la montée, une heure au chalet, et deux heures pour redescendre.

Le lac Emerald, le pont naturel et les chutes Hamilton

La route de 8 kilomètres qui permet d'accéder à cette région commence à 3 kilomètres à peine au sud de Field. Après avoir longé durant 2 kilomètres le lac Emerald, un grand terrain de stationnement permet de visiter le **pont naturel**. La clé de voûte du pont s'est effondrée, mais on peut toujours très bien voir les strates verticales caractéristiques des montagnes de cette région et de quelle façon l'énorme force des cours d'eau les traverse.

Le **lac Emerald** constitue un site de première importance pour les visiteurs à la journée et sert d'accès à plusieurs sentiers de l'arrière-pays. Un autre court sentier mène du terrain de stationnement à une autre des importantes chutes du parc, les **chutes Hamilton**. Il s'agit d'une excursion agréable et rapide qui sert de complément à une marche autour du lac Emerald. Il est possible de parcourir encore 4,5 kilomètres en empruntant un sentier, plutôt abrupt au-delà des chutes, vers le **lac Hamilton** lui-même.

Twin Falls depuis les environs de la maison de thé Chalet.

Le lac Emerald est un autre de ces magnifiques lacs formés par les glaces. Un terrain de stationnement se trouve à proximité et est pourvu de toilettes. Une piste plane permet de parcourir son périmètre de 5 kilomètres. Il est facile d'entreprendre seul cette marche, mais je recommanderais de participer à la marche dirigée par un interprète. Elle était offerte deux fois la semaine, l'été où j'y ai séjourné. On peut aussi opter pour la randonnée en canot offerte une fois la semaine. Dans ce cas, vous pouvez soit louer un canot au bord du lac, soit apporter le vôtre.

La route Transcanadienne

La Transcanadienne suit de près les voies ferrées. Dix-sept points d'intérêt, de même que des aménagements, jalonnent la route. La principale brochure portant sur le parc contient une carte où sont notés et brièvement décrits ces 17 points d'intérêt. À l'extrémité nord de la route se trouve le **Vieux pont de la grande côte** où certains trains perdaient le contrôle et déraillaient en plongeant lorsqu'ils empruntaient cette dénivellation, la plus abrupte de toutes les voies ferrées d'Amérique du Nord. Un peu plus loin sur la route se dresse le poste d'observation du **bas des tunnels en spirale**. Le parc y a érigé une plate-forme d'observation dans le style des anciens ponts de bois qui soutenaient autrefois les voies ferrées. Une exposition interprétative fascinante raconte pourquoi et comment les tunnels en spirale ont été construits. Vous pouvez emprunter le court et populaire trajet qui mène en train de **Field** au lac Louise, y passer une partie de la journée, et revenir. Cette solution vous permettra de faire à peu de frais l'expérience des tunnels.

En bordure sud de la route, peu après le terrain de camping du ruisseau Hoodoo, le **sentier de Deer Lodge** aboutit à la résidence du premier gardien du parc. Deer Lodge n'est rien d'autre qu'une petite cabane qui a connu de meilleurs jours, mais elle se trouve à proximité d'un très beau lac entre la forêt touffue et un marais.

Le sentier qui va aux **cheminées des fées** commence lui aussi au virage qu'il faut emprunter pour se rendre à Deer Lodge. Les cheminées des fées existent en un certain nombre d'endroits où se trouvent des pentes abruptes formées de débris de glaciers. À la longue, les eaux s'insinuent dans les strates molles surmontées par des rocs plats plus résistants et emportent ces matériaux plus friables. Les rocs plats forment alors un capuchon ou un parapluie qui protège ce qui se trouve immédiatement au-dessous, permettant ainsi la formation de colonnes qui surplombent les ravins évidés ou les vallées qui les entourent.

Le sentier qui mène aux cheminées des fées est long de 3 kilomètres. La première moitié traverse une forêt plane. Une fois passé le pont pour piétons qui enjambe la **rivière du Cheval-qui-rue**, le sentier grimpe plutôt abruptement. On y suit les accidents du terrain et la surface de la piste est plane, mais celle-ci risque d'être éprouvante si vous n'êtes pas en forme. Il existe plusieurs postes d'observation le long de la rivière qui coule tout en bas et des montagnes qui se dressent de l'autre côté.

Un autre sentier particulier au parc, facilement accessible depuis la route se trouve lui aussi à l'extrémité sud et a pour nom le **sentier Avalanche**. Très court, on peut l'emprunter sans guide. Il commence juste au nord du terrain de camping du ruisseau Hoodoo et conduit au **mont Vaux**, d'où des avalanches déferlent parfois jusqu'au sentier. En juillet, cependant, il ne devrait pas y avoir de danger d'avalanches. Grâce à une brochure, vous pourrez identifier la végétation qui vous entoure et comprendre pourquoi celle-ci est basse et touffue plutôt que haute et rigide. Vous y apprendrez pourquoi les ours adorent les plantes qui poussent sur les pentes qui sont le théâtre d'avalanches et de quelle façon les rocs cicatrisent les arbres qui survivent en bordure des trajectoires de ces mêmes avalanches.

SERVICES ET COMMODITÉS

Programmes d'interprétation

Il vaut vraiment la peine de participer au programme d'interprétation fort dynamique du parc. Au cours de l'été, au moins un terrain de camping présente chaque soir, avant le mercredi, des diaporamas ou des causeries autour d'un feu de camp. Des interprètes visitent les chutes Takakkaw, le lac O'Hara et le lac Emerald plusieurs fois par semaine. Des excursions dirigées par des interprètes ont lieu six jours par semaine. La balade hebdomadaire en canot sur le lac Emerald demeure un événement intéressant. La fréquence et l'horaire des activités peuvent cependant varier d'une année à l'autre. Plusieurs publications concernant le parc — brochures à l'intention de ceux qui veulent entreprendre des randonnées en solo, journal, nomenclatures d'oiseaux, brochure portant sur les sentiers de l'arrière-pays, cartes de randonnées, etc. — sont disponibles au Centre d'information de l'entrée nord du parc ou peu avant l'entrée du terrain de camping du Cheval-qui-rue.

Camping

Le **terrain de camping du Cheval-qui-rue** se trouve à 5 kilomètres de Field et à proximité du plus important centre d'information du parc. À la fin de juillet et en août, ce terrain est entièrement occupé très tôt au cours de l'après-midi ainsi que durant la fin de semaine. Les emplacements réservés aux tentes sont légèrement boisés et l'espace réservé aux caravanes est gazonné. Le terrain de camping est dominé par le mont Stephen et certains emplacements sont en bordure de la rivière. Ce terrain comprend 92 emplacements, des abris pour la cuisine, des toilettes à chasse d'eau, des douches, un poste de vidange à l'intention des caravanes mais pas de raccords pour ces dernières. L'eau est disponible dans les salles de toilette ou en ouvrant les robinets qu'on retrouve à tous les deux ou trois emplacements. Chacun de ceux-ci dispose d'une grille pour la cuisson, d'une table de pique-niques et de bois de chauffage. Sur le terrain, on trouve en outre un théâtre d'interprétation en plein air et un terrain de jeux pour les enfants. Une petite épicerie se trouve juste à l'extérieur du kiosque de l'entrée.

Le **terrain de camping du ruisseau Hoodoo**, à proximité de l'extrémité sud du parc, est densément boisé. Il dispose de 106 emplacements, de toilettes à chasse d'eau et d'abris pour la cuisine. Les roulottes y bénéficient d'un poste de vidange, mais pas de raccords. Chaque emplacement possède une table de pique-niques, une grille à cuisson et du bois de chauffage. Le terrain lui-même est pourvu d'un théâtre en plein air et de sentiers qui mènent à Deer Lodge et aux cheminées des fées. Le sentier Avalanche se trouve également à proximité.

Le **terrain de camping du pic Chancellor** est le plus au sud de tous. Plus sauvage que les deux autres où l'on accède en voiture, on s'y enregistre soi-même en remplissant une enveloppe-formulaire dans laquelle on dépose son paiement. Ce terrain se trouve dans le secteur clairsemé à l'ouest de la rivière du Cheval-qui-rue. Les trains passent à l'arrière. Ce terrain compte 64 emplacements munis de toilettes sèches, d'abris pour la cuisine, d'eau provenant de robinets, et chaque emplacement dispose d'une grille à cuisson et d'une table à pique-niques.

Environ 3 minutes de marche le long d'un sentier de gravier séparent le terrain de stationnement du **terrain de camping des chutes Takakkaw**. Les emplacements occupent des espaces ouverts ou faiblement boisés. À cause de la nature rocheuse du terrain et de la végétation clairsemée, les tentes y sont dressées sur de grandes plates-formes de bois. On y trouve 35 emplacements, des toilettes sèches, des abris fermés pour la cuisine et, sur chaque site, une grille à cuisson et une table à pique-niques. Ce terrain de camping où l'on s'enregistre soi-même occupe un endroit spectaculaire d'où l'on a un merveilleux point de vue sur les chutes. Il est très populaire auprès des excursionnistes puisqu'il se trouve au début de plusieurs sentiers de la vallée Yoho.

Le **terrain de camping du lac O'Hara** se trouve à près de 2135 mètres d'altitude et il est possible qu'il y neige ou qu'il y grêle presque à n'importe quelle époque de l'année. Ce terrain comprend 32 emplacements, des abris pour la cuisine, des toilettes sèches, des tables à pique-niques et des grilles à cuisson. Il est nécessaire de réserver sa place au bureau du parc à Field et la plupart réservent une place à bord de l'autobus plutôt que de marcher durant 11 kilomètres. Les réservations à bord de l'autobus sont effectuées automatiquement lorsque les campeurs réservent un emplacement. Le terrain lui-même se trouve à quelques pas de l'endroit où l'autobus arrête.

Camping sauvage

Il existe un certain nombre de terrains de camping dans l'arrière-pays. Tous disposent de toilettes sèches et de grilles à cuisson, mais le bois de chauffage n'abonde pas toujours. Il faut prévoir utiliser un poêle portatif. Il est interdit d'amasser soi-même du bois à brûler. L'eau provient des lacs et des torrents. J'ai visité les terrains de camping de **Twin Falls** et de **Laughing Falls**. Ils étaient bien entretenus. On y avait tendu des perches en bois à bonne hauteur entre deux arbres de façon à ce que la nourriture puisse être suspendue hors de portée des ours (ou des martres). Laughing Falls compte environ 8 emplacements tandis que Twin Falls peut accueillir 10 tentes. On trouve un certain nombre d'autres terrains de camping dans l'arrière-pays mais il est nécessaire d'obtenir un permis, d'ailleurs gratuit, pour y passer la nuit, de façon à éviter le surnombre et à cause de problèmes de sécurité. On peut obtenir ce permis au centre d'information de l'entrée est du parc.

Camping collectif

Un terrain de camping pouvant accueillir 50 personnes a été aménagé immédiatement à l'ouest de **Field**. On y trouve de l'eau, des toilettes sèches et des abris pour la cuisine. On peut obtenir de plus amples informations et réserver en écrivant au parc.

Autres agréments, essence, nourriture et approvisionnements

Quelques chalets appartenant à l'entreprise privée, les Cathedral Mountain Chalets, se trouvent à proximité du terrain de camping du Cheval-qui-rue. L'auberge Wapta est un grand motel-restaurant situé au lac Wapta, à l'extrémité nord du parc. On trouvera de même une auberge au lac Emerald. On peut obtenir une liste complète de ces endroits où loger en écrivant au surintendant. Le lac Louise n'est qu'à une vingtaine de minutes en voiture de l'extrémité nord du parc, tandis que Golden ne se trouve qu'à 25 kilomètres de l'extrémité sud. On peut trouver à se loger dans ces deux endroits.

   Le chalet de Twin Falls peut accueillir dans un décor rustique un maximum de 14 personnes à la fois dans des chambres de trois ou quatre lits. Les tarifs comprennent tous les repas et la literie. Les visiteurs à la journée ne sont plus servis après 16 h 30 et la salle à manger douillette se transforme en salle à manger et salle de séjour à l'usage des locataires qui y passent la nuit. On y fournit l'eau chaude à chaque chambre dans des cruches et des cuvettes; les toilettes sèches sont situées à une minute de marche du chalet. On peut réserver en téléphonant au [403] 269-1497. Le chalet n'est ouvert que l'été et il est préférable de réserver tôt.

L'auberge du lac O'Hara est beaucoup plus luxueuse. Les hôtes y demeurent à l'étage du bâtiment principal ou dans de petites cabines à proximité du rivage. Les tarifs varient, mais tous offrent de somptueux déjeuners et dîners, le thé en après-midi et un énorme casse-croûte pré-emballé. L'auberge est ouverte hiver comme été. Un service quotidien d'autobus est assuré au départ du lac Louise, de Calgary et de Banff. Il est nécessaire de réserver en téléphonant au [604] 343-6418 durant l'été ou, après septembre, au [403] 762-2118. Si l'on veut réserver pour l'été, il faut s'y prendre presque un an d'avance.

Les membres du Club alpin du Canada peuvent réserver la hutte qui se trouve dans la région du lac O'Hara en téléphonant au [403] 762-4481; pour l'été, il faut s'y prendre plusieurs mois à l'avance.

Essence et victuailles sont disponibles au garage et à la petite épicerie situés juste à l'extérieur du terrain de camping du Cheval-qui-rue. Field dispose d'un garage et d'un petit local où sont combinés un restaurant et une épicerie. À l'auberte Wapta on peut se procurer de l'essence, certains approvisionnements pour le camping et des vivres. Si l'on désire une plus grande variété d'aliments, il est nécessaire de se rendre à Golden, au lac Louise ou à Banff, tous trois situés à moins d'une heure de route du parc.

Loisirs

Excursions   Yoho dispose de 360 kilomètres de sentiers, qu'il s'agisse des plus faciles qu'on emprunte sans la présence d'un guide, ou de ceux qui parcourent l'arrière-pays et qu'il est possible de parcourir durant plusieurs jours. Les campeurs qui songent à y passer la nuit doivent obtenir un permis pour l'arrière-pays. Au parc on vend des cartes de sentiers pour chacune des principales régions et il est possible de se procurer des cartes topographiques aux centres d'informations de l'est comme de l'ouest, de même qu'au bureau principal du parc à Field. Les sentiers qui montent aux altitudes les plus élevées demeurent enneigés jusqu'en juillet. Informez-vous toujours du niveau de la neige, de la présence d'ours et de l'état des sentiers et des terrains de camping de l'arrière-pays. Les interprètes du parc dirigent des excursions de plusieurs heures environ quatre fois la semaine vers divers sites. Ces excursions conviennent particulièrement aux novices. Étonnamment, les sentiers de l'arrière-pays sont peu fréquentés à

Yoho. Ils sont bien entretenus et traversent des régions spectaculaires telles que les vallées d'Amiskwill, d'Ottertail et d'Ice River.

Pêche On peut assez aisément pêcher différentes espèces de
truites dans les cours d'eau et les lacs qui se trouvent quelque peu
éloignés de sources glaciales. Le permis de pêche des parcs
nationaux y est obligatoire et on peut se le procurer à prix
modique aux centres d'informations.

Navigation Les embarcations non motorisées sont permises
partout dans le parc. On peut pratiquer le canotage sur les lacs
O'Hara et Emerald et il est possible de louer des embarcations à
ces deux endroits. On peut s'enquérir aux centres d'informations
des meilleurs endroits sur la rivière du Cheval-qui-rue.

Équitation Il est possible de louer une monture à l'heure ou à
la journée à l'écurie du lac Emerald.

Sports d'hiver Le parc dispose de 15 pistes balisées pour le ski
de fond. On peut obtenir gratuitement la petite brochure à cet
effet. Le camping dans l'arrière-pays est autorisé, mais il faut un
permis (gratuit). Un terrain de camping gratuit et accessible en
voiture est ouvert en hiver au ruisseau Finn. Il offre aux campeurs
trois abris fermés et chauffés pour la cuisine, du bois à brûler et
des toilettes sèches. Les sentiers sont de longueur et de degré de
difficulté variés. Les plus longs nécessitent énormément d'endurance et d'habileté, la capacité d'affronter des conditions hivernales rigoureuses et celle d'évaluer les dangers d'avalanches.

POUR PLUS AMPLES INFORMATIONS

Le surintendant,
Parc national de Yoho,
C. P. 99,
Field, C.-B.,
V0A 1G0

Tél.: [604] 343-6324

LE PARC NATIONAL DE

KOOTENAY

Le parc national de Kootenay a beaucoup en commun avec les autres parcs des montagnes Rocheuses, mais il en diffère aussi considérablement. Situé au sud de la Colombie-Britannique, sa frontière s'étend à l'est, le long de la ligne de partage des eaux. Kootenay longe donc les Rocheuses à l'ouest et s'élève jusqu'à la tranchée des Rocheuses, une vallée qui sépare celles-ci des monts Columbia de l'intérieur de la Colombie-Britannique.

Les Rocheuses sont constituées de trois chaînes de montagnes à peu près parallèles qui courent du nord au sud : la chaîne frontale, la chaîne principale et la chaîne de l'ouest. Elles sont séparées les unes des autres par des failles ou des fissures profondes dans la surface de la terre qui ont généré de larges vallées.

Les importants accidents de terrain des Rocheuses témoignent de l'histoire fascinante de la formation des montagnes. Pour en apprendre davantage sur le sujet, on peut profiter des programmes d'interprétation et des brochures du parc. À Kootenay, il est aussi possible d'observer sur une plus petite échelle certaines résultantes de ces accidents. Deux endroits présentent un intérêt particulier. Le premier, les sources thermales de Radium, à l'extrémité sud du parc. De telles sources géologiquement actives sont assez fréquentes tout au long des limites ouest de notre continent. Leur origine est plutôt curieuse. Je croyais qu'elles devaient amorcer leur existence dans le nifé chaud de la planète et monter vers la surface; mais ce n'est pas le cas. L'eau de pluie s'écoule plutôt vers les profondeurs en se frayant un chemin à travers les fissures reliées entre elles jusqu'à au moins 2415 mètres sous la surface et atteignent une zone où la température de la planète est suffisamment élevée pour transformer cette eau en vapeur. Celle-ci se transforme de nouveau en eau en s'élevant et lorsqu'elle atteint la surface en empruntant d'autres failles, sa température est d'environ 30° à 40°C. Le cheminement des eaux de surface vers les profondeurs de la terre et leur retour sous forme de sources peuvent prendre beaucoup de temps. Des expériences ont démontré qu'à Banff ce périple peut durer trois mois tandis qu'au parc national de Yellowstone, il dure 50 ans!

Dans les entrailles de la terre, l'eau acquiert souvent des éléments chimiques et des gaz qui s'y fondent. Il arrive quelquefois que ceux-ci apparaissent sous forme de dépôts le long des rives ou qu'on puisse les sentir, ainsi qu'en fait foi l'odeur d'oeufs pourris qui se dégage des mares de Cave et de Basin, à Banff. Les sources thermales de Kootenay renferment du radium à peu près aussi radioactif qu'un cadran de montre lumineux. Mais au tournant du siècle, avant l'inauguration du parc, plusieurs vantaient les effets régénérateurs d'un bain dans les sources thermales de Kootenay. Je crois, pour ma part, que la détente qu'on trouve en paressant dans une mare chaude après une randonnée frigorifiante justifie amplement une longue baignade.

Un autre endroit, la faille Redwall, à quelques pas à peine des sources thermales de Radium, permet d'observer les accidents de terrain. Cette faille a formé le canyon Sinclair, dont les parois se dressent verticalement sous forme de falaises au-dessus de la route. La faille Redwall porte bien son nom puisque l'oxydation du fer contenu dans le roc a produit une brillante couleur rougeâtre. Une bonne part des rochers exposés à la vue à l'extrémité sud du parc empruntent cette même couleur qui les font ressembler à un coucher de soleil visible à longueur de journée.

Paint Pots est un autre site particulier à ce parc. Une source active, mais froide celle-là, dont les eaux contiennent une grande quantité de fer dissous, bouillonne à la surface tout en formant des lits boueux d'ocre rougeâtre.

Les aborigènes accordaient à cet endroit une signification spirituelle considérable et utilisaient l'ocre en guise de pigments; mais, au tournant du siècle, on a établi des concessions en vue de procéder à l'extraction commerciale de ces lits d'ocre. Lorsque Kootenay a été transformé en parc en 1920, on a mis un terme à l'extraction et les sites ont été abandonnés bien que quelques carcasses rouillées témoignent encore du passé.

À cause des effets topographiques du terrain à l'ouest, les secteurs nord et sud du parc national de Kootenay sont très différents. Au sud, les courants éoliens sont relativement secs. Ils descendent dans la faille des Rocheuses après s'être débarrassés d'une bonne part de leur humidité sous forme de neige ou de pluie sur les montagnes Columbia. La forêt, plutôt clairsemée, est surtout constituée de pins Douglas secs. Mais en se dirigeant vers le nord en suivant la rivière Kootenay jusqu'au pré McLeod, on constate une transition nette vers un environnement beaucoup plus humide. La forêt y est de façon caractéristique subalpine et comprend un mélange d'épinettes Engelmann et de pins subalpins.

Thé du Labrador en fleur.

Ces deux environnements font de Kootenay un endroit particulièrement riche par sa faune et sa flore. De bonnes terres de pâturage sur les flancs des montagnes, surtout sur les flancs du mont Wardle et aux environs du canyon Sinclair, de même qu'un hiver relativement chaud et sec, signifient que les animaux peuvent descendre se nourrir sous la limite des neiges, contrairement au parc national de Glacier, situé à proximité, mais où la neige tombe avec une telle abondance que les animaux de pâturage ne peuvent survivre. Kootenay accueille une importante population de mouflons, surtout au sud, et de chèvres des montagnes qui vivent à l'année au mont Wardle. Il est souvent possible d'apercevoir ces animaux depuis la route: j'en ai vu plusieurs, entre autres une mère orignale accompagnée de son petit et un ours creusant furieusement à l'orée de la forêt le long de la route. Que votre caméra soit prête!

COMMENT VISITER LE PARC

Le parc est en quelque sorte « organisé » à partir de la route Banff-Windermere qui le traverse d'une extrémité à l'autre. On peut atteindre depuis la route la totalité des sites. Il faut d'abord se procurer la principale brochure du parc et une carte. On peut les obtenir à l'entrée des sources thermales de Radium ou, si l'on arrive par le nord, au Centre d'informations du canyon Marble.

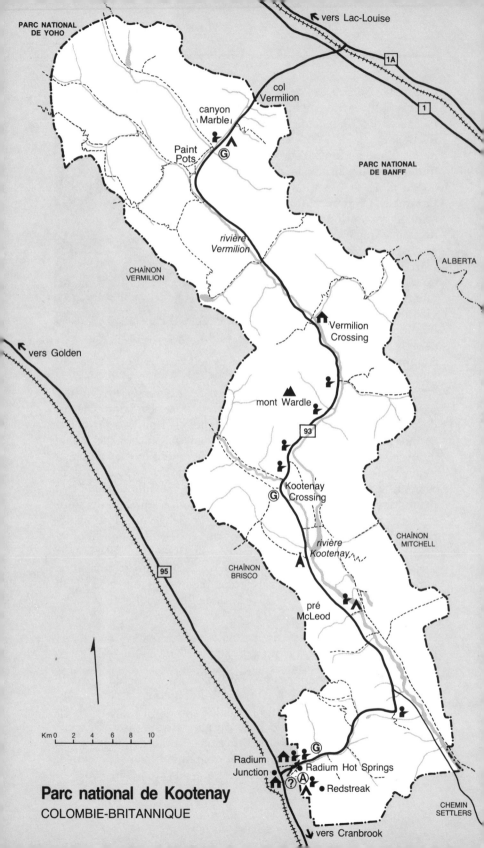

PARC NATIONAL
DE YOHO

vers Lac-Louise

1A

1

col
Vermilion

canyon
Marble

Paint
Pots

G

PARC NATIONAL
DE BANFF

rivière
Vermilion

CHAÎNON
VERMILION

ALBERTA

vers Golden

Vermilion
Crossing

mont Wardle

93

Kootenay
Crossing

G

rivière
Kootenay

CHAÎNON
MITCHELL

95

CHAÎNON
BRISCO

pré
McLeod

Km 0   2   4   6   8   10

Radium
Junction

G

Radium Hot Springs

?   A

Redstreak

CHEMIN
SETTLERS

Parc national de Kootenay
COLOMBIE-BRITANNIQUE

vers Cranbrook

La brochure donne une excellente vue d'ensemble du parc tout en identifiant et en donnant quelques renseignements sur les 31 sites qui jalonnent la route.

Le parc offre, de plus, un programme d'interprétation fort populaire. On a le choix entre des randonnées menées par des naturalistes ou d'autres activités offertes au moins deux fois par jour durant l'été, ainsi que neuf programmes différents en soirée, au cours de n'importe quelle fin de semaine, sur les terrains de camping. Le parc dispose d'excellentes brochures portant sur la faune, la flore et l'histoire du parc.

Le parc comprend trois sentiers où l'on se guide soi-même ainsi que plusieurs sentiers courts, que l'on emprunte sans être accompagné d'un guide, aux environs des sources thermales de Radium et du terrain de camping Redstreak qui se trouve à proximité.

Les montagnes à l'est et à l'ouest

Le **sentier du canyon Marble** permet une merveilleuse randonnée où l'on se guide grâce à une brochure et où des panneaux d'interprétation vous en apprendront davantage sur ce que vous apercevrez. Cette randonnée relativement facile, en pente douce, suit continuellement la rivière d'un côté du canyon tandis que le retour s'effectue de l'autre côté. Elle commence à environ 6 kilomètres des limites du parc de Banff et dure environ 20 minutes.

À l'aller, en traversant de pont en pont, vous apprendrez grâce aux écriteaux que les lignes du canyon sont angulaires parce que le calcaire et d'autres roches apparentées craquent de façon caractéristique en formant des blocs. Le calcaire est facilement grugé par l'écoulement des eaux et il est fascinant d'apercevoir les bols et les boucles taillés dans les falaises du canyon plusieurs mètres au-dessus du lit actuel des eaux.

La végétation s'est ancrée là où elle le pouvait dans l'environnement humide et glacial des falaises du canyon. Mon endroit préféré était constitué d'une forme de bol géante taillée par un tourbillon antérieur qui sert de nos jours de captage pour la poussière et les débris. Mousses et fleurs arctiques y ont trouvé un abri moite où les petites quantités de terreau qui s'y sont rassemblées ne sont pas dérangées. Cet endroit se trouvant à plusieurs mètres sous les yeux des visiteurs, et parce qu'il ne s'agit que d'une grosse tablette dans le mur du canyon, aucun animal ni personne n'y broute ni ne le piétine.

Le canyon Marble dispose d'un grand terrain de stationnement, de toilettes équipées pour les handicapés et d'une aire de
pique-nique.

Le **sentier de Paint Pots**, où l'on se guide soi-même, se
trouve immédiatement au sud du canyon Marble. On y trouve un
terrain de stationnement d'où l'on on peut entreprendre une
randonnée aller-retour de 1,5 kilomètre sur l'asphalte. (Cette
surface artificielle paraît être la meilleure solution pour minimiser
l'usure et les déchirures de cette zone fragile. À défaut de cette
surface, le sentier serait entièrement embourbé.) Les quelques
premières centaines de mètres mènent à un pont suspendu, long
et bas, qui traverse la **rivière Vermilion**. De l'autre côté de la
rivière, les fleurs sont très fournies. À mon étonnement, j'ai vu
plusieurs grassettes vulgaires, une fleur insectivore que j'avais
aperçue pour la dernière fois dans l'environnement rude des
Tablelands dans le parc national de Gros Morne, à Terre-Neuve.
On peut apercevoir ces fleurs sur la droite, avant de parvenir aux
lits d'ocre, alors que le sentier s'incurve. Cette fleur pourpre
rappelle les violettes ; sa tige a moins de 7 centimètres. Dans une
rosette au niveau du sol se trouvent ses pétales jaunes butyreux
dont la surface collante et légèrement ciliée piège de minuscules
insectes.

Les lits d'ocre sont constitués par une plaine inondée ou par
une zone de déversement des eaux surnuméraires des sources,
par où s'écoulent les eaux chargées de fer qui recouvrent les
environs. Les lits eux-mêmes sont d'une couleur orange brunâtre
brillante et parsemés d'îlots de verdure et d'arbrisseaux. Des
panneaux d'interprétation expliquent l'attitude des aborigènes
devant les lits et devant **Paint Pots** de même que l'utilisation
qu'ils faisaient de l'ocre. À proximité, on pourra apercevoir les
débris de l'équipement minier utilisé avant que Kootenay ne
devienne un parc national.

En gravissant davantage la légère pente, on parvient aux
Paint Pots proprement dits. Plusieurs issues des sources ont pris
la forme de « pots » puisque le fer se dépose naturellement en
cercle autour d'elles. À la longue, le rebord en devient si imposant que le poids des eaux qu'il contient force la source à se frayer
un chemin moins résistant et à trouver une nouvelle issue à
proximité. Il existe bon nombre de pots, certains actifs, d'autres se
contentant de recueillir l'eau de source et les eaux de surface qui
s'écoulent. Le mélange des eaux souterraines et des eaux de
surface confère une couleur émeraude aux eaux de quelques-uns
de ces pots.

Chèvres des montagnes aux salines qu'on retrouve en bordure des routes:
le spectacle familier d'une espèce éminemment menacée.

Les **sources thermales** constituent la pièce de résistance du
secteur sud du parc. Celles-ci ne se trouvent plus dans leur
élément naturel, mais à l'intérieur d'un énorme bâtiment disposant d'un restaurant, d'un observatoire, de pièces où se changer,
et d'une profonde « piscine » fraîche où l'on peut nager et qui
surplombe la « piscine » chaude où l'on peut paresser. Les dimensions de la piscine chaude sont presque olympiques, mais elle
n'est guère plus profonde que d'un mètre. Plusieurs gradins sous
l'eau permettent de s'y asseoir, mais on peut aussi vagabonder en
jetant un coup d'oeil à d'autres baigneurs tout aussi détendus. Le
seul élément naturel est dû au fait qu'une extrémité de la piscine
est constituée par une falaise de calcaire plutôt friable; des écureuils y vivent sans trop se préoccuper des humains. En outre, là
ou la falaise du canyon rencontre le ciment du mur de soutène-
ment, des hirondelles violettes et vertes nichent. Elles volètent
constamment et offrent un spectacle magnifique.

Kootenay au nord et au sud

Le **canyon Marble** est l'endroit désigné pour entrer en contact
avec la région humide et densément peuplée d'arbres qui se
trouve au nord du pré McLeod le long de la rivière Vermilion.

En 1968, la foudre a déclenché un incendie qui a fait rage trois jours durant à proximité du canyon Marble. Le quatrième jour, grâce à la pluie, les pompiers ont été en mesure d'éteindre l'incendie, mais celui-ci avait eu le temps d'engloutir 2494 hectares. Grâce à la puissance régénératrice de la nature, le parc a pu transformer cet événement apparemment hostile en une randonnée des plus agréables et des plus intéressantes et où l'on se guide soi-même. Le **sentier Fireweed** commence au terrain de stationnement de la limite nord du parc, à l'endroit même où l'on peut se procurer une brochure. Le sentier ne court que sur 0,8 kilomètre en forme de croissant sur une pente douce. À la fin de juin, cet endroit exhibe des couleurs luxuriantes : les épilobes à feuilles étroites ne sont pas encore disparus, mais le terrain est amplement recouvert de pigamons, d'ancolies jaunes, de toutes sortes de buissons à baies et de plusieurs espèces de mousses vertes et riches avec leurs brillants sporanges ou leurs capuchons verts.

En cours de route, des écriteaux traitent des plantes et expliquent de quelle façon une région brûlée se transforme en habitat parfait pour les petits mammifères. Lors d'incendies de forêt, l'ordre naturel n'est pas entièrement détruit bien qu'il soit en grande partie transformé. Il s'agit ici d'une occasion merveilleuse de se renseigner davantage sur le sujet.

Si l'on veut examiner de près la forêt de pins Douglas, plus sèche, de la région sud de Kootenay, quelques courts sentiers serpentent dans les environs des sources thermales de Radium. L'un de ces sentiers, le **Valley View**, court parallèlement à la route d'accès au terrain de camping Redstreak. Un autre sentier permet de descendre depuis le terrain de camping jusqu'à l'arrière des installations des sources thermales. Tous deux sont courts et agréables.

Quelque peu plus long, le **sentier Juniper** commence à l'intérieur de l'accès du parc, à proximité de l'entrée du canyon Sinclair. Il ne s'agit pas cependant d'un sentier en boucle ; long de 3,2 kilomètres, il zigzague jusqu'au **ruisseau Sinclair**, remonte jusqu'à la crête du canyon, puis redescend peu à peu jusqu'au secteur des motels en face des installations des sources thermales. Ce sentier s'élevant quelque peu, je recommanderais de l'aborder par l'extrémité du canyon Sinclair de sorte que, en émergeant, on puisse redescendre jusqu'à sa voiture. Plusieurs observatoires disposant de banquettes permettent d'examiner la vallée Columbia. J'ai surtout apprécié les espaces ouverts, baignés par le soleil et regorgeant de fleurs, surtout d'asters et de rudbeckies hérissés.

La végétation neuve du sentier Fireweed.

Il s'agit là d'un endroit extraordinaire pour observer les libellules et les papillons. J'en ai aperçu une bonne demi-douzaine de variétés.

SERVICES ET COMMODITÉS

Programmes d'interprétation

Le parc offre des programmes d'interprétation très élaborés et d'excellents sentiers autoguidés. Des dépliants et des brochures, portant sur des sujets variés, sont de très bonnes sources d'information.

Camping

Il existe trois terrains de camping à l'usage des visiteurs qui arrivent en automobile. Celui de **Redstreak**, à l'extrémité sud du parc dans la forêt de pins Douglas, est le plus grand, le plus élaboré et celui qui affiche complet le plus rapidement. Le sentier Valley View et le sentier qui mène aux installations des sources thermales commencent à cet endroit. Deux terrains de jeux à l'intention des enfants sont équipés de balançoires, de glissades, de portiques et de structures où ils peuvent grimper. Le terrain dispose de 241 emplacements dont plusieurs sont équipés pour recevoir les caravanes. On y trouve 7 abris pour la cuisine, des toilettes à chasse d'eau, des douches payantes et un poste de vidange pour les caravanes. Chaque emplacement a sa propre table de pique-niques et la plupart sont munis de grille à cuisson. Le bois de chauffage se trouve dans des dépôts. Un théâtre en plein air présente, en soirée, des spectacles d'interprétation.

Pour parvenir à Redstreak, il faut bifurquer en quittant la route 93 au sud-est de l'entrée du parc qui se trouve sur la Transcanadienne. Il faut dépasser l'intersection, puis quelques casse-croûte et boutiques, et chercher les écriteaux de la GRC et du terrain de camping Redstreak. Tous deux se trouvent sur la même route.

Le **pré McLeod** est un terrain de camping plus petit. Il se trouve à 26 kilomètres au nord des sources thermales de Radium. Ce terrain compte 100 emplacements dans un environnement boisé coincé entre le ruisseau Meadow et la rivière Kootenay. Il semble être occupé moins rapidement et il est tranquille. Le sentier du lac Dog y commence; des excursionnistes guidés par des naturalistes empruntent souvent ce sentier. Il s'agit d'un terrain de camping où l'on s'enregistre soi-même: on remplit une formule d'inscription, on dépose dans une enveloppe le modeste tarif exigé et on s'installe. Une auberge se trouve à proximité, de même qu'une aire de pique-nique. Tous les emplacements ont une table à pique-nique, une grille à cuisson et des dépôts de bois de chauffage. Les abris pour la cuisine sont pourvus de fours à bois et de bois. On y trouve des toilettes à chasse d'eau et de l'eau froide. Le terrain dispose de plus d'un poste de vidange à l'usage des caravanes, mais pas de raccords. Un théâtre en plein air présente souvent des spectacles en soirée.

Le **terrain de camping du canyon Marble** est très tranquille et peu fréquenté. Il se trouve à environ 15 kilomètres de l'entrée nord du parc. Il dispose de 60 emplacements dans une forêt subalpine plutôt dense. Les abris pour la cuisine sont munis de fours à bois et pourvus de bois à brûler; le terrain dispose de toilettes à chasse d'eau et d'un poste de vidange à l'usage des caravanes, mais pas de raccords. Sur les emplacements on trouve des tables à pique-nique et des grilles à cuisson. On se procure le bois dans des dépôts. Ce terrain de camping est très bien situé pour les excursions dans le canyon Marble et se trouve à proximité des sentiers de Paint Pots et du glacier Stanley.

Camping sauvage

Il existe plusieurs endroits « sauvages » le long des sentiers de l'arrière-pays à l'intention de ceux qui veulent y passer la nuit.

Cette boue est, de fait, l'ocre brillant dont se servaient autrefois les autochtones pour leurs décorations symboliques.

Certains sont munis de grilles à cuisson et de bois tandis que d'autres nécessitent l'utilisation de poêles autonomes. Tous disposent de toilettes sèches et la plupart sont à proximité de l'eau. Consultez la brochure portant sur l'arrière-pays et renseignez-vous auprès du personnel sur les emplacements disponibles et sur leur état.

Autres terrains de camping

Il existe d'autres terrains de camping, mais de type commercial, à proximité des **sources thermales de Radium** ainsi qu'un terrain de camping provincial, à **Dry Gulch**, immédiatement au sud de celles-ci.

Autres agréments, essence, nourriture et approvisionnements

À proximité des sources thermales de Radium on trouve une vaste gamme de motels et d'hôtels. On peut se renseigner à leur sujet en écrivant à la B.C. Rocky Mountain Visitor Association. Essence et approvisionnements sont également disponibles aux sources thermales de Radium.

Loisirs

Excursions   Le parc dispose de 200 kilomètres de sentiers, depuis ceux qui ne courent que sur quelques kilomètres jusqu'à ceux qu'on peut emprunter à l'occasion d'excursions de plusieurs jours en passant de l'un à l'autre. On peut se procurer dans le parc un excellent guide des sentiers de l'arrière-pays. Celui-ci indique l'élévation du terrain entre certains points des sentiers et fournit une somme étonnante d'informations. L'utilisation d'une carte topographique est aussi recommandée. Si vous voulez y passer la nuit, il faut vous enregistrer dans les centres d'informations. Les permis sont gratuits. Le parc encourage une utilisation de l'arrière-pays au printemps et à l'automne alors qu'il est plutôt désert. Les permis peuvent être préalablement obtenus par la poste. Pour de plus amples informations, on peut écrire au surintendant.

Natation   Les installations des sources thermales constituent l'endroit le plus utilisé du parc. On y trouve une immense « piscine chaude » peu profonde, alimentée directement par les sources, de même qu'une « piscine froide » qui n'est rien d'autre qu'une piscine ordinaire où l'on peut nager et plonger. On y trouve, de plus, des vestiaires et des douches, de même qu'un casse-croûte et un restaurant, une petite boutique de souvenirs et un observatoire. Pour un prix raisonnable, on peut louer maillots de bain et serviettes.

Pêche   La pêche n'est pas particulièrement bonne dans le parc puisque plusieurs torrents et lacs sont alimentés par les glaciers ; mais on trouve du corégone ainsi qu'une grande variété de truites. Un permis des parcs nationaux est requis et on l'obtient à prix modique des centres d'information, des gardiens et des kiosques des terrains de camping.

Navigation et canotage   On peut pratiquer le canotage sur les rivières Vermilion et Kootenay, mais aucune embarcation n'est permise sur les lacs du parc. Il existe à l'extérieur du parc des entreprises privées qui offrent des expéditions en radeau dans la région. Pour en savoir davantage, on peut écrire à la B.C. Rocky Mountain Visitor Association.

Sports d'hiver   On peut pratiquer le ski de fond et le camping hivernal dans le parc. Il n'existe cependant pas de cabanes où les skieurs puissent se réchauffer, mais le secteur des environs de l'aire de pique-nique Dolly Varden demeure ouvert à l'intention des campeurs. On y trouve des toilettes sèches et un abri à pique-nique équipé d'un four à bois et de bois à brûler; mais il faut y apporter son eau.

POUR DE PLUS AMPLES INFORMATIONS

Le surintendant,
Parc national de Kootenay,
C. P. 220,
Radium Hot Springs,
Colombie-Britannique
V0A 1M0

Tél.: [604] 347-9615

B.C. Rocky Mountain Visitor
Association,
C. P. 10,
Kimberly,
Colombie-Britannique
V1A 2Y5

LACS WATERTON

Aux Lacs Waterton, les prairies jouxtent les montagnes. De tous les parcs des Rocheuses canadiennes, celui-ci est le plus austral; il s'agit aussi d'un véritable parc des prairies. Ces deux zones écologiques ne sont aussi entremêlées nulle part ailleurs au Canada. Aucune zone de transition au pied des montagnes ne sépare celles-ci des prairies. Dans le secteur est du parc, l'élévation du terrain atteint parfois les 1220 mètres à moins d'un kilomètre de la prairie.

Les Lacs Waterton sont situés dans le coin sud-ouest de l'Alberta, à la frontière des États-Unis. Le parc national américain de Glacier a été créé comme une extension du parc national des Lacs Waterton. Au cours des années qui ont suivi sa création, des membres des clubs Rotary de l'Alberta et du Montana ont propagé l'idée selon laquelle la nature des Rocheuses n'y était en rien modifiée ou séparée par une frontière politique et qu'en conséquence les deux parcs ne devraient pas non plus être séparés. En 1932, les parcs ont donc été réunis en esprit pour former un « parc international de la paix ».

Parce que le parc est petit, avec ses 525 kilomètres carrés, il est extraordinairement accessible. Les prairies comblent plusieurs canyons et lits de vallées entre les escarpements des montagnes et on peut atteindre les trois types d'habitat des montagnes — montane, subalpin et toundra alpine — soit en voiture, soit par de courtes marches, soit en empruntant des sentiers qu'on peut facilement parcourir au cours d'une courte journée d'excursion. Le parc témoigne d'une histoire géologique fascinante, axée sur la formation du Lewis Overthrust.

COMMENT VISITER LE PARC

Trois routes principales premettent d'accéder au parc, et la plupart des têtes de sentiers, des postes d'observation, des aménagements et des services sont accessibles depuis l'une de ces routes qui pénètrent toutes dans le parc depuis le nord-est.

La meilleure source d'informations si l'on désire comprendre l'histoire géologique du parc est une carte pleine de données et un feuillet (MCR 211) qu'on peut acheter au Centre d'information situé à l'extrémité nord du lotissement urbain des Lacs Waterton. Le feuillet comprend un résumé de l'histoire géologique du parc et la localisation de ses principales caractéristiques; le feuillet fournit de plus des informations portant sur la flore, les grands mammifères, la pêche et les sentiers d'excursion.

En empruntant la **promenade Red Rock**, on a l'occasion de faire une excellente marche où l'on se guide soi-même, tout en se renseignant sur les principaux thèmes de la formation et du découpage des montagnes de la région. Le décor est à couper le souffle: on parcourt une légère déclivité le long du sommet d'un canyon de couleur orange brillante. Aux endroits où le ruisseau mouille le roc, celui-ci est d'un rouge éclatant; les flancs du canyon comprennent des bandeaux de roc verdâtre coincés entre les strates rouges. Ces couleurs sont générées par le contenu en fer du roc; les bandeaux rougeâtres sont ceux qui sont davantage oxydés. Cette promenade permet d'observer des endroits où ont durci les marques des frissons qui, en gravant le roc, agitaient la mer peu profonde recouvrant jadis les lieux. Des algues fossiles y sont visibles dans des rocs transportés là par des glaciers depuis des régions situées plus à l'ouest. Des écriteaux le long de la promenade racontent l'histoire des plantes, de leur arrivée et de leur croissance sur les lieux.

Le secteur du lotissement urbain a été en grande partie formé par l'action des glaces dont on aperçoit partout les traces. Voyons d'abord les trois lacs Waterton. Pour en obtenir la vue la plus spectaculaire (de même que du lotissement urbain), il faut emprunter, derrière le Centre d'information, le court sentier qui mène au **Bear's Hump** (la bosse de l'ours). On peut emprunter ce sentier en tout temps, mais il est préférable de le faire à l'occasion de randonnées guidées par un interprète. Au cours de l'été, des randonnées organisées sont offertes plusieurs fois la semaine. Le sentier court sur un kilomètre dans chaque direction et, bien que très large et uni, il est abrupt.

Depuis la bosse, on peut apercevoir les lacs qui ont été taillés par les glaciers et remplis de débris de glace. Le **lac Upper Waterton** s'étend sur environ 16 kilomètres vers le sud, dont à peu près la moitié aux États-Unis. En fondant, les glaciers ont rejeté énormément de débris sur leurs flancs et à leur pied, formant ainsi des plateaux ou terrasses connues sous le nom de kames. L'**hôtel Prince of Wales**, tout en bas, se trouve sur un kame. Les **lacs Linnet**, derrière l'hôtel, et **Lonesome**, peu avant la bifurcation routière qui mène au canyon Red Rock, ont aussi été formés par les glaces.

Herbe aux ours (xerophyllum tenax).

Le long des routes, il existe un certain nombre de points d'observation qui disposent d'aires de stationnement pour les véhicules et d'écriteaux qui expliquent les particularités topographiques. L'un des plus intéressants est le **Valley Viewpoint**, sur la route 6, à 7 kilomètres à l'est de l'entrée du parc. Une excellente brochure portant sur le paysage du parc, *Mountains and Valleys*, porte surtout sur ce que l'on peut apercevoir depuis ce poste d'observation. On peut se la procurer au Centre d'information.

Les prairies

Il existe deux moyens particulièrement attrayants pour apprécier le parfum des prairies. Le premier consiste à conduire à travers l'**Enclos de bisons**. Une aire d'exposition excellente, située juste à l'extérieur de l'enclos, raconte l'histoire des bisons et des hommes. Il suffit de stationner et d'emprunter un sentier d'environ 50 mètres. Dans la réserve elle-même, on ne peut descendre de voiture, mais en revanche on peut et on devrait conduire très lentement, même s'arrêter quelquefois. Les bisons sont souvent visibles et ils ajoutent beaucoup au sentiment que l'on éprouve d'apercevoir les prairies de jadis.

Le second moyen consiste à marcher dans les prairies. On offre des randonnées accompagnées d'interprètes plusieurs fois la semaine dans la région depuis le début de la **route de la vallée de**

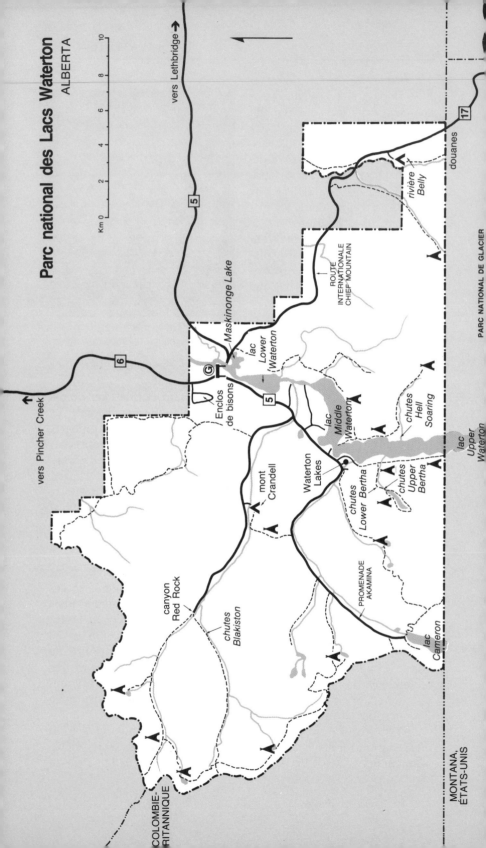

Blakiston et du canyon Red Rock. Il est de même tout à fait possible de marcher seul. Un sentier court à l'avant du flanc verdâtre de **Bellevue Hill**, puis pénètre dans l'arrière-pays du parc, mais les arbres qui se trouvent au nord, à proximité de l'enclos, marquent la frontière du secteur des prairies. Ce sentier commence du côté nord de la route, à quelques kilomètres de l'entrée de la route du canyon Red Rock. Au cours d'une brève randonnée en compagnie d'un naturaliste, nous y avons aperçu plusieurs variétés de fleurs des prairies, dont la brillante gaillarde nous a paru la plus nombreuse; nous y avons aussi observé des touffes d'herbes serrées, avons senti le vent constant des hautes prairies, et songé aux moyens déployés par les humains, la faune et la flore, tant du passé que du présent, pour survivre dans cet environnement.

Les montagnes: trois habitats

Les montagnes et leurs vallées occupent la plus grande partie du parc. Le sommet le plus élevé est celui du **mont Blakiston**, avec ses 2942 mètres. Le parc disposant d'un réseau fort étendu de promenades, d'excursions d'une journée et de sentiers qu'on peut emprunter avec un sac à dos, la plupart des visiteurs peuvent facilement expérimenter les habitats des deux niveaux inférieurs, c'est-à-dire la forêt montane et la forêt subalpine. La zone alpine nécessite une véritable excursion, mais j'ai aperçu plusieurs familles accompagnées de jeunes enfants qui se débrouillaient fort bien sur les plus courts des sentiers réservés aux excursions d'une journée. Au Centre d'information, les membres du personnel pourront vous indiquer les sentiers qui conviennent aux intérêts, aux capacités et aux réserves d'énergie de votre groupe.

Le parc fournit sur demande une brochure des services forestiers, qui donne une vue d'ensemble de ces trois habitats. Cette brochure est extrêmement bien faite et comprend de nombreuses photographies en couleur, de bonnes cartes, un texte instructif et la localisation spécifique des principales essences d'arbres. La **forêt montane** pousse dans les lits boisés des vallées et sur les flancs des montagnes jusqu'à une altitude qui varie de 1350 à 1675 mètres. Le lotissement urbain, situé à une altitude d'environ 1280 mètres est entouré par la forêt. Le long des rives des lacs, on trouve un mélange de ce qu'on appelle la forêt canadienne et de véritable forêt montane. À l'altitude de la forêt montane, les essences dominantes sont le pin Douglas, le pin de Murray et l'épinette blanche. Les espaces ouverts et le sol de la forêt sont occupés par de nombreuses fleurs et des buissons. Une excursion en compagnie d'un naturaliste permettra de les identifier.

Deux excellentes marches permettent de se renseigner au sujet de la région montane. L'une emprunte un sentier qui mène aux **chutes Lower Bertha** tandis que l'autre longe sur toute sa longueur, le **lac Upper Waterton** et aboutit à **Goat Haunt**, aux États-Unis.

Le **sentier du lac Bertha** commence immédiatement au sud des limites du lotissement urbain et un terrain de stationnement a été aménagé le long de la route du côté ouest. Les chutes sont situées à 2,5 kilomètres durant lesquels on grimpe 213 mètres. Tout au long du sentier, des écriteaux renvoient à la brochure qu'on peut se procurer à l'entrée du sentier. Les descriptions contenues dans la brochure permettent de se renseigner sur le cycle de croissance, de mort et de décomposition de la forêt, sur les essences typiques de la zone montane, sur le rôle actif que jouent les incendies dans la vie forestière, et sur des plantes telles que les ifs qu'on retrouve habituellement à l'ouest de la ligne de partage des eaux.

L'excursion vers Goat Haunt est plutôt longue, mais très intéressante. Un bateau effectue le trajet à toutes les deux ou trois heures depuis la marina du lotissement urbain des Lacs Waterton, et il est possible de réserver une place pour le retour en achetant son billet avant de partir. Si vous accompagnez un groupe mené par un interprète, les réservations sont faites en votre nom. Le tarif en est minime. Lorsque j'ai entrepris cette randonnée, deux interprètes provenant chacun d'un côté de la frontière ont traité de la forêt montane et du parc international de la paix et ils faisaient alterner leurs interventions lors de chaque halte.

Cette randonnée s'effectue presque entièrement en terrain plat et suit de près la rive du lac jusqu'au moment où elle contourne son extrémité sud. En juillet, des fleurs magnifiques tapissent le sol de la forêt. En regardant attentivement, vous risquez d'apercevoir plusieurs espèces d'orchidées bien que le faux ellébore, un membre de la famille des lis, soit beaucoup plus commun. Cette fleur atteint une taille de plus d'un mètre et ses nombreux pétales vert pâle en font une plante superbe et caractéristique.

Vers la fin de cette randonnée, le sentier traverse une rivière et les excursionnistes passent un à un sur un étroit pont suspendu à l'usage des piétons. Puis le sentier longe une zone de marécages où l'on aperçoit bon nombre de pistes d'orignaux

Depuis la Bear's Hump, les lacs Waterton et l'hôtel Prince of Wales.

avant de bifurquer de nouveau vers les rives du lac et l'aire réservée aux visiteurs à Goat Haunt. À cet endroit, on trouvera des toilettes et des espaces réservés à deux expositions portant sur l'histoire naturelle et humaine des deux parcs.

Cette excursion dure environ trois heures, mais tout dépend du groupe. Une halte permet de manger un casse-croûte (apportez le vôtre, et beaucoup à boire) sur la frontière internationale après avoir franchi environ les deux tiers du parcours sur le sentier.

Il est très facile d'atteindre en voiture la **zone subalpine** des Lacs Waterton. Deux lacs, reliés par des sentiers, représentent le point central de la visite et de l'interprétation de cette région. Il s'agit des **lacs Cameron** et **Summit**, situés à l'extrémité de la route d'Akamina. Cette route, longue de 16 kilomètres, commence juste au nord du lotissement urbain, à proximité du Centre d'information. La route des lacs représente en réalité le début de l'expérience subalpine puisqu'elle grimpe en douceur jusqu'à l'altitude subalpine de 1676 mètres et encore davantage. L'« herbe aux ours » pousse à profusion en plusieurs endroits le long de la route. Il faut garder l'oeil ouvert si l'on veut apercevoir des mouflons puisqu'un petit troupeau fréquente cette vallée. Le lac Cameron dispose d'un grand terrain de stationnement, d'une aire réservée aux pique-niques et aux pièces interprétatives ; on peut y louer gréement pour la pêche, pédalo, chaloupe et canot. Il existe une brochure portant sur le sentier de 2,5 kilomètres, sentier qu'on emprunte seul et qui longe l'une des rives du lac Cameron. Cette brochure renseigne sur les arbres caractéristiques, tels qu'épinette Engelmann, pin subalpin, pin à écorce blanche et mélèze subalpin qui poussent dans cet environnment relativement frais et humide, si humide en réalité qu'il est recouvert de neige de 8 à 10 mois par année! Il s'agit d'un sentier d'un abord facile, en terrain plat, qu'on peut parcourir en une heure ou deux.

En prenant sur la gauche, une fois dépassé le centre d'expositions, vous découvrirez le sentier du lac Summit. Ce sentier grimpe régulièrement en montagnes russes. En progressant lentement tout en jetant un coup d'oeil au décor de plus en plus impressionnant, vous atteindrez le lac Summit au bout d'une heure de modestes efforts. Ce sentier large et uni traverse une forêt subalpine. On y trouve d'excellents points de vue sur les montagnes environnantes; la crête qui longe le lac sert de transition avec la zone alpine. Lorsque j'y suis passée, en fin de juillet, je pouvais encore apercevoir des plaques de neige sur le sol d'où jaillissaient des lis des glaciers.

Vers la fin de juillet, la neige est en grande partie disparue de la **zone de la toundra alpine** et il existe plusieurs sentiers agréables qui mènent à diverses régions de hautes montagnes. Les sentiers les plus populaires, tels que ceux des **lacs Carthew** et **Crypt**, sont bien entretenus, mais ils courent sur des distances allant de 5,5 à 19 kilomètres dans une direction et il arrive souvent que de longs segments soient en pente dans un sens ou dans l'autre. Avant de choisir un sentier ou l'autre, il est conseillé de se procurer un guide des sentiers ou d'en parler avec le personnel du parc au Centre d'information. Dans le cas de la plupart des sentiers qui mènent vers les hauteurs, les excursionnistes qui prennent leur temps, qui partent tôt et apportent un casse-croûte substantiel et beaucoup à boire, tout en portant des chaussures solides et quelques survêtements, seront en mesure de réussir leur escalade.

Si vous n'êtes pas sûr de vos jambes, songez à une promenade à dos de cheval. Dans ce cas, plusieurs possibilités s'offrent à vous: il suffit de s'informer aux écuries. La **randonnée du lac Alderson** traverse la forêt aux **chutes Cameron** dans le lotissement urbain, grimpe à travers la forêt subalpine décorée des fleurs jaune brillant de l'arnica cordifoliée et aboutit au point de transition avec la zone alpine au lac Alderson. Cette excursion, y compris une halte pour le casse-croûte au lac Alderson, dure près

Pont suspendu sur le sentier menant à Goat Haunt.

de cinq heures. D'après mon expérience, le paysage est magnifique, mais si vous êtes un cavalier inexpérimenté ou si vous êtes
accompagné de jeunes enfants, je recommanderais de faire partie
d'un groupe de moins de dix personnes et de vous assurer avec le
départ des écuries que les guides sont suffisamment adultes pour
avoir appris la prudence, la patience et l'art de traiter avec les
personnes en même temps que leur habileté de cavaliers.

La marche représente l'autre moyen de parvenir à la zone
alpine. Le parcours du **sentier des lacs Carthew**, qui s'étend sur
19 kilomètres depuis le lac Cameron, passe par les lacs Summit,
Carthew et Alderson pour aboutir au lotissement urbain m'a
demandé sept heures, y compris plusieurs haltes pour prendre
des photos et une halte pour le casse-croûte au lac Carthew
supérieur. Cette excursion a constitué l'un des points forts de
mon séjour. Bien que la destination soit la zone alpine, la plupart
de ces sentiers commencent aux niveaux montane ou subalpin et
il est donc ainsi possible de se faire une idée des trois zones
d'habitat montagnard. Le fait de voir la faune et la flore se
modifier, tout en pouvant observer de mieux en mieux un territoire de plus en plus vaste, représente une expérience magnifique. En second lieu, la zone alpine produit un choc à cause de
son aspect morne lorsqu'on regarde l'ensemble et de sa faune
variée et fascinante lorsqu'on l'examine de plus près. On aperçoit,

par exemple, devant soi une pente qui ne ressemble à rien d'autre qu'à un tapis de gravier où sont dispersées quelques plaques de végétation repliées sur elles-mêmes. De près, ces plaques à peine plus grandes que des descentes de bain, se transforment en oasis de végétaux minuscules et de fleûrs brillantes. On peut y apercevoir à l'oeuvre toutes les stratégies de survie alpine: la végétation pousse à proximité du sol; les feuilles sont épaisses et cireuses, poilues et matelassées; leurs radicelles s'agrippent là où des brins de poussière se sont rassemblés et ont entrepris de se transformer en sol. À défaut de se protéger ainsi contre les vents secs, les températures basses et la rareté des éléments nutritifs, les plantes ne pourraient subsister.

SERVICES ET COMMODITÉS

Programme d'interprétation

Le parc offre un programme d'interprétation dynamique et varié. Le Centre d'information, à l'extrémité nord du lotissement urbain, dispose de brochures, de cartes, etc., et de l'horaire des événements interprétatifs. On peut visiter, au lac Cameron, l'exposition portant sur la zone subalpine, l'enclos de bisons et l'exposition interprétative (comprenant un télescope) qui se trouve tout à côté, de même que de nombreux points de vue et des aires munies d'écriteaux interprétatifs où les voitures peuvent s'arrêter. Les terrains de camping du lotissement urbain et du mont Crandell disposent tous deux d'un théâtre intérieur où l'on présente des causeries accompagnées de diaporamas.

Camping

Les campeurs qui veulent s'installer à proximité de leur voiture disposent dans le parc de trois terrains de camping. Celui qui affiche complet le premier et est pourvu de raccords triples pour les caravanes se trouve au milieu du lotissement urbain, dans un champ. Ce terrain comporte des abris pour la cuisine, des toilettes à chasse d'eau, des douches et de l'eau courante. On y trouvera une table de pique-nique sur chaque emplacement. Un théâtre d'interprétation a été aménagé à proximité et plusieurs sentiers y ont leur tête à quelques pas.

Le **terrain de camping du mont Crandell** est installé dans un décor plus naturel que celui du lotissement urbain. Il dispose de 140 emplacements dans une région où prairie et forêt s'entremêlent. L'un de ses attraits les plus agréables vient de ce que des

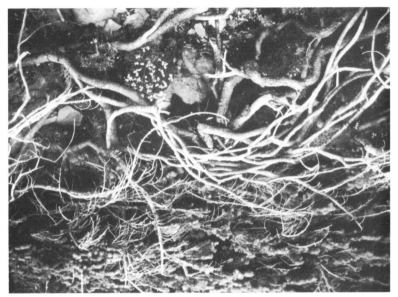

Krummholz sur les rives des lacs Carthew.

cerfs s'attroupent souvent pour fouiner ou se reposer dans les buissons des alentours. Le terrain de camping dispose de tables de pique-nique, de foyers, de bois de chauffage, d'abris pour la cuisine, d'un théâtre d'interprétation à proximité et d'accès à plusieurs sentiers.

Le **terrain de camping de la rivière Bell** se trouve à une quinzaine de minutes de voiture du lotissement urbain, du côté sud de la route Chief Mountain qui mène aux États-Unis et au parc national américain de Glacier. Ses 29 emplacements sont disposés dans une zone où s'entremêlent la forêt et un sol gazonneux. Il s'agit d'un petit terrain très calme. On y trouve des toilettes sèches ou à chasse d'eau, des robinets, des tables de pique-nique, des grilles à cuisson et des abris pour la cuisine où le bois de chauffage est fourni. On peut y pêcher le long de la rivière.

Camping sauvage

On trouve un certain nombre de terrains de camping sauvage le long des sentiers de l'arrière-pays. Ces terrains sont pourvus de toilettes sèches et on y puise habituellement l'eau dans le lac ou le torrent le plus proche. Certains ont des abris pour la cuisine et tous disposent de grilles à cuisson. On peut y utiliser le bois mort, mais il est fortement recommandé d'apporter son propre poêle. Un permis est requis si on veut y passer la nuit. Celui-ci s'obtient gratuitement tous les jours de la semaine, durant l'été, au bâtiment de l'administration, dans le lotissement urbain, ou au Centre d'information. Informez-vous sur l'état des sentiers et demandez des cartes et des brochures portant sur les excursions dans l'arrière-pays.

Autres terrains de camping

Il existe un grand terrain de camping commercial très bien aménagé juste au nord du parc sur la route 6. Situé dans la prairie, il est exposé au grand vent. Si vous arrivez au parc peu avant ou durant la fin de semaine, surtout en fin de journée, il est fort possible que vous deviez d'abord y loger. J'ai vécu cette expérience et elle m'a paru une solution de rechange tout à fait valable.

Autres agréments, essence, nourriture et approvisionnements

Aux Lacs Waterton se trouve un petit village où il est possible de se procurer à peu près tous les services que peuvent désirer les visiteurs, tels que banques, buanderies, épiceries, restaurants, boutiques de souvenirs, boutiques d'équipement de camping et de vie de plein air, stations-service, etc. On y trouve des motels, de même que le vaste hôtel Prince of Wales, un véritable monument.

Loisirs

Excursions   Le parc dispose de 183 kilomètres d'excellents sentiers qui courent à travers des paysages extrêmement variés et qui font appel à divers degrés de difficultés. On peut obtenir toutes les informations à ce sujet au Centre d'information.

Pêche   Plusieurs lacs regorgent de truites et on peut faire une bonne pêche dans les rivières. Les bateaux sont autorisés sur certains lacs. Un permis de pêche des Parcs nationaux est requis. On peut l'obtenir à prix modique au Centre d'information, au bâtiment de l'administration, dans certaines boutiques du lotissement urbain et à l'entreprise de location de gréement pour la pêche et d'embarcations du lac Cameron. On peut louer ou acheter les gréements pour la pêche au lac Cameron, de même que dans plusieurs boutiques du lotissement urbain.

Golf   Un spectaculaire parcours de golf public de 18 trous se trouve immédiatement au nord du lotissement urbain. Ouvert sept jours par semaine de mai à septembre, sa boutique offre tous les services afférents.

Équitation   Des écuries commerciales sont installées immédiatement au nord-ouest du lotissement urbain. Elles offrent des randonnées vers diverses destinations et de durées variables. Il est interdit de laisser les montures se nourrir le long des sentiers.

Sports d'hiver   Les aménagements du parc et du lotissement urbain sont pour la plupart fermés durant l'hiver, mais on peut y pratiquer le ski de fond et la raquette. Une excellente brochure portant sur le ski de fond est fournie sur demande. Il suffit d'écrire au surintendant pour obtenir à ce sujet les informations les plus récentes.

LECTURE COMPLÉMENTAIRE

PRINGLE, Heather, *Guide du parc national des Lacs Waterton*, Ottawa, Parcs Canada et le Centre d'édition du Gouvernement du Canada, 1986.

POUR DE PLUS AMPLES INFORMATIONS

Le surintendant,
Parc national des Lacs Waterton,
Waterton Park, Alberta,
T0K 2M0

Tél.: [403] 859-2262

LE PARC NATIONAL DE

BANFF

Banff est le parc national le plus célèbre du Canada. Sa beauté naturelle renversante, sa situation quant au transport est-ouest au Canada et son attrait pour les touristes en ont fait le premier parc national canadien en 1885. Ces facteurs continuent de nos jours, alors que l'on a fêté son centenaire, à jouer un rôle essentiel dans l'existence du parc.

Le parc national de Banff comprend des segments de deux des trois chaînes de montagnes parallèles qui forment les Rocheuses: la chaîne frontale, avec sa forme en dessus de tables légèrement inclinés, et la chaîne principale, crénelée. Le mont Rundle, où se trouve la ville de Banff, reste l'exemple classique de la géologie qui caractérise la chaîne frontale, et le mont Castle constitue le spécimen le plus évident de la configuration crénelée en forme de gâteau étagé. Le parc a une histoire géologique complexe et fascinante. Ceux qui s'intéressent à la géologie ne devraient pas manquer les expositions ni les causeries interprétatives dispensées par le Centre d'information et rechercher les livres et les brochures disponibles dans les boutiques de Banff.

Le parc renferme essentiellement trois habitats: la forêt montane, la forêt subalpine et la toundra alpine. Ces habitats sont tous dominés par un univers de glaces et de neiges éternelles au sommet des montagnes les plus hautes. La zone montane qui englobe une forêt de pins Douglas, d'épinettes blanches et de pins blancs de l'Ouest est plutôt dégagée. On pourra aussi y apercevoir quelques bosquets de trembles. Cette zone sert de refuge à plusieurs mammifères qui vivent de pâturage tels que les cerfs, les wapitis et les moutons, tandis que les larges vallées des rivières au bas de la zone montane permettent à plusieurs espèces d'oiseaux aquatiques, à des oiseaux échassiers tels que les hérons, de même qu'à des oiseaux de proie tels que l'aigle-pêcheur de se nourrir et de nidifier.

La forêt subalpine est plus dense et plus uniforme que la forêt montane. Elle est presque entièrement constituée de conifères, dont deux essences d'épinette, des pins subalpins, des mélèzes de Lyall et des pins à blanche écorce. Plusieurs espèces de grands mammifères, y compris des ours, circulent dans cette zone, de même que des oiseaux mangeurs de graines et de petits mammifères tels que les suisses et les écureuils. Les canards arlequins et les garrots de Barrow se reproduisent près des lacs qui séparent la zone subalpine de la zone alpine.

La toundra alpine, au-dessus de 2195 mètres, apparaît désertique aux yeux de certains. Une observation attentive indique toutefois qu'il s'agit d'un univers de fleurs magnifiques et d'animaux rusés qui tous doivent affronter l'existence quotidienne dans un environnement sec, froid et battu par les vents. Une excursion alpine en juillet ou en août peut fournir plusieurs solutions fascinantes aux problèmes de survie à cette altitude.

Les champs de glace et les glaciers ne fourmillent pas de vie comme les zones forestière ou alpine, mais ils sont la source d'une bonne partie de l'eau nourricière du parc. Ils se déversent dans de magnifiques lacs alpins ou dans de petits lacs de montagne dont certains, comme le lac Louise, sont célèbres dans le monde entier. Ils contribuent à la formation des torrents, des chutes et des rivières qui sculptent les montagnes et creusent des vallées, ces endroits fourmillant de vie que nous connaissons.

COMMENT VISITER LE PARC

L'une des premières constatations que font les visiteurs est que le parc national de Banff possède sa ville. Celle-ci est habitée à l'année par près de 6 000 personnes, mais plusieurs millions d'autres y passent durant l'été ou au moment des populaires sports d'hiver. La longue histoire des activités récréatives dans le parc a aussi résulté en secteurs d'activités commerciales dans plusieurs sites des environs. Le parc fait de son mieux pour intégrer les différentes formes d'activités et leurs installations physiques dans le décor plus naturel du parc avec assez de succès.

Les visiteurs qui sont davantage intéressés par la paix, la quiétude et le désir de s'éloigner de tout n'ont toutefois pas à se sentir déprimés puisqu'ils pourront se retrouver virtuellement seuls après 5 ou 10 minutes de marche ou de conduite automobile.

La ville

Une visite de la ville peut représenter en soi une aventure, ne serait-ce qu'en tentant de ne pas dépenser son argent. On peut s'y procurer des articles de toutes sortes, qu'il s'agisse

Anémone occidentale.

de vêtements d'extérieur de marques réputées ou de jeans rugueux, de la hache qu'on a oubliée ou de mets organiques ou gastronomiques.

Compte tenu du contexte élargi du parc, la ville dispose d'un **musée d'histoire naturelle** dans l'avenue Banff. Les **archives des Rocheuses canadiennes** sont situées juste à l'ouest, sur la rue Bear. On trouvera de plus, sur l'avenue Banff, un bâtiment financé par le parc qui dispense informations et interprétations.

Les pistes d'excursions, de conduite automobile, d'équitation, de canotage et de cyclisme sont toutes accessibles depuis le centre-ville; les environs de l'hôtel Banff Springs servent de point de départ pour certaines d'entre elles.

J'ai emprunté le **sentier Fenland** long d'environ 2 kilomètres, qui forme une boucle longeant durant les trois quarts de son parcours le torrentiel **Forty Mile**. Ce sentier commence juste en face du terrain de stationnement de la gare du Pacifique canadien. On entreprend cette marche seul; c'est dire qu'on devrait se procurer la brochure explicative disponible à la tête du sentier. Je me trouvais seule dans ce sentier et l'agréable bruit du ruisseau couvrait le bruit de mes pas. J'ai été ravie d'apercevoir trois castors qui se livraient à leurs activités vespérales en toute tranquillité.

Excursions et randonnées en automobile au lac Vermilion

Le **lac Vermilion** est aisément accessible à pied ou en automobile depuis le centre-ville. Une route bien entretenue longe le lac sur

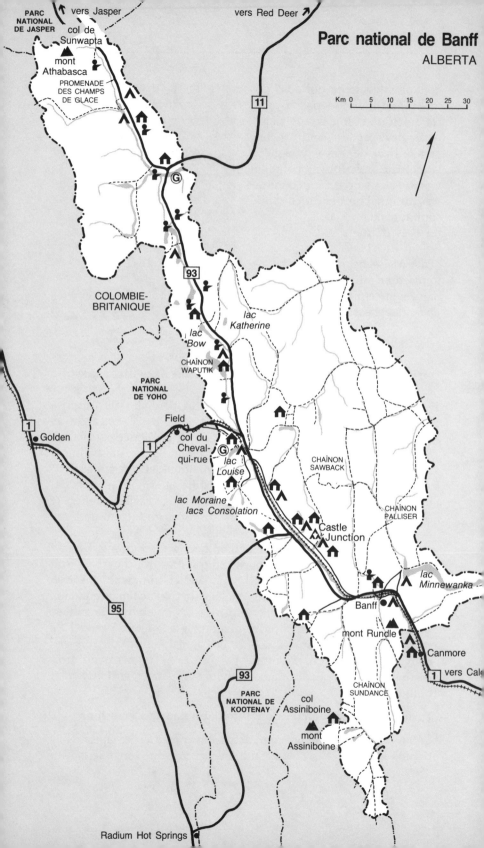

4 kilomètres et comporte un certain nombre d'aires de stationnement d'où il est possible d'entreprendre une marche agréable en
terrain plat le long de la rivière ou des lacs. C'est un bon endroit
pour observer les moutons des Rocheuses. Jetez un coup d'oeil
vers le haut des pentes de gravier qui couvrent l'espace entre les
lacs et la Transcanadienne parallèle à la petite route à l'usage des
touristes et aux lacs. Ce type d'habitat, un torrent tortueux qui
s'élargit en lacs parsemés d'îles de conifères, représente un lieu
commun dans le parc. La plupart du temps, les vallées constituent la dernière phase de la longue histoire des rivières qui se
fraient un chemin entre les chaînes de montagnes, des glaciers
qui grossissent et raclent des vallées jadis escarpées en les transformant en vallées en forme de U, et de leur retraite en abandon-
nant le chemin plat et caillouteux qu'ils ont parcouru à des
torrents agréables avec leur flore et leur faune variées.

Balades en automobile

Les balades en automobile dans le parc peuvent couvrir d'importantes distances, mais il est très facile d'en suivre l'itinéraire.
Deux d'entre elles s'effectuent sans guide. La première emprunte
la **route de Bow Valley**, numéro 1A, qui commence environ 5
kilomètres à l'ouest de Banff. Des écriteaux la bordent jusqu'au
canyon Johnston. Des brochures bien conçues, qui permettent de
se guider soi-même, dans lesquelles est expliquée la formation
des montagnes et des vallées, sont disponibles au Centre d'information de même que dans des boîtes installées dans les premières
aires de stationnement. Prévoyez rouler lentement et apportez ce
qu'il faut pour pique-niquer. Il y a là plusieurs excellents emplacements qui mettent à votre disposition des tables et des toilettes
sèches.

L'autre balade qu'on effectue sans guide emprunte l'un des
segments de route les plus spectaculaires peut-être en Amérique
du Nord : la **route des Champs de glace**. Le segment qui se trouve
à l'intérieur des limites du parc national de Banff s'étend sur 122
kilomètres du **lac Louise** au **col de Sunwapta**, à la frontière entre
les parcs nationaux de Banff et de Jasper. Une brochure fait
mention des nombreux points d'intérêt tout au long de cette route
et traite de leur histoire naturelle et humaine. À tous les deux ou
trois kilomètres, on trouvera un nouveau glacier, un site d'observation ou un lac aux eaux turquoises qu'on pourra apprécier et
photographier. La route longe à l'est les vallées des rivières Bow
et Saskatchewan du Nord. Depuis la rive ouest des rivières, le

sommet des champs de glace est par endroits visible, leurs glaciers débordant ici et là vers les vallées. Il est plutôt renversant
d'apercevoir de si près les énormes rivières de glace, leurs fissures
profondes et leurs immenses porte-à-faux. En cours de route,
l'**observatoire de Bow Summit** constitue l'arrêt le plus important.

En faisant une halte à tous les écriteaux interprétatifs, il a
fallu trois heures et demie pour aller du lac Louise à la frontière
des parcs de Banff et de Jasper. À peu près à mi-chemin, on peut
se procurer de l'essence, s'alimenter et se procurer des souvenirs
dans une aire de repos commerciale située à proximité du pont de
la rivière Saskatchewan du Nord. Plusieurs des terrains de camping du parc se trouvent le long de cette route; vous pourrez
donc songer à vous y installer et à emprunter quelques-uns des
sentiers situés à l'ouest de la route qui vous permettront de
spectaculaires coups d'oeil en surplomb.

La **boucle de la balade du lac Minnewanka** court sur environ 24 kilomètres. Amorcée au rond-point de Banff, elle se dirige
d'abord vers le terrain de camping du lac Two Jacks. La route
longe le pied du **mont Cascade** et on y a un merveilleux coup
d'oeil sur la **chaîne de montagnes Palliser**, de l'autre côté du lac
Minnewanka. Ce lac est le plus étendu du parc national de Banff;
il s'agit en réalité d'un réservoir artificiel générateur d'électricité.
Vous pourrez y emprunter une route qui traverse les terrasse-
ments du barrage, route qui attire aussi bien les mouflons des
Rocheuses que les touristes. Le sel qu'on trouve au bord de cette
route de gravier attire de toute évidence les mouflons qui adorent
ce condiment. Il vous faudra conduire lentement, en gardant l'oeil
ouvert, puisque les mouflons passent beaucoup de temps à lécher
les fissures au beau milieu de la route. Ils vous quêteront aussi
quelque chose à manger, mais cette habitude malheureuse ne doit
absolument pas être encouragée; ces bêtes sont déjà suffisamment menacées par le trafic et ce qu'on leur donne provoque la
malnutrition.

Les ressources naturelles de Banff n'ont pas servi qu'à
l'électricité. Les strates sédimentaires renferment une toute autre
source d'énergie qu'est le charbon. Il existe dans le parc deux
secteurs où l'on a procédé à l'extraction du charbon bien après
qu'il ne soit inauguré. Ces deux petits villages, Anthracite et
Bankhead, ont connu un bref essor au cours du premier quart de
siècle. Le parc a récemment transformé les ruines de **Bankhead** en
un intéressant site d'interprétation. Certains sentiers y serpentent
depuis les anciennes fondations jusqu'à l'ancienne machinerie. Le
bâtiment du transformateur existe toujours et renferme diverses

Mouflon des Rocheuses près de la route du mont Norquay.

pièces, dont un diorama grandeur nature portant sur le travail au front de taille et comprenant mineurs, outils, éclairage discret et poussière de charbon. Bankhead se trouve à un peu moins de 3 kilomètres du rond-point. Il suffit de suivre les pancartes indiquant Bankhead E (pour « exhibit ») pour visiter l'une des expositions historiques les plus intéressantes du réseau des parcs.

La **balade du mont Norquay** emprunte durant 6 kilomètres une route escarpée et tortueuse depuis la sortie ouest de Banff vers la route Transcanadienne. Cette route traverse des forêts montanes et subalpines typiques (attention aux mouflons!) et aboutit à un panorama spectaculaire de la ville et des montagnes qui se trouvent au sud et à l'est de celle-ci. Une aire de stationnement au 5e kilomètre offre un point d'observation depuis une altitude de 1675 mètres. Depuis cet endroit, le **mont Rundle** est la plus haute montagne qu'on puisse apercevoir. Si vous séjournez à Banff, sa silhouette vous sera familière, mais on en a un meilleur aperçu depuis ce point de vue.

Au bout de la route, vous pourrez stationner et monter à bord d'un téléphérique commercial jusqu'à une altitude de 2135 mètres sur le **mont Norquay**, où se trouve le chalet à l'usage des skieurs. Un télésiège y fonctionne durant l'été pour les touristes. Certains sentiers mènent depuis le terrain de stationnement à des altitudes alpines.

Promenades dans les montagnes

Si le fait de marcher ou de rouler entre de gigantesques montagnes vous semble merveilleux mais insuffisant, il serait temps
alors d'emprunter quelques-uns des sentiers d'accès facile qui
vous mèneront dans les montagnes elles-mêmes. La route de Bow
Valley, en direction du lac Louise, offre plusieurs excursions
variées et intéressantes de moins d'une demi-journée, de même
que la région du lac Moraine.

N'oubliez pas que les marches que je décris ne sont que
quelques-unes parmi d'autres promenades semblables. J'ai emprunté ces sentiers parce qu'ils se trouvaient dans des secteurs
bien connus, mais aussi parce que je me trouvais dans le parc à la
mi-juin et que plusieurs des sentiers à haute altitude étaient
encore enfouis sous la neige. À mesure que l'été progresse et que
les visiteurs se font plus nombreux, vous pouvez tout aussi bien
constater que les sentiers que je mentionne sont ceux-là mêmes
que vous voudrez éviter à cause de l'achalandage. Le mieux est
de vous rendre au Centre d'information de l'avenue Banff et de
vous informer des sentiers équivalents en termes d'accessibilité,
de panorama ou de facilité à les emprunter, mais moins fréquentés.

Depuis la route de Bow Valley, il est possible d'atteindre le
canyon Johnston, 18 kilomètres à l'ouest de Banff. Il s'agit d'un
endroit extrêmement populaire durant le jour; on y trouve un
restaurant, des chalets, des tables de pique-nique à proximité et
une piste bien balisée qui mène au canyon lui-même.

Le **sentier du canyon Johnston** suit le cours du ruisseau
Johnston en commençant à une altitude relativement basse, puis
il longe deux importantes chutes et plusieurs autres de moindre
envergure. Si vous avez suffisamment d'énergie, vous pourrez
parcourir le sentier durant 5,5 kilomètres et accéder à la grande
vallée supérieure où le ruisseau serpente en provenant de sa
source située dans les montagnes enneigées. Je me suis rendue au
sommet du sentier en y mettant deux bonnes heures dans chaque
direction, mais j'ai marché très lentement et me suis souvent
arrêtée pour prendre des photos. Le kilomètre qui permet d'accéder au premier point de vue, aux **Lower Falls**, représente l'aménagement ultime en termes de sentiers de parc: une surface dure
en gravier empruntant une pente douce. Lorsque vous parvenez
aux limites du canyon, un trottoir plat et extrêmement attrayant
paraît jaillir du flanc de la gorge sur la gauche tandis que le
torrent se précipite au-dessous de vous et sur votre droite. Les

*Les lacs Vermilion, à quelques minutes de marche
ou de voiture du village de Banff.*

garde-fous sont très bien faits et vous n'éprouverez aucun sentiment d'insécurité. Il est agréable de se trouver si proche de l'eau,
d'en faire presque partie, lorsque la bruine de la cataracte et
éventuellement les chutes elles-mêmes dérivent au-dessus de
vous.

Au-dessus des Lower Falls, environ 2 autres kilomètres vous
permettront d'accéder aux **Upper Falls**. Bien que ce sentier gagne
continuellement de l'altitude, il n'est pas très difficile de l'emprunter. Les Upper Falls sont environ deux fois plus hautes que
les Lower Falls. Vous pouvez grimper jusqu'au sommet des
Upper Falls et il est très intéressant d'observer de quelle façon le
torrent, en d'autres endroits, se voit forcé de rétrécir jusqu'à être
vraiment très étroit. À un certain endroit, vous serez en mesure
de constater que, malgré sa largeur d'environ un mètre, le torrent
doit être très profond. Il semble en effet tailler le roc sous vos
pieds.

Au-dessus des Upper Falls, le sentier bifurque presque perpendiculairement à la rivière et longe sur plusieurs kilomètres une
route d'incendies à travers la forêt. Lors de cette marche, effectuée vers la fin du mois de juin, on pouvait observer les nombreuses
orchidées calypso le long du sentier. Puis, après une autre heure
de marche, le sentier entreprenait une redescente. Vous vous

retrouvez tout à coup dans la large vallée plate et haute à travers laquelle coule le ruisseau Johnston avant de se précipiter à travers ses canyons jusque dans la vallée Lower Bow. Un autre cinq-minutes de marche vous conduiront aux **Inkpots**. Les Inkpots constituent un exemple fort intéressant de l'effet des cours d'eaux sur le terrain, puisque ici les eaux se sont, à l'occasion, écoulées par des canaux souterrains dans le calcaire et ont crée des entonnoirs qu'elles ont par la suite élargis. Ces entonnoirs surviennent à haute altitude dans la vallée supérieure plate, puis descendent en gradins. Il en résulte sept petits lacs presque ronds qui semblent alimentés par des sources. La plupart du temps, ils sont d'un superbe bleu brillant et clair. Il arrive toutefois qu'à cause d'une augmentation de la pression dans ce système de drainage souterrain, les eaux fassent rejaillir de la boue noire d'au-dessous de la surface de calcaire blanc. La noirceur des eaux leur a valu le nom d'Inkpots. Il s'agit d'un endroit superbe où se reposer et où se rafraîchir les pieds. Vous ne pourrez cependant les rafraîchir trop longtemps, puisque les eaux ont une température constante de 1°C.

Par-delà la large prairie plate des Inkpots, le terrain s'élève quelque peu jusqu'à un autre plateau où poussent de petits conifères dispersés. Le terrain de camping sauvage le plus proche, à l'usage des amateurs d'arrière-pays, s'y trouve. Il s'agit du ruisseau Johnston 6, qu'on rejoint en cinq minutes à pied depuis les Inkpots, et qui dispose de quatre tables de pique-nique, de toilettes sèches et d'espaces ouverts pour les tentes. Cet endroit est d'accès facile si l'on veut y passer la nuit et il sert de point de départ au camping pratiqué beaucoup plus profondément dans l'arrière-pays.

Il est impossible de se rendre à Banff sans visiter le **lac Louise**. En fait, certaines personnes ne font rien d'autre: elles quittent leur terrain de stationnement poussiéreux, roulent jusqu'au lac, l'admirent béatement quelque temps, vont prendre le thé au Château et s'en vont. Il y a bon nombre d'années, j'ai moi aussi agi de la sorte et j'ai vécu une expérience merveilleuse. Mais cette fois-ci, j'ai pris mon temps et emprunté le sentier le plus populaire du parc, le **lac Louise-lac Agnes**. Il m'a valu 4 heures et demie de beauté, de nouveaux amis et de sueur.

Le sentier monte à peu près graduellement durant la totalité des 4 kilomètres qui mènent au lac Agnes. Il parcourt la forêt la plupart du temps, mais on remarque de fréquentes ouvertures par où l'on a une vue spectaculaire du lac Louise tout en bas. La couleur turquoise, alimentée par les glaciers, est étonnante. La forêt est pleine du chant des oiseaux ou, dans le cas de la grive à collier, de son sifflement unique. J'ai pu apercevoir des sittelles qui chantaient et des moucherolles à côtés olive qui sifflaient dans des arbres isolés en bordure des pentes des montagnes. Au bout de 3 kilomètres, on parvient au **lac Mirror**, un petit lac de montagne si bien protégé des vents qu'il reflète parfaitement ce qui l'entoure. Celui-ci dort au pied d'un important monument, le **rocher Big Beehive**. Le but des excursionnistes, le **lac Agnes** et son salon de thé, se trouve au-dessus du lac Mirror.

Installée sur la galerie du salon de thé et occupée à boire tasse après tasse d'un thé qu'on ne nous offre qu'en feuilles dans cet environnement sain, j'ai appris quelque chose au sujet des excursions à proximité de la zone alpine. J'avais eu très chaud puisque la moindre escalade me demande beaucoup d'efforts. Mais une fois rendue, à cause de la légère brise, je frissonnais en moins de quelques secondes. J'avais eu la bonne idée d'apporter un chandail et un coupe-vent et il ne fallut pas longtemps avant que je me sente relativement confortable. Mais je devais me souvenir de cette leçon en visitant tous les autres parcs de montagne. Il faut se vêtir de plusieurs couches de vêtements, éviter d'avoir trop chaud, et se protéger rapidement contre le vent et le froid.

Si l'on veut observer un autre décor spectaculaire de la chaîne principale, bénéficiant d'un autre lac glacial, on peut se rendre dans la magnifique région du **lac Moraine et de la vallée Ten Peaks**. Je m'y suis rendue voir les aménagements du lac Moraine, qui comprennent une petite auberge et une aire de pique-nique, ainsi que pour emprunter le sentier qui mène aux **lacs Consolation**.

On atteint cette région par une route balisée qui commence peu après la sortie du lac Louise sur la route 1A. Une fois sur place, vous bénéficierez d'un coup d'oeil aussi spectaculaire qu'au lac Louise. Ce lac vert glace est entouré par une succession de cimes séparées par des avalanches qui précipitent des débris jusqu'au bord de l'eau.

Il vaut vraiment la peine de vagabonder le long des rives du lac Moraine. Il y a là une petite forêt de conifères entourée d'une clôture rustique qui protège son sol extrêmement fragile. Tout à côté de la décharge du lac, une magnifique aire de pique-nique dispose d'abris pour la cuisine. On y trouve aussi des toilettes. Les rives sont en outre occupées par une auberge et son restaurant, une boutique de souvenirs et plusieurs chalets en bois qui s'enfoncent dans un autre secteur légèrement boisé. On peut louer des canots à l'auberge et avironner sur le lac paisible. Un imposant pilier de roc appelé **Tower of Babel** se dresse au-dessus de l'aire de pique-nique et du chalet à l'extrémité la plus rapprochée du lac. La tour et la pente voisine du mont Babel ont été le lieu de quelques chutes de roc. Les débris qui en ont résulté ont endigué les écoulements des montagnes environnantes et formé le lac Moraine. Un très court sentier mène au sommet de la colline de débris de roc.

Un certain nombre de sentiers commencent dans le secteur du lac Moraine ; à la mi-juin, seuls ceux qui gagnaient le moins d'altitude étaient débarrassés de leur neige. J'ai décidé d'emprunter le sentier des lacs Consolation. Plutôt que de vous diriger directement vers le sommet de la colline de roc, prenez à gauche, traversez la trajectoire des chutes de rocs et pénétrez dans la forêt en gravissant une pente douce. Lorsque je me trouvais sur place, le sentier était par endroits très humide mais plutôt magnifique. De temps à autre, il me fallait patauger dans des plaques de neige là où le sol était le plus ombragé, mais au bout du compte il s'agissait d'une marche aisée. Une heure de détente a suffi pour parvenir à la grande vallée qui contient le lac Lower Consolation.

Ce court sentier devient très fréquenté au cours de la saison ; vous pouvez alors poursuivre jusqu'au lac Upper Consolation ou emprunter d'autres sentiers dans la région. Il paraît qu'un séjour dans la **vallée Larch** du lac Moraine permet d'apprécier un grand et magnifique déploiement automnal. Le mélèze est le seul conifère qui change de couleur et qui perd ses aiguilles à l'automne. Le mélèze est en tout temps un arbre superbe, avec ses branches mécheuses et incurvées et sa silhouette gracieuse. Une forêt entière, vêtue de sa dorure automnale, doit être spectaculaire.

L'arrière-pays dans les Rocheuses

Lorsqu'on songe à tout ce qu'il y a à voir à Banff, dans la plupart des cas accessible en voiture ou après une courte marche, on a parfois peine à imaginer que le parc est surtout constitué de son arrière-pays. Une bonne part de celui-ci se trouve de plus à haute altitude, avec ses hautes vallées, ses prairies alpines et ses champs de glace battus par les vents. Le parc offre des brochures spéciales aux excursionnistes de l'arrière-pays, et ceux-ci peuvent de plus obtenir des cartes topographiques ainsi que les informations les plus récentes au sujet de l'état des sentiers, de leur usage et de celui des emplacements de camping, de même que de la

Le sentier des lacs Consolation, libre de neige à la mi-juin.

présence d'ours. On les obtient en s'adressant au comptoir du Centre d'information de l'arrière-pays. L'arrière-pays commence à 9 kilomètres à peine des principales routes; il est donc possible d'y effectuer plusieurs excursions d'une journée. Il est aussi possible de séjourner dans les terrains de camping sauvage que le parc a aménagés à environ tous les 10 kilomètres le long de plusieurs sentiers de l'arrière-pays.

Ceux qui seraient intéressés par ce type d'activité à Banff auraient avantage à obtenir les informations pertinentes en écrivant au surintendant. Il existe plusieurs excellents livres portant sur les sentiers du parc et on devrait les étudier. Il faut un permis pour se rendre dans l'arrière-pays et on l'obtient gratuitement au Centre d'information.

Un autre moyen, très différent, permet d'accéder aux altitudes alpines où il sera possible de jouir du panorama et d'entreprendre de courtes marches dans les environs. Il suffit de monter dans l'un des nombreux téléphériques qui fonctionnent durant l'été à l'intention des excursionnistes d'une journée et durant l'hiver à l'intention des skieurs. Ces téléphériques sont situés au **mont Norquay**, à la **montagne Sulphur** et au **lac Louise**. Les endroits disposent tous d'une boutique de souvenirs, d'un restaurant-casse-croûte et de courts sentiers. Ils appartiennent tous à l'entreprise privée. Des dépliants comprenant les horaires et les tarifs (modiques) sont disponibles dans la plupart des boutiques et des aménagements touristiques de Banff ou du lac Louise. Assurez-vous d'emporter un coupe-vent, même par une journée ensoleillée.

SERVICES ET COMMODITÉS

Programme d'interprétation

Banff est un grand parc offrant activités et variétés; c'est ce que reflète le programme d'interprétation. On peut en obtenir l'horaire au Centre d'information, aux kiosques, sur les babillards des terrains de camping et dans plusieurs des aménagements touristiques. Assurez-vous d'en obtenir un exemplaire. Des théâtres présentent des diaporamas dans sept des terrains de camping. Ils ne présentent pas tous un programme tous les soirs, mais vous ne serez pas très éloigné de l'un des nombreux parcs qui le font. Les terrains de camping du ruisseau Rampart et du mont Protection disposent de cercles pour feux de camp où des interprètes donnent des causeries tout en servant du thé qui s'infuse au-dessus du feu. Des programmes sont aussi présentés chaque soir au Centre d'information et le rez-de-chaussée de ce bâtiment comporte une galerie de photographies et un petit théâtre muni d'un diaporama automatique. Des interprètes dirigent chaque jour des randonnées dans la région du lac Louise et de la ville de Banff, et souvent dans des régions plus éloignées. Les interprètes peuvent vous donner une bonne idée du degré de difficulté de chaque sentier de même que du temps qu'il faut mettre à le parcourir. À l'occasion, on offre aussi des randonnées en canot ou à bicyclette sous la direction d'interprètes. À Banff, il est possible de louer canot et bicyclette. Il existe, en outre, d'autres événements particuliers qui varient avec les saisons et les intérêts de chaque interprète. On offre, par exemple, des excursions guidées pour observer les fleurs printanières, les migrations printanières et automnales des oiseaux sur les lacs Vermilion, la dorure de la vallée Larch en automne, ou pour écouter le wapiti mâle bramant, aussi en automne. En hiver, le Centre d'information offre des programmes d'interprétation et les hôtels locaux proposent des présentations sur une base rotative.

Le programme d'interprétation est aussi responsable d'é-criteaux vraiment excellents qu'on trouve à certains endroits comme à Bow Summit ou au canyon Johnston, de même que de brochures explicatives en couleurs portant sur les champs de glace, les routes de Bow Valley, Bow Summit, les sources thermales de Cave et de Basin, etc. Toutes ces publications sont gratuites.

Camping

Banff dispose de 2323 emplacements de camping à portée de voitures et répartis entre 13 terrains. Les plus grands et ceux qui affichent complet le plus rapidement se trouvent à proximité de la ville de Banff et du lac Louise; il s'agit des terrains du **mont Tunnel**, de **Two Jack** et du **lac Louise**. Lorsque j'y ai séjourné, à la mi-juin, seul **Two Jack Likeside** (80 emplacements) affichait complet. Les autres disposaient encore de plusieurs emplacements. Même si on ne peut faire de réservations dans les terrains de camping, il est toujours possible de téléphoner à l'avance pour avoir une idée de l'affluence.

Note de l'auteur. Le parc fournit des foyers à tous les emplacements pour caravanes et on trouve du bois de chauffage dans des dépôts; mais celui que j'ai vu était uniquement constitué de bûches de 50 centimètres de diamètre. Pour les débiter, il vous faudra un coin et une masse; aucune hachette n'y parviendra.

Le **terrain de camping du mont Tunnel** comprend trois secteurs. Celui réservé aux tentes-caravanes se trouve à 2,5 kilomètres à l'est de Banff. Il dispose de 246 emplacements, d'abris pour la cuisine équipés de poêles et de bois de chauffage, de toilettes à chasse d'eau et de douches. **Village Mont Tunnel I** se trouve à 4 kilomètres à l'est de Banff et dispose de 622 emplacements, de toilettes à chasse d'eau et d'un poste de vidange pour les caravanes. Le **terrain pour caravanes du mont Tunnel** est adjacent au Village Mont Tunnel I et dispose de 322 emplacements de même que de raccords triples. Ces terrains sont boisés en périphérie, mais n'offrent pas tellement d'intimité. Ils sont bien situés si vous désirez être à proximité de la ville. Plusieurs petits sentiers courent à proximité de ces terrains de camping et on y trouve aussi une aire de stationnement depuis laquelle on peut observer les cheminées des fées de Bow Valley. Cet endroit permet aussi d'acquérir des connaissances sur l'histoire géologique et ferroviaire de la région grâce à des écriteaux explicatifs.

Two Jack Main est situé dans une épaisse forêt de conifères, à 13 kilomètres de Banff sur la route du lac Minnewanka. La vue n'y est pas très spectaculaire, mais on y éprouve visuellement un sentiment d'intimité. Ce terrain dispose de 381 emplacements, d'abris pour la cuisine, de toilettes à chasse d'eau, d'un poste de vidange pour les caravanes et d'eau chaude et froide dans les salles de toilette. Le petit terrain **Two Jack Lakeside**, situé sur les rives du lac, affiche rapidement complet. Il dispose de 80 emplacements équipés des habituelles grilles à cuisson, de tables de pique-nique, d'abris pour la cuisine et de toilettes à chasse d'eau.

Le terrain du **canyon Johnston** est situé dans une forêt plutôt mature qui n'a pas la densité de celle qu'on trouve à Two Jack Main. Un certain nombre d'emplacements sont aménagés le long du ruisseau Johnston. Ce terrain se trouve sur la 1A, la route de Bow Valley, à 26 kilomètres à l'ouest de Banff. Il dispose de 140 emplacements, d'abris pour la cuisine, de toilettes à chasse d'eau et d'un poste de vidange pour les caravanes. Aménagé lui aussi sur la route de Bow Valley, **Castel Mountain** se trouve à 5 kilomètres à l'ouest de canyon Johnston. Ce terrain dispose de 44 emplacements équipés d'abris pour la cuisine et de toilettes à chasse d'eau. Le terrain de camping du **mont Protection** est à un peu plus de 10 kilomètres à l'ouest du mont Castle sur la route de Bow Valley. On y trouve 89 emplacements, des abris pour la cuisine, des toilettes à chasse d'eau et un poste de vidange pour les caravanes. Des causeries interprétatives y sont données autour d'un feu de camp.

Le **terrain de camping du lac Louise** est aménagé dans un espace légèrement boisé, et plutôt ouvert, à proximité de la route principale et des voies ferrées. Il est longé par les flots rapides de la rivière Bow, qui forment un agréable contraste avec les routes et les rails. Ce terrain est situé à dix minutes de marche du village du Lac-Louise. Lorsque j'y ai séjourné, je l'ai trouvé plutôt mal entretenu : les toilettes débordaient, l'eau chaude était rare dans les robinets, et il n'y avait plus de papier de toilette. Ce terrain dispose de 221 emplacements pour les tentes, de 163 emplacements pour les caravanes, d'abris pour la cuisine, de toilettes à chasse d'eau et d'un poste de vidange pour les caravanes. Des événements interprétatifs y ont lieu régulièrement au cours de l'été.

Camping au nord du lac Louise

Le **terrain du ruisseau Mosquito** est situé au 24ᵉ kilomètre de la promenade des Glaciers. Il s'agit d'un terrain où l'on s'enregistre soi-même et qui comporte deux secteurs : un grand champ de gravier et une zone boisée où l'on retrouve, à tous les deux ou trois emplacements, des abris pour la cuisine, des toilettes sèches et de l'eau froide au robinet. Tables de pique-niques, grilles à cuisson et bois de chauffage sont disponibles comme toujours. Le **terrain du lac Waterfowl** est situé au 58ᵉ kilomètre de la promenade des Glaciers. Il s'agit d'un joli site, à proximité d'un torrent et d'un grand lac, dont l'espace est boisé mais ouvert en bordure du lac. Montagnes et glaciers sont parfaitement visibles. C'est un bon endroit pour pratiquer le canotage sans se fatiguer. Ce terrain dispose, à tous les deux ou trois emplacements, d'abris pour la cuisine, de toilettes sèches et à chasse d'eau et de robinets. Il est situé à seulement 15 kilomètres de Saskatchewan Crossing où l'on trouvera essence, restaurants, etc. ; il dispose de 80 emplacements et d'un poste de vidange pour les caravanes. Le **terrain du ruisseau Rampart** est situé au 88ᵉ kilomètre de la promenade. Il comprend un cercle de feu de camp pour les causeries interprétatives et dispose de 50 emplacements, d'abris pour la cuisine et de toilettes sèches et à chasse d'eau. Le **terrain du mont Cirrus** est situé au 102ᵉ kilomètre de la promenade et dispose de 16 emplacements, d'un abri pour la cuisine et de toilettes sèches.

Camping sauvage

Il existe des terrains réservés au camping à tous les 10 kilomètres le long des sentiers les plus populaires de l'arrière-pays du parc. Tous sont pourvus de toilettes sèches, de grilles à cuisson, de bois et de petites tables de pique-nique. De plus amples informations sont disponibles en écrivant au surintendant et en vérifiant au Centre d'information, à l'arrivée, l'état des pistes au moment de se procurer le permis obligatoire et gratuit pour accéder à l'arrière-pays.

Autres agréments, essence, nourriture et approvisionnements

Il existe six auberges de jeunesse dans le parc national de Banff. Pour un tarif modique, on obtient le gîte et la cuisson au gaz propane. Certaines disposent d'électricité, d'autres pas ; la plupart sont chauffées au bois. Pour de plus amples informations, il suffit d'écrire à la Canadian Hostel Association, 203-1414 Kensington Road S.W., Calgary, Alberta, T2N 3P9 ; tél. : [413] 283-5551. Les aménagements commerciaux du parc sont concentrés pour la plupart à Banff et au Lac-Louise, mais il en existe aussi dans un certain nombre d'autres localités. Le parc dispose de listes de ces aménagements. On peut aussi obtenir une brochure détaillée en écrivant à la Chambre de commerce de Banff-Lac-Louise. Le village de Canmore, situé juste à l'extérieur de l'entrée est du parc, dispose de plusieurs aménagements commerciaux. On trouvera essence, nourriture et approvisionnements tant à Banff qu'à Canmore. Au Lac-Louise, il y a de l'essence, des restaurants et un petit magasin général. On pourra également trouver essence et restaurant à Saskatchewan Crossing.

Loisirs

Promenades en voiture   Procurez-vous au Centre d'informations les brochures portant sur les routes de la région de Banff et du lac Louise, de même que sur les promenades de Bow Valley et des Glaciers.

Excursions   Le parc dispose de brochures portant sur virtuellement tous ses sentiers; il suffit de les demander. Il existe en outre plusieurs livres renseignant sur les sentiers et ils sont disponibles dans la plupart des boutiques de souvenirs.

Navigation et canotage   Les bateaux à moteur ne sont permis que sur le lac Minnewanka où l'on peut mettre son embarcation à l'eau ou en louer une. Les canots sont permis sur l'ensemble des lacs et des rivières. On peut les louer aux lacs Minnewanka, Louise et Moraine, de même qu'à Banff. Des excursions en radeau sont aussi offertes. On peut écrire à ce sujet à la Chambre de commerce ou se renseigner au Centre d'information.

Pêche   La pêche est plutôt bonne dans certaines eaux. Un permis des Parcs nationaux est requis. Une brochure du parc dresse la liste des lacs, leurs limites, etc. Le stockage ne peut être pratiqué qu'aux nappes d'eau de basse altitude, au lac Vermilion, par exemple, et seules les espèces autochtones, par opposition aux espèces « sportives », peuvent être stockées.

Golf   On trouvera un parcours de 18 trous à l'hôtel Banff Springs, de même qu'un terrain de pratique. On peut louer clubs et voiturette électrique à la boutique.

Natation   Une saucette dans les sources thermales Upper permet de se détendre après une journée de ski ou de randonnée. Dans la plupart des autres eaux du parc, la natation n'est recommandée... qu'aux ours polaires.

Équitation, excursions avec sac à dos et excursions guidées dans l'arrière-pays   Plusieurs entreprises commerciales offrent un éventail complet de ces activités. Le parc dispose d'une liste (on peut écrire au surintendant), de même que la Chambre de commerce.

Promenades touristiques, télésièges et téléphériques L'entreprise privée offre plusieurs activités de ce type. Le mieux à faire est d'écrire à la Chambre de commerce ou de s'informer dans les hôtels ou auprès des agences de voyages de Banff, de Canmore ou de Calgary.

Sports d'hiver

Le ski de fond et la raquette jouissent d'une grande popularité dans le parc. On peut écrire à ce sujet au surintendant ou s'informer au Centre d'information de Banff. Il existe une excellente brochure portant sur les excursions en ski où l'on apprend comment s'y préparer, quelles sont les 20 pistes utilisables, quels secteurs éviter, etc. Le parc dispose de trois importants centres de ski alpin: à Sunshine Village, au mont Norquay et au Lac-Louise. Il s'agit d'entreprises commerciales qui disposent de tout l'éventail de services tels que remonte-pentes, auberges, locations, leçons, etc. On peut écrire à ce sujet à la Chambre de commerce ou consulter son agent de voyages. Il existe dans le parc trois routes balisées que les motoneiges peuvent emprunter. Un permis est obligatoire. On peut obtenir la brochure qui traite de ce sujet en écrivant au parc.

POUR DE PLUS AMPLES INFORMATIONS

Le Surintendant,
Parc national de Banff,
C. P. 900,
Banff, Alberta,
T0L 0C0

Tél.: [403] 762-3324

Chambre de commerce
de Banff/Lac Louise,
C. P. 1298,
Banff, Alberta,
T0L 0C0

Tél.: [403] 762-4646 et 762-3777

LE PARC NATIONAL DE

JASPER

Jasper est le plus grand et le plus boréal des cinq parcs nationaux des Rocheuses. Il est situé directement au nord du parc national de Banff et, à l'instar de celui-ci, occupe une bonne part des pentes est des Rocheuses, en Alberta.

Jasper couvre une superficie de 10 800 kilomètres carrés. Il comporte deux des troix chaînes qui forment les Rocheuses : la chaîne frontale à l'est et la chaîne principale dans le reste du parc. Toutes deux courent à peu près parallèlement du nord au sud et sont séparées par des vallées profondes le long des failles principales. Les trois chaînes sont originaires des fonds d'une immense mer intérieure. Les montagnes doivent leur existence à un processus de sédimentation, de compression et de surgissement. Ce processus a pris fin il y a 35 millions d'années et elles perdent régulièrement du terrain depuis ce temps à cause des glaciations et de l'érosion due au vent et à l'eau.

Même après avoir perdu 3000 mètres d'altitude, les Rocheuses demeurent formidables. Le village de Jasper occupe un site à 1058 mètres au-dessus du niveau de la mer. Plusieurs montagnes ont plus de 3350 mètres. On y trouve le plus grand champ de glace des Rocheuses et on peut apercevoir de 15 à 20 glaciers le long de la route qui mène du Lac-Louise au village de Jasper. Par leur variété, le territoire et ses habitats constitués de larges vallées de rivières, de pentes boisées à basse altitude, de toundra alpine au-dessus de la ligne des arbres et de champs de glace massifs forment un environnement complexe et fascinant.

COMMENT VISITER LE PARC

On retrouve à Jasper les quatre zones écologiques des Rocheuses : la montane avec sa forêt sèche de pins Douglas et les larges vallées de ses rivières; la forêt subalpine d'épinettes Engelmann et de pins alpins; la toundra alpine avec ses vastes rochers et sa faune miniature; les champs de glace et les glaciers grandioses qu'on peut considérer comme une extension de la zone alpine. Bien que chacune de ces zones soit d'accès extraordinairement facile, Jasper est surtout connu parce qu'il offre l'occasion de tout abandonner derrière soi grâce à l'un des réseaux de sentiers les meilleurs et les plus étendus de l'ensemble des parcs nationaux.

Le village se trouve au coeur des activités du parc et les routes en représentent les rayons. Le parc comprend six secteurs principaux: la promenade des Glaciers, dont le pont culminant est le glacier Athabasca, à 101 kilomètres au sud du village sur la frontière sud du parc; la route du lac Maligne, à l'est du village et longue de 43 kilomètres; les sources thermales de Miette, à proximité de l'entrée est du parc; le mont Whistler, immédiatement au sud du village; le mont Édith-Cavell, à environ 29 kilomètres au sud-est du village sur la route 93A; et la région des lacs Patricia et Pyramid, immédiatement à l'ouest du village.

Champs de glace et glaciers

La promenade des Glaciers est divisée de façon tout à fait artificielle entre son segment de Jasper et son segment de Banff, mais le segment de Jasper ressort nettement parce qu'on y trouve le **glacier Athabasca**. Ce glacier s'étend sur 6,5 kilomètres depuis sa source dans le champ de glace Columbia jusqu'à son terme ou orteil. Cet orteil s'allongeait au-delà de l'actuelle promenade à une époque aussi proche que le tournant du siècle. Il a fondu sur plus d'un kilomètre et demi depuis 1878, ce qui représente une retraite extrêmement rapide. Ce glacier se déplace sans arrêt, toujours vers l'avant et vers le bas, mais il s'est amenuisé parce que la glace fond chaque année plus rapidement qu'il n'en acquiert à sa source. Son épaisseur est d'environ 15 mètres à l'orteil et d'environ 300 mètres à proximité de la limite du champ de glace. Il est possible d'y arrêter dans un terrain de stationnement et de s'y rendre à pied. (On ne recommande absolument pas de marcher sur le glacier, cependant.) Il n'existe nulle part au monde de glaciers aussi accessibles. Un quart de million de personnes se rendent chaque année flatter son orteil. Le parc offre des marches guidées par des interprètes jusqu'à l'orteil; il s'agit d'un bon moyen d'en apprendre davantage sur le remplissage et le débordement du grand bol de glace qui surplombe, sur les mouvements des glaciers, sur ce qu'ils emportent, et sur leur façon de modifier la surface de la planète.

L'entreprise privée offre de plus un service de véhicules géants qui se rendent sur le glacier lui-même. Ce service exige cependant du temps : il faut obtenir des billets, attendre au point d'embarquement du terrain de stationnement qui se trouve au bas du glacier, puis revenir, mais le temps que l'on passe sur le glacier lui-même est très intéressant.

Le **Centre d'information des champs de glace**, situé de l'autre côté de la promenade, en face de l'aire d'interpréta-

Fleurs, mousses et lichens alpins poussent à ras du sol et se propagent.

tion de l'orteil, offre un diaporama continuel, de grandes cartes du relief et d'excellentes pièces.

Un autre secteur du parc permet d'ajouter à l'expérience des champs de glace et du glacier Athabasca. Il s'agit de la base du **mont Édith-Cavell**. Au départ du terrain de stationnement situé à l'extrémité de la route d'accès, il existe un sentier qu'on emprunte sans guide, le **Path of the Glacier**. Celui-ci longe une moraine latérale, c'est-à-dire un escarpement de débris qui se forme en bordure d'un glacier. Des écriteaux interprétatifs témoignent de la petite ère glaciaire d'il y a 500 ans et des modifications apportées dans la région par la retraite des glaciers.

Il est difficile d'atteindre ce sentier, car la route n'est habituellement pas déneigée et carrossable avant le milieu ou la fin du mois de juin.

La zone montane

À Jasper, les **vallées des rivières Athabasca et Miette** représentent la zone montane. La forêt typique en est sèche et ouverte. Les rivières sont larges et le lit de leurs torrents change de temps à autre. Les régions marécageuses de basse altitude constituent un excellent habitat pour les orignaux, les castors et la faune sauvage. Les pentes dégagées sont idéales pour les animaux de pâturage tels que mules-cerfs, mouflons et wapitis. Les ours noirs

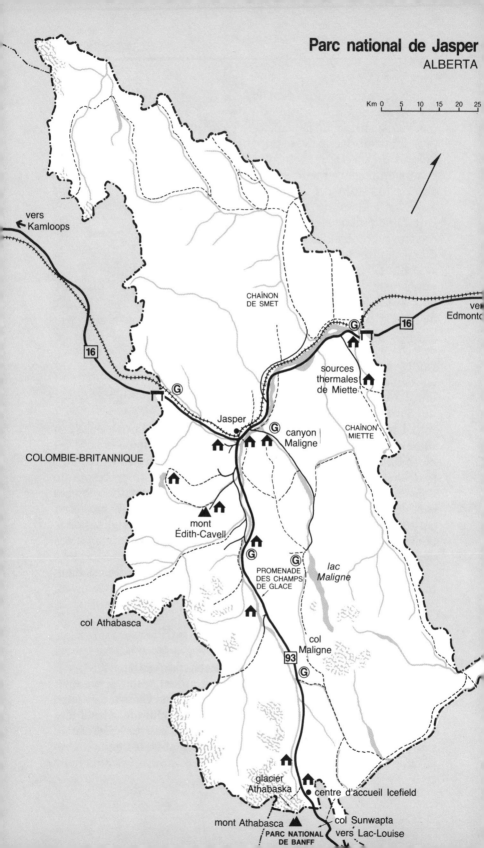

Parc national de Jasper
ALBERTA

Km 0 5 10 15 20 25

vers
← Kamloops

16

COLOMBIE-BRITANNIQUE

CHAÎNON
DE SMET

vers
Edmonton

16

sources
thermales
de Miette

Jasper

canyon
Maligne

CHAÎNON
MIETTE

mont
Édith-Cavell

lac
Maligne

PROMENADE
DES CHAMPS
DE GLACE

col Athabasca

col
Maligne

93

glacier
Athabasca

centre d'accueil Icefield

mont Athabasca

col Sunwapta
vers Lac-Louise

PARC NATIONAL
DE BANFF

fréquentent cette zone, de même que les coyotes. Les chèvres des montagnes descendent vers les salières naturelles des terrains boueux situés le long des rives des lacs ou des étangs. La meilleure façon d'observer ce genre d'environnement consiste à emprunter la route la plus intéressante du parc, c'est-à-dire la route 16, au nord de Jasper, qui mène à **Pocahantas** et à la bifurcation des **sources thermales de Miette**.

Si l'on désire observer de plus près la zone montane, la route et les sentiers des **lacs Patricia et Pyramid** sont excellents. J'ai roulé jusqu'aux étables du lac Pyramid où se trouve une aire de stationnement. Le sentier du lac Patricia commence à la périphérie du secteur des écuries; ce sentier court sur seulement 5 kilomètres et il est très agréable, bien qu'envahi par les maringouins dans les secteurs humides qui précèdent Cottonwood Slough.

De retour à votre voiture, empruntez durant quelques minutes la route du lac Pyramid. Au bout de la route, près de l'extrémité éloignée du lac, un terrain de pique-nique est aménagé dans une petite île où l'on se rend en traversant un pont. Le panorama y est tout à fait merveilleux. Plusieurs courts sentiers commencent le long des rives, et on y trouve des endroits où mettre une embarcation à l'eau, une petite agglomération de chalets et un petit salon de thé. On peut y louer des gréements pour la pêche et des embarcations.

La zone subalpine

Emprunter la **route du lac Maligne** représente un excellent moyen d'explorer le monde subalpin. La **vallée Maligne** est une vallée suspendue. Sa forme en U lui vient du passage d'un glacier; au même moment, un glacier beaucoup plus imposant se frayait un chemin tangentiel à la vallée Maligne en ouvrant la **vallée de la rivière Athabasca**, plus large et plus profonde. Le sol de la vallée Maligne se trouve à une altitude plus élevée de 120 mètres que celui de la vallée Athabasca. La rivière Maligne, qui coule en suivant une pente douce durant la majeure partie de sa trajectoire, plonge soudainement lorsqu'elle rencontre la vallée Athabasca.

Il existe trois arrêts principaux le long de la route de la vallée Maligne et le site de cette descente précipitée au **canyon Maligne** en est le premier. Le canyon constitue un exemple spectaculaire du pouvoir érosif des courants d'eaux. On peut en observer les effets en empruntant le sentier qui passe de l'un à l'autre côté du canyon en traversant quatre ponts. Des écriteaux interprétatifs bien placés indiquent de quelle façon l'eau a sculpté et formé couche après couche de roc.

Après avoir marché aussi loin qu'on le désire, on peut se diriger, en revenant sur ses pas, vers les aménagements réservés aux touristes et qui comprennent un restaurant, une boutique de souvenirs et des toilettes, à proximité du terrain de stationnement.

Le **lac Medicine** constitue le deuxième arrêt le long de la vallée. Ce lac a longtemps représenté un mystère : bien qu'il ne dispose pas d'une rivière en surface en guise de décharge, il s'écoule chaque année jusqu'à n'être plus, en automne et en hiver, qu'une mare de boue avec quelques canaux et un étang dans le milieu. La rivière Maligne pénètre dans le lac à son extrémité sud-ouest en provenance de l'altitude supérieure de la vallée, mais ne semble pas en ressortir. Pourtant, la rivière refait surface 16 kilomètres plus loin dans la vallée tant dans les environs du canyon Maligne que dans le canyon lui-même.

On n'a découvert que récemment la solution de ce mystère. Il semble qu'un réseau de cavernes s'étende depuis le sol sous le lac jusqu'au canyon Maligne. Au moins deux niveaux horizontaux sont alimentés par les nombreux entonnoirs qui percent le fond du lac. Lorsque les crues du printemps sont importantes à l'altitude supérieure de la vallée Maligne, le lac se remplit de même que les cavernes. La quantité d'eau qui se déverse du lac vers les cavernes est très supérieure à celle qui peut s'en échapper. Lorsque les crues générées par la neige et la pluie ralentissent vers la fin de l'été, les écoulements sous la surface deviennent plus importants que l'arrivée d'eau et, vers la fin de l'automne, il n'en reste plus que très peu dans le lac.

Le **lac Maligne**, le plus grand lac alimenté par les glaciers dans les Rocheuses, constitue le dernier arrêt dans la vallée Maligne. Ce lac est long de 27,5 kilomètres et il est entouré par une forêt subalpine. Les montagnes qui se dressent tout autour présentent l'ombrage gris-vert de la toundra alpine et on peut apercevoir la glace et les neiges des hauteurs. Un réseau de courts sentiers commence à proximité du débarcadère pour bateaux. Les écriteaux interprétatifs du **sentier Hummock and Hollow** décrivent les restes de glaciers que sont les kames et les chaudières. Les écriteaux du **point de vue Schäffer** traitent de la première blanche, l'intrépide Mary Schäffer, qui a exploré le lac, de même que des alpinistes, des scientifiques et des touristes aventureux qui l'y ont suivie au cours des années.

De nos jours, les touristes peuvent profiter d'une bonne route, de plusieurs grands terrains de stationnement, de sentiers naturels, d'un restaurant, d'une boutique de souvenirs, d'un endroit où louer gréement pour la pêche et embarcations, ainsi que de balades de deux heures jusqu'à l'extrémité du lac à bord de grandes embarcations climatisées. Il s'agit d'une excellente balade, quoique plutôt dispendieuse, surtout pour une famille. Ces embarcations passent devant l'**île Spirit** et s'arrêtent à proximité, permettant ainsi de mettre pied à terre.

Outre ses courts sentiers naturels, le lac Maligne offre un certain nombre de sentiers plus longs, dont certains permettent des excursions de deux ou trois jours.

La toundra alpine

Ceux qui aiment s'enfoncer dans l'arrière-pays n'auront pas de difficulté à parvenir à cet environnement. Plusieurs sentiers mènent au-delà de la ligne des arbres et courent sur plusieurs kilomètres le long des contreforts et des crêtes. La plupart des visiteurs voudront cependant y parvenir par d'autres moyens. Voici quelques suggestions.

On peut emprunter le téléphérique du **mont Whistler**. Le terrain de stationnement se trouve à l'extrémité d'une courte route d'accès bien indiquée juste au sud du village. Ce service étant offert par l'entreprise privée, il est normal qu'à la base on trouve une boutique de souvenirs et, au sommet, un restaurant de même qu'une autre boutique de souvenirs. Le conducteur du téléphérique parle en cours de route du téléphérique lui-même et discourt sur l'histoire naturelle de la région. Cette causerie sert de complément aux écriteaux interprétatifs du parc. Le visiteur est averti de ne pas cueillir de fleurs et de ne pas nourrir les animaux. Le téléphérique, les boutiques, le restaurant et le trottoir de planches du sommet sont tous accessibles en fauteuil roulant.

Le téléphérique va d'une altitude de 1300 mètres à plus de 2286 mètres. Un sentier mène au sommet de la montagne avant de courir le long des contreforts en direction d'autres points de vue. À son début, le sentier est fait de planches. Des plates-formes à différents niveaux disposent d'écriteaux interprétatifs. Puis le sentier entreprend la pente douce qui aboutit au sommet. En marchant très lentement, il ne sera pas très difficile d'atteindre le sommet en 30 ou 40 minutes. Le sentier est large et lisse, mais de nombreuses personnes n'ont pas l'habitude de la marche ascendante. Au sommet, l'altitude est de 2465 mètres.

On peut aussi accéder à la toundra alpine à dos de cheval. C'est ainsi que je m'y suis rendue puisque le sentier **Sulphur Skyline**, un sentier selon toute apparence raisonnablement court pour accéder à la zone alpine, paraissait pourtant trop exigeant si tôt dans ma saison d'excursions. Moins de quelques minutes après avoir monté en selle à l'écurie des **sources thermales de Miette**, mon compagnon et moi nous retrouvions dans la forêt subalpine. À la longue, les arbres sont devenus de plus en plus noueux et rabougris tandis que le terreau se raréfiait.

Lorsque nous avons atteint un terrain ouvert et rocailleux, je pus apercevoir de petites plaques de végétation ou, parfois, tout simplement le petit pinceau rose brillant qui émergeait d'une minuscule fissure dans le roc. Au sommet, nous sommes descendus de monture pour marcher quelque peu. De tous côtés, les montagnes s'étalaient en formations rocheuses saisissantes.

Le temps était venteux et le froid s'imposait rapidement; nous sommes donc redescendus. La randonnée a duré trois heures et son coût n'était pas particulièrement modique; il s'agit tout de même d'un excellent moyen de parvenir à la toundra.

Le trajet du retour fut beaucoup plus effrayant que l'aller et, pour une personne comme moi qui ne fait pas d'équitation, beaucoup plus douloureux. Mais je me suis alors aperçue que je n'avais pas exploré un autre aspect de **Fiddle Valley**: les sources thermales de Miette. Elles ne se trouvent qu'à quelques centaines de mètres de la route sur laquelle est aménagée l'écurie. J'ai roulé jusque-là, y suis entrée en clopinant, ai payé le tarif tout à fait modique des parcs et me suis retrouvée dans un paradis d'un autre genre. Aucune randonnée à dos de chaval n'est complète sans une visite des sources thermales. Aucune longue excursion non plus, pas plus d'ailleurs qu'un séjour à Jasper.

SERVICES ET COMMODITÉS

Programmes d'interprétation

Jasper offre un programme d'interprétation très poussé. Ce programme comprend des excursions menées par des interprètes, des diaporamas en soirée dans les principaux terrains de camping, ceux de Wapiti et de Whistler, des causeries autour d'un feu de camp dans les terrains de camping moins développés, ceux du ruisseau Wilcox, de Wabasso, de Honeymoon et de Pocahantas. Le parc publie de plus un certain nombre de brochures, entre autres une excellente sur la vallée Maligne. En fin de semaine, à

Le glacier Athabasca depuis la route des champs de glace.

l'occasion de programmes spéciaux, les interprètes abordent leurs propres champs d'intérêts ou d'activité, ou encore font coïncider les programmes avec des événements saisonniers. J'ai assisté à une merveilleuse causerie portant sur l'histoire humaine du parc et qui insistait surtout sur les premiers explorateurs et excursionnistes. Un gardien s'est amené avec un cheval de bât, l'a chargé et déchargé, et nous a expliqué pourquoi les motoneiges ne pouvaient remplacer les chevaux dans l'immense arrière-pays constitué de forêts profondes, de sentiers abrupts et de neige épaisse. On peut s'enquérir au Centre d'information sur la possibilité que ce genre de programme soit offert au moment de séjourner dans le parc.

Camping

Le parc dispose de 10 terrains de camping plus ou moins élaborés. Dans les plus petits, les tarifs sont perçus par un gardien ambulant.

Le **terrain de camping Whistler** se trouve à côté du village dans un secteur légèrement boisé. Il compte 758 emplacements dont 77 sont munis de triples raccords à l'usage des caravanes. Quarante-trois emplacements ne disposent que d'électricité. On y trouve des abris pour la cuisine et chaque emplacement réservé aux caravanes a sa propre table de pique-nique et une grille à cuisson. Les salles de bains comprennent toilettes à chasse d'eau de même qu'eau chaude et froide; on peut de plus s'approvisionner d'eau froide aux robinets situés à l'extérieur des salles de bains. Ce terrain n'est pas pourvu de douches et affiche rapidement complet.

Wapiti, légèrement boisé, dispose de 347 emplacements, dont 28 ne sont munis que d'électricité. Ceux-ci se trouvent dans le terrain de stationnement pavé qui borde le terrain sur lequel il y a des abris pour la cuisine, des toilettes à chasse d'eau, des robinets d'eau chaude et froide et des douches. Les robinets se trouvent aux endroits stratégiques. La plupart des emplacements ont des tables de pique-nique, des grilles à cuisson et du bois de chauffage. Ce terrain est moins susceptible que Whistler d'afficher complet.

Au **terrain de camping Pocahantas**, 140 emplacements sont répartis dans une forêt clairsemée. L'eau, chaude et froide, est fournie par des robinets installés dans des endroits stratégiques. Le terrain dispose de toilettes à chasse d'eau, de tables de pique-nique, de grilles à cuisson et de bois de chauffage.

Le **terrain de camping de la rivière Snaring** compte 60 emplacements, dont 10 ne sont accessibles qu'en marchant plusieurs centaines de mètres. Ce terrain est pourvu d'abris pour la cuisine, de toilettes sèches, d'eau de puits, de tables de pique-nique, de grilles à cuisson et de bois de chauffage.

Wabasso, qui occupe un site magnifique et légèrement boisé, est accessible par la route 93A qu'on emprunte à proximité de la rencontre des rivières Athabasca et Whirlpool, là où les fourreurs se rencontraient jadis. La route 93A, superbe, longe des lacs, des marécages et des forêts fleuries; je recommanderais donc ce terrain de camping à ceux qui possèdent des bicyclettes ou qui apprécient des marches faciles le long de la route. Le terrain dispose de 225 emplacements, de toilettes à chasse d'eau, d'eau froide dans les salles de bains et aux robinets qu'on trouve ici et là, de deux abris pour la cuisine, de tables de pique-nique, de grilles à cuisson et de bois de chauffage.

Mount Kerkeslin, le long de la rivière Athabasca, est une forêt qui offre de bons points de vue sur les montagnes. Ce terrain possède 42 emplacements et des toilettes sèches. On y puise l'eau et on y trouve des tables de pique-nique, des grilles à cuisson et du bois de chauffage.

Le **terrain de camping Honeymoon Lake**, à proximité d'un petit lac, est excellent pour le canot. On y puise l'eau grâce à une pompe ou on utilise l'eau du lac qu'il faut faire bouillir. Ce terrain dispose de 30 emplacements, de toilettes sèches, d'abris pour la cuisine, de tables de pique-nique, de grilles à cuisson et de bois de chauffage.

Le **terrain de camping du ruisseau Jonas** est situé sur une petite colline dans une région boisée. Le secteur supérieur, qui ne compte que 12 emplacements pour les tentes, est accessible après une courte marche. Le secteur inférieur dispose de 13 emplacements à proximité de la route. On y trouve des toilettes sèches, des abris pour la cuisine avec une réserve d'eau, des tables de pique-nique, des grilles à cuisson et du bois de chauffage.

Le **terrain de camping du champ de glace Columbia** est situé à quelques centaines de mètres à peine du glacier Athabasca, de l'autre côté de la route. Il occupe une colline près d'un petit ruisseau. Le terrain dispose de 22 emplacements munis de plates-formes pour les tentes et d'un réservoir d'eau central. On y trouve des abris pour la cuisine, des toilettes sèches, des tables de pique-nique, des grilles à cuisson et du bois de chauffage.

Le **terrain de camping du ruisseau Wilcox**, le plus au sud des terrains de camping du parc, puisqu'il se trouve juste à l'intérieur de ses limites, est légèrement boisé et occupe plusieurs niveaux. On y a aménagé 46 emplacements munis d'abris pour la cuisine, de toilettes sèches, de robinets, d'un poste de vidange pour les caravanes, de tables de pique-nique, de grilles à cuisson et de bois de chauffage.

Camping sauvage

Le parc compte 1000 kilomètres de sentiers dans l'arrière-pays et les plus longs comportent des terrains de camping sauvage à intervalles réguliers. Les excursionnistes ne peuvent passer la nuit que dans ces seuls terrains. Un permis est obligatoire. À cause de la popularité des pistes de l'arrière-pays à Jasper, le parc n'accepte de réservations que pour 35 pour cent de la capacité d'une piste. Les autres emplacements appartiennent aux premiers arrivés. On peut obtenir des informations supplémentaires en écrivant au surintendant. En arrivant dans le parc, on peut se renseigner au Centre d'information ou, durant l'été seulement, au Centre des champs de glace, sur l'état des sentiers et pour y obtenir un permis.

Autres agréments, essence, nourriture et approvisionnements

Jasper est un village d'environ 4000 habitants permanents et de plusieurs centaines de milliers de visiteurs tant en hiver qu'en été. Le village dispose d'aménagements de tous genres, d'un éventail complet de restaurants, d'épiceries, de quincailleries, de boutiques de curiosités ou de souvenirs, de stations-service, de buanderies, etc. Le Centre d'information du parc national de Jasper se trouve au coeur du village. On peut aussi faire le plein à un petit café de Pocahantas, à la bifurcation de la route des sources thermales de Miette. Il existe un restaurant au canyon Maligne et un au lac Maligne. La région des sources thermales de Miette est dotée de chalets et d'un restaurant.

Loisirs

Excursions   Le parc offre au choix plusieurs courts sentiers sans guide, dont certains ont de 4 à 12 kilomètres à l'aller, de même que plusieurs longues pistes dans l'arrière-pays. Aux altitudes supérieures, la neige ne fond pas avant la fin du mois de juin ou le début de juillet.

Pêche   La plupart des lacs aux eaux glacées ne sont pas très bons pour la pêche. Le lac Maligne a cependant été ensemencé il y a un certain nombre d'années et la quantité de poissons s'y maintient naturellement. On peut y louer des embarcations et des agrès. Un permis des Parcs nationaux est obligatoire. Une brochure contenant les règlements est disponible au Centre d'information.

Navigation   Les bateaux à moteur sont autorisés sur les lacs Pyramid et Medicine. Sur la plupart des autres lacs, on peut se servir de canots, de chaloupes et de kayaks. Les moteurs électriques pour la pêche au moulinet sont aussi permis. Il faut se souvenir que les eaux, à Jasper, sont excessivement froides et qu'un accident peut être fatal. L'entreprise privée offre des randonnées en radeau sur la rivière Athabasca. On peut obtenir de plus amples informations en écrivant à la Chambre de commerce.

Natation   Les sources thermales de Miette servent davantage aux bains qu'à la natation. L'eau y est rafraîchie de 54°C à 37°C à l'intention des touristes. On peut y louer à prix modique maillot de bain et serviette.

Tennis   Le parc entretient six courts en terre battue au centre récréatif du village. L'accès est gratuit. L'auberge Jasper Park dispose aussi de courts.

Golf   On trouvera un parcours de 18 trous à l'auberge Jasper Park; on peut s'y informer sur son usage pour des personnes qui n'y séjournent pas.

Sports d'hiver   Jasper est très fréquenté pour le ski alpin à Marmot Basin, une entreprise privée, et partout ailleurs pour le ski de fond. Le terrain de stationnement du terrain de camping Wapiti, qui dispose de raccords électriques, d'eau et de toilettes, demeure ouvert durant l'hiver et on s'y enregistre soi-même. Le parc administre quatre pistes de motoneiges. Un permis saisonnier est disponible gratuitement au bureau principal de Parcs Canada. Pour l'obtenir, on doit présenter les certificats d'enregistrement et d'assurances du véhicule. On peut obtenir des informations sur l'utilisation du parc en hiver en écrivant au surintendant ou, s'il s'agit de ski alpin, à la Chambre de commerce.

POUR DE PLUS AMPLES INFORMATIONS

Le Surintendant,
Parc national de Jasper,
C. P. 10,
Jasper, Alberta,
T0E 1E0

Tél.: [403] 852-6161

Jasper Park
Chamber of Commerce,
C. P. 98,
Jasper, Alberta,
T0E 1E0

Tél.: [403] 852-3858

LE PARC NATIONAL D'

ELK ISLAND

Lorsque pour la première fois je me suis rendue à Elk Island, je me suis demandé où se trouvait l'île. En cours de route, j'ai croisé des bisons massifs et musclés, des digues de castors, des personnes qui jouaient au golf ou nageaient, puis j'ai dressé ma tente, mais toujours sans apercevoir d'île. En fait, à l'exception d'un impressionnant bison à quelques pas de ma voiture, les lieux paraissaient plutôt ordinaires. Mais, au bout de quelques heures, et plus encore au bout de quelques jours, il m'apparut qu'Elk Island était un endroit vraiment particulier.

En demeurant quelque temps dans le parc, en empruntant ses sentiers et en parlant avec les naturalistes, j'ai bientôt appris en quoi le parc national d'Elk Island *est* une île. Il s'agit tout d'abord d'une île en termes de son histoire géologique et de sa topographie actuelle. L'endroit est très différent des plaines presque plates qui s'étendent dans toutes les directions. En deuxième lieu, il s'agit d'une île de protection et de préservation. Une clôture de 2,5 mètres entoure le parc; la flore et la faune peuvent y vivre à toutes fins utiles sans être dérangées par les interventions de l'homme. Elles ont échappé de justesse à l'anéantissement lors d'un incendie dévastateur en 1895 et ont souffert de l'agriculture, du trappage et de la chasse. Aujourd'hui, elles peuvent vivre en toute quiétude.

Les 194 kilomètres carrés d'Elk Island sont de forme oblongue. Ce parc est situé à 35 kilomètres à l'est d'Edmonton, dans les Beaver Hills, là où le terrain est de type grumeleux. Les plaines de l'Alberta sont interrompues en plusieurs endroits par des accidents de terrain similaires, formés par la stagnation des glaciers en ces endroits. Ceux-ci augmentaient légèrement de volume en hiver, fondaient quelque peu en été, mais sans se déplacer de façon significative. De gros blocs de glace se détachaient de leur sommet. Lorsqu'ils se retirèrent de façon permanente, ils laissèrent derrière eux de grandes quantités de débris autour des blocs de glace qui subsistaient. Ces débris formèrent des protubérances, tandis qu'en fondant les blocs de glace formèrent à la longue des étangs en forme de marmites.

Laissées à elles-mêmes, ces régions accidentées se transformèrent en un très riche habitat pour la flore et la faune. L'approvisionnement en eau à l'année longue de même qu'un développement bien amorcé dans le sol permettent à la flore d'envahir la terre et les eaux de sa luxuriance. Les plaines environnantes constituent de bonnes terres à pâturage. Le terrain accidenté fournit un bon abri contre les tempêtes en hiver et le soleil plombant en été. Bisons, wapitis, orignaux, chevreuils et lièvres peuvent y avoir leurs petits dans une sécurité relative avant de se disperser dans les plaines. Ces mammifères servent à leur tour de nourriture aux prédateurs tels que le lynx, le coyote et le loup.

Les marmites jouent un rôle important dans le cycle de vie des oiseaux aquatiques. Ceux-ci ont besoin d'une flore aquatique abondante et limoneuse dont ils se nourrissent, et de beaucoup d'intimité parmi les quenouilles et les joncs des rives pour y élever leurs petits en sécurité. Les marmites sont extrêmement riches en faune. Parce que peu profondes, elles sont rapidement réchauffées par le soleil en été. Lorsque les plantes meurent, leurs débris demeurent dans la marmite puisque aucun ruisseau n'alimente ou ne vide l'étang. À la longue, d'importantes quantités de matière organique en décomposition s'y accumulent et, bien que les marmites soient peu approvisionnées en oxygène, elles renferment suffisamment d'éléments nutritifs pour que de nombreuses plantes y poussent. Ces étangs eutrophes représentent un environnement plutôt pauvre pour les poissons. Les seuls, à peu près, qui s'y développent sont les vairons et les épinoches, deux espèces très petites mais qui conviennent cependant aux hérons, aux martins-pêcheurs et aux grèbes.

COMMENT VISITER LE PARC

Elk Island est un parc centralisé où une route principale mène de la limite sud à la limite nord. La principale aire d'activités, le **lac**

Astotin, où l'on peut pratiquer la natation, le camping, le canotage et le golf, visiter le musée ukrainien et entreprendre des excursions sur plusieurs sentiers où l'on se guide soi-même, se trouve à environ 14 kilomètres au nord de la route 16. Les autres sentiers, les aires de pique-nique et l'enclos de bisons ont été aménagés en bordure de la route au nord ou au sud du lac Astotin.

Grèbe jougris.

Je recommanderais fortement, pour toutes les excursions dans le parc, des bottes de caoutchouc et un insecticide contre les maringouins. Les castors sont si actifs que mêmes les segments en trottoirs de planches des sentiers risquent de se trouver sous plusieurs centimètres d'eau, tandis que les maringouins abondent dans cet habitat très humide.

Protubérances, marmites et forêts

Deux sentiers conviennent particulièrement si l'on veut se rapprocher du terrain formé de protubérances et de marmites où se trouvent une multitude de lacs et d'étangs eutrophes, des bosquets de peupliers ou de petites enclaves de forêt boréale aux essences diverses. Pour une excursion sans difficultés, le meilleur sentier, tout bien considéré, est l'**Amisk Wuché***. Ce sentier commence derrière le terrain de camping, mais il est préférable de rebrousser chemin vers la route principale depuis la route d'accès du terrain de camping et de marcher ou de rouler le demi-kilomètre qui mène à l'aire de stationnement du sentier. Amisk Wuché serpente autour et par-dessus certaines parties d'un lac de forme très irrégulière. On peut se procurer une brochure qui indique à quel endroit le sentier grimpe sur une protubérance ou descend dans une marmite. J'ai aperçu de nombreuses espèces de papillons de même que plusieurs libellules. Le sentier traverse à certains moments une forêt d'épinettes blanches et, à d'autres,

---

* Se prononce, d'une seule traite, ouMISKwoutché. En cri: « collines des castors ».

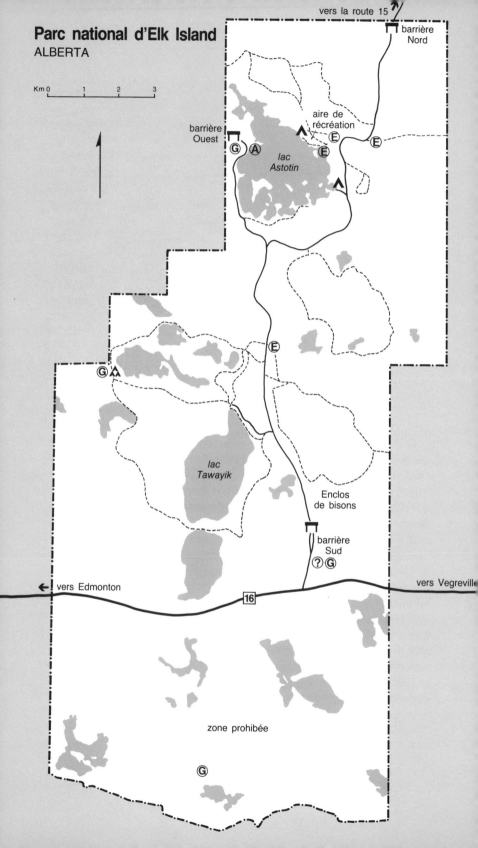

Parc national d'Elk Island
ALBERTA

Km 0   1   2   3

vers la route 15

barrière
Nord

aire de
récréation

barrière
Ouest

lac
Astotin

lac
Tawayik

Enclos
de bisons

barrière
Sud

vers Edmonton

vers Vegreville

16

zone prohibée

une forêt de trembles, beaucoup plus commune, avec ses peupliers baumiers, ses bouleaux blancs et ses trembles.

Le lac est un merveilleux habitat pour de nombreuses espèces animales : les canards y pataugent entre les lentilles d'eau et les castors inondent le sentier par endroits. Mon plus grand plaisir a cependant été de voir un vison surgir sur les planches devant moi. Il m'a aperçue, s'est arrêté, a couru vers moi durant quelques mètres, s'est dressé sur ses pattes de derrière et m'a observée intensément, puis s'est enfui dans les quenouilles.

Si l'on veut obtenir une véritable vue d'ensemble du terrain en protubérances et en marmites, il faut emprunter le **sentier du lac Moss**. Il s'agit d'un sentier beaucoup plus long qu'Amisk Wuché, une version agrandie de ce court sentier où l'on se guide soi-même. Le sentier court sur 13 kilomètres. J'ai mis 4 heures à le compléter, y compris plusieurs arrêts pour photographier, une pause pour le casse-croûte, et un grand détour à cause d'un bison mâle qui prenait le soleil. Ce sentier forme un cercle et il est très bien balisé. Il escalade de petites élévations, traverse de courtes dépressions et longe plusieurs étangs, des prés et des régions marécageuses.

Dans cet environnement de protubérances et de marmites, il faut porter une attention particulière au monde aquatique. Une première raison est qu'il représente environ un tiers de la superficie du parc ! Les étangs sont pour la plupart eutrophes. Pour se faire une idée de la vie et des processus à l'oeuvre dans un étang, il faut emprunter le **sentier du lac Nature** au nord de la plage, le **Living Waters Boardwalk** au bas de la pente du musée ukrainien dans le secteur de la plage, ou le **sentier Shoreline** qui commence à la route déserte à l'extrémité du terrain de stationnement du terrain de golf. Tous ces sentiers offrent de superbes occasions de partager l'univers aquatique d'Elk Island. Living Waters est le plus court sentier puisqu'il s'agit d'un petit trottoir en planches qui forme une boucle au-dessus d'un marécage. Des écriteaux picturaux bien présentés témoignent de ce qui se passe sous et par-dessus ces eaux grouillantes de vie.

Les deux autres sentiers conviennent extrêmement bien à l'observation des oiseaux et des castors. Lakeview traverse le territoire des fauvettes. En empruntant le sentier Shoreline tôt le matin ou environ une heure avant le coucher du soleil et en marchant sans faire de bruit, je vous garantis que vous verrez des castors. À partir du sentier Shoreline, un isthme s'allonge vers l'aire de pique-nique de Beaver Bay ; j'y ai observé des castors durant une bonne heure. Du côté est de cette mince bande de terrain, on trouve une table de pique-nique, une pompe et des toilettes sèches. Passé ce point, cherchez à apercevoir dans les eaux une petite île d'environ 30 centimètres. Si vous l'apercevez, il s'agit du nid de l'oiseau tutélaire du parc, la grèbe jougris. Je l'y ai aperçue, son plumage gris métallique luisant dans la lumière vespérale tandis que son cou rouille et ses joues blanches se dressaient de temps à autre pour ne pas me perdre de vue.

Île de protection et de préservation

Le castor et les grands animaux de pâturage tels que le bison et le wapiti ont ici une histoire particulière. Plusieurs endroits dans le parc sont voués à augmenter chez les visiteurs la conscience qu'ils ont de ces animaux. En ce qui a trait au castor, n'importe quel étang est susceptible de recevoir son abri couvert. Il en existe un, par exemple, dans la zone marécageuse comprise entre le terrain de stationnement du golf et la route d'accès du terrain de camping. L'**exposition et le sentier de Beaver Hills**, à peu de distance au nord d'Amisk Wuché, racontent l'histoire du castor à Elk Island. N'oubliez pas vos bottes de caoutchouc.

Pour ce qui a trait au bison et au wapiti, le premier est particulièrement visible tandis que le second, du moins au mois d'août, est tout à fait audible. Au cours des mois d'été, on garde quelques bisons des plaines dans un enclos situé à l'extrémité sud du parc. Les visiteurs peuvent y emprunter une route tortueuse et sont ainsi susceptibles d'apercevoir quelques-unes de ces bêtes à moins que le soleil de midi ne plombe et que, pour l'éviter, elles ne se cachent dans les bosquets de peupliers. Au début du mois d'août, toutefois, il n'était absolument pas nécessaire de se fier à l'enclos pour apercevoir des bisons. Il semblait toujours y en avoir le long de la route principale. Je me suis même retrouvée au milieu d'un troupeau d'une cinquantaine de bêtes, comprenant mâles, femelles et buffletins. La fin de l'été est la saison du rut et les mâles risquent de se montrer plutôt agressifs.

Les wapitis sont bien établis dans le parc; mais, contrairement aux bisons, ils sont plutôt discrets. Je n'en ai vu aucun, mais je les ai entendus chaque nuit. À la fin de l'été, ils sont eux aussi en rut et beuglent durant les heures tardives de la nuit ainsi qu'au petit matin. On peut entendre de loin leur haut cri extraordinairement pur qui fait songer en quelque sorte à une voix humaine éthérée. Ainsi, et avec tant d'autres expériences à Elk Island, il faut prendre le temps de vagabonder loin de l'aire récréative et se trouver sur les rives du lac aux heures les plus

Bisons des plaines.

tranquilles pour apprécier dans sa plénitude l'univers naturel de ce qui constitue bien plus une oasis qu'une île.

SERVICES ET COMMODITÉS

Un attrayant Centre d'information se trouve à proximité de l'entrée sud du parc. Les visiteurs peuvent y examiner des pièces portant sur le parc, demander des suggestions au personnel ou s'y procurer brochures, cartes, etc.

Programme d'interprétation

Le parc offre un programme d'interprétation particulier. Depuis plusieurs années, le personnel tente de transmettre son message sur le rôle du parc en tant qu'agent de préservation et de protection par le biais de diverses présentations théâtrales. Les après-midi de fin de semaine, deux spectacles conçus spécialement pour les enfants, mais aussi très appréciés des adultes, sont présentés sur la plage, un endroit très populaire. Le personnel dresse une toile de fond décorée d'où les participants surgissent en jouant le rôle de différentes créatures ou de différents genres de visiteurs du parc de façon à dramatiser les situations parfois conflictuelles dans lesquelles ils se retrouvent. Lors des spectacles offerts en soirée, un interprète se transforme en personnage historique ou en élément naturel et témoigne d'une expérience vécue dans le parc.

Camping

Le parc dispose d'un terrain de camping à l'usage des visiteurs qui arrivent en voiture. Aucun terrain n'est prévu dans l'arrière-pays. La zone réservée aux tentes se trouve à courte distance du terrain de stationnement. La zone réservée aux caravanes n'est rien d'autre qu'un terrain de stationnement où chaque emplacement dispose d'une table de pique-nique et d'une grille à cuisson. On n'y trouve pas de raccords et le poste de vidange est situé dans l'aire récréative. Voitures et caravanes peuvent stationner sur le gazon. Les emplacements sont très petits. Le terrain dispose de robinets d'eau et d'un abri pour la cuisine équipé d'un four et de bois de chauffage. Les salles de toilette sont grandes, on y dispense de l'eau chaude et froide, mais elles ne sont pas équipées de douches. Le terrain peut devenir terriblement achalandé et bruyant; je recommanderais donc fortement à ceux qui aiment la paix et la tranquillité de camper en semaine.

Camping collectif

Il existe une zone réservée au camping collectif au bord d'un lac à l'intérieur du parc. On peut écrire au surintendant pour obtenir des renseignements. Il faut réserver; seules les tentes sont permises.

Autres agréments, essence, nourriture et approvisionnements

Edmonton se trouve à 20 minutes de route et peut subvenir à tous les besoins. Fort Saskatchewan est à 25 kilomètres à l'ouest du parc et Lamont, à 5 kilomètres au nord. Ces deux endroits peuvent offrir le gîte, l'essence et tous les approvisionnements.

Loisirs

Excursions   Le parc dispose de plusieurs sentiers balisés. On peut vérifier auprès du personnel les conditions des plus importants. On ne peut faire complètement le tour du lac Tawayik qu'au cours de l'hiver; durant l'été, les sols sont trop marécageux et détrempés.

Navigation   Les embarcations à moteur ne sont pas autorisées dans le parc, mais on peut pratiquer le canotage, la planche à voile et la voile sur le lac Astotin. Au cours de la saison de nidification, un bras du lac Astotin est fermé à toute forme d'embarcation.

Natation   On peut pratiquer la natation à la plage Sandy, à proximité du terrain de camping; au cours de l'été, cette plage est sans surveillance toute la journée et tous les jours. Les eaux sont peu profondes et chaudes, mais il arrive quelquefois au cours de l'été que les nageurs subissent des démangeaisons. La plage dispose aussi d'un espace pour se dévêtir où l'on trouve des douches froides, mais pas de casiers, de même qu'un casse-croûte. On peut y acheter des briquettes de charbon de bois, de la glace, ainsi que d'autres fournitures pour les pique-niques.

Golf   Un parcours de 9 trous se trouve à proximité de la plage Sandy. Le tarif est minime. Ce terrain dispose d'une boutique où l'on peut louer clubs et voiturettes, ainsi que d'un restaurant de type cafétéria.

Sports d'hiver   Les sentiers qui servent aux excursions durant l'été sont utilisés pour le ski de fond en hiver. Cette activité, tout comme la raquette, est très populaire. Des toilettes sèches ont été aménagées à la tête de chaque sentier. Une aire de camping est disponible pour le camping hivernal à Beaver Bay, près du sentier Shoreline. On y trouve des toilettes sèches, des grilles à cuisson et du bois à brûler. L'abri pour pique-nique Tawayik dispose de bois de chauffage tout au long de l'hiver. Les endroits réservés aux feux sont situés le long du sentier White Spruce, à 200 mètres de la tête du sentier.

POUR DE PLUS AMPLES INFORMATIONS

Le surintendant,
Parc national d'Elk Island,
Site 4, R. R. 1,
Fort Saskatchewan, Alberta,
T8L 2N7

Tél. : [403] 998-3781

LE PARC NATIONAL DE

KLUANE

Il existe en réalité deux Kluane*, mais un seul, la ceinture verte de forêts des basses terres et de larges vallées, est accessible au public. Il vaut vraiment la peine de quitter la route de l'Alaska et de consacrer quelques heures, voire quelques jours, à explorer ce Kluane-ci. L'autre Kluane, une terre de glaciers et de montagnes, offre un défi à l'amateur d'espaces sauvages qui peut s'être préparé des mois à l'avance en vue d'un séjour prolongé.

Kluane, un parc de hautes montagnes sauvages, se trouve au Yukon, à deux heures de route à peine à l'ouest de Whitehorse. Deux chaînes de montagnes traversent le parc parallèlement en direction du sud-est: les Saint-Élias, recouvertes de glace, à l'ouest, et les basses Kluane, ou chaîne de montagnes frontalière, à proximité de la limite est. Cette chaîne forme une barrière de 2400 mètres le long de la route Haines-Alaska, cachant ainsi presque toujours les immenses montagnes Saint-Élias derrière elle.

Les montagnes de Kluane sont les plus jeunes et les plus actives en Amérique du Nord et la région est la plus susceptible d'être le théâtre de séismes au Canada. On y relève en moyenne 1000 secousses sismiques par année! La plupart sont à peine perceptibles; un sismographe, installé dans l'aire d'accueil des visiteurs, à la jonction Haines, décèle même les secousses faibles et il est fort possible que vous constatiez que la terre bouge sous vos pieds.

La formation du paysage jeune et tourmenté sert de thème au programme d'interprétation du parc. Il est fascinant d'apprendre comment les contours, l'altitude et le site ont façonné le

---

* Se prononce Klou-ah-né.

caractère distinctif de Kluane. Les crêtes des montagnes Saint-Élias, recouvertes de neige entassée là depuis des millénaires, sont reliées et forment ainsi les champs de glace les plus vastes et les plus continus en dehors des régions polaires. Des glaciers constituent un prolongement à ces champs de glace: on en dénombre 4000 à Kluane. Les glaciers connaissent une existence très active puisqu'ils se taillent, se raclent et se découpent un chemin vers les altitudes inférieures. Ces rivières de glace se déplacent habituellement très lentement. Mais il arrive, à l'occasion, qu'elles coulent à un rythme étourdissant, se transformant ainsi en « glacier houleux ». Au cours de l'été de 1967, le glacier Steeles, situé à la limite nord-ouest du parc, a entrepris de se déplacer au rythme de 12 mètres par jour! En deux ans, il a parcouru plus de 8 kilomètres vers le bas de sa vallée. On trouve au moins six glaciers houleux à Kluane. Malheureusement, aucun n'est accessible au visiteur occasionnel.

Un autre genre de glacier que l'on aperçoit facilement depuis la route principale est le glacier de roc. À l'instar du glacier de glace, il s'agit d'une masse en déplacement; mais ici, ce sont des rocs qui se sont agglomérés et se sont cisaillés en chemin depuis les hautes vallées étroites. Ces rocs se déplacent sur un lit de glace.

Mais il y a davantage que des montagnes, de la glace et de la neige à Kluane. Le tiers de la partie du parc située à l'est est formé de basses terres appelées ceinture verte. Il s'agit d'un environnement dont la plupart des visiteurs feront directement l'expérience. Pour plusieurs raisons, la ceinture verte est invraisemblablement riche par sa faune et sa flore. Elle comprend, en effet, des habitats variés, depuis les larges vallées des rivières avec leurs plaines sablonneuses en pente, jusqu'aux marécages, aux épais bosquets, aux prairies alpines, aux pentes nues des montagnes de la chaîne frontalière, et à la toundra alpine. La ceinture verte est en outre relativement étroite, ce qui fait que les animaux occupent toutes les niches écologiques possibles. Les animaux, protégés contre les chasseurs, atteignent le nombre maximum que ce riche environnement peut supporter.

Kluane est célèbre parce qu'on y trouve la plus importante concentration connue de moutons de Dall. Les ours grizzlys y sont eux aussi communs; on en dénombre peut-être 200. Il s'agit là de l'une des concentrations de faune les plus denses de l'ensemble des parcs nationaux. Il n'arrive pas souvent qu'on aperçoive des grizzlys bien qu'au cours de l'été ils vagabondent n'importe où dans la ceinture verte. Le parc renferme en outre un certain nombre d'ours noirs. Ils rôdent à proximité des bosquets et sont facilement délogés par les grizzlys plus agressifs des zones de terres basses qu'ils partagent au cours de l'été. Les campeurs sont requis de faire leur part pour que les ours demeurent sauvages. Ils sont priés de déposer toutes leurs ordures dans des contenants spéciaux dont sont pourvus les terrains de camping et d'empaqueter toutes les ordures lorsqu'ils sont dans l'arrière-pays.

Les incendies et le temps burinent l'arbre qu'entourent des épilobes à feuilles étroites.

Il ne semble pas que la région de Kluane ait été habitée de façon permanente par les humains avant le siècle dernier. Les traces archéologiques indiquent cependant que différentes peuplades aborigènes y ont séjourné pour prendre avantage des routes de saumons ou pour y chasser. Lorsque la traite des pelleteries s'est développée, le trappage s'est propagé jusque dans la région et quelques peuplades aborigènes y ont sans doute vécu à l'année longue.

De nos jours, on trouve un petit village amérindien juste à l'extérieur de la limite sud du parc. Ce village est occupé depuis un siècle, ce qui constitue le plus long habitat humain de la région. Le village est situé en bordure du ruisseau Klukshu où les saumons vont frayer. À cause de leurs droits ancestraux, les autochtones peuvent continuer à pêcher le saumon pour leur propre usage. Le système de déversoir, les étals pour le vidage et les tours à séchage m'ont fascinée: rien n'a tellement changé durant tout ce temps.

Les arpenteurs et les explorateurs s'y sont rendus, surtout au cours de la deuxième moitié du XIXe siècle. Mais la plupart des gens ont été attirés par la quête de l'or dans les ruisseaux et par l'aventure dans les montagnes. Le Klondyke de 1897, la ruée vers l'or de Kluane en 1904, ainsi qu'une nouvelle ruée en 1917 y ont attiré de nombreux prospecteurs.

Le site de Kluane, entre l'Alaska et la côte ouest, lui a conféré une importance stratégique de premier plan au cours de la Deuxième Guerre mondiale. La route de l'Alaska a été cons-

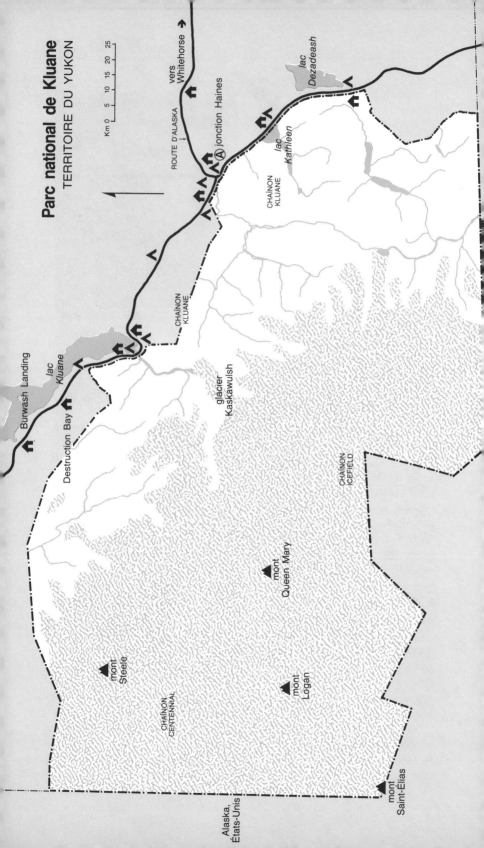

Parc national de Kluane
TERRITOIRE DU YUKON

Km 0 5 10 15 20 25

vers Whitehorse

ROUTE D'ALASKA

jonction Haines

lac Dezadeash

lac Kathleen

CHAÎNON KLUANE

CHAÎNON KLUANE

Burwash Landing

lac Kluane

Destruction Bay

glacier Kaskawulsh

CHAÎNON ICEFIELD

mont Queen Mary

mont Steele

CHAÎNON CENTENNIAL

mont Logan

mont Saint-Élias

Alaska, États-Unis

truite en neuf mois à peine de façon à relier le nord au sud dès 1941. Les améliorations qu'on y a apportées par la suite ont fait qu'il est relativement facile de visiter le Yukon et le parc national de Kluane.

L'extrême rigueur et les hautes altitudes des montagnes de Kluane attirent les alpinistes et les scientifiques. L'ascension la plus célèbre aux premiers temps de l'alpinisme a été celle de la montagne Saint-Élias par le réputé duc d'Abruzzi. L'ascension du mont Logan, le plus haut sommet de Kluane avec ses 5951 mètres, mais aussi le plus haut sommet au Canada et le second en Amérique du Nord, n'a été réussie qu'en 1925. Depuis lors, on l'a gravi plus de vingt fois. Plusieurs autres sommets de la chaîne Saint-Élias ont eux aussi été vaincus.

COMMENT VISITER LE PARC

En pénétrant dans le parc, on doit d'abord et avant tout se rendre au centre d'accueil des visiteurs, à la jonction Haines. Sur place, des membres du personnel vous parleront du parc, vous fourniront l'horaire des programmes d'interprétation, vous aideront à planifier vos excursions ou vos balades en voiture, et vous enregistreront si vous voulez passer la nuit dans l'arrière-pays. Ne manquez pas le diaporama *Kluane*, qui a été primé et que l'on présente dans le théâtre du centre, ou tout autre spectacle audio-visuel disponible.

L'arrière-pays

L'arrière-pays requiert le genre d'expérience et de préparation dont la plupart des visiteurs du parc ne disposent pas. Les visiteurs de l'arrière-pays doivent s'enregistrer auprès des gardiens ou au Centre d'accueil des visiteurs. Il est préférable d'écrire au parc de façon à obtenir des brochures sur les excursions, des rapports sur l'état des pistes, etc., de sorte qu'il soit possible de se préparer en conséquences.

On peut visiter l'arrière-pays par le biais de l'entreprise privée locale, ce qui me semble une bonne façon de partir pour quelques jours ou quelques semaines, même si l'on ne dispose pas de l'équipement complet ou que l'on manque d'expérience.

Le visiteur attaché à sa voiture ne peut qu'être désappointé de ne pouvoir observer ou visiter les montagnes massives et les immenses rivières de glace que ce parc conserve pour nous tous. Au mieux, bien que relativement peu le fassent, les visiteurs peuvent marcher jusqu'au pied du **glacier Kaskawulsh**, mais cette marche de 27 kilomètres dure deux jours. On peut au moins en avoir une bonne vue du haut des airs. Une entreprise privée organise des tours en avion depuis Burwash Landing. Vous pouvez y choisir l'un de plusieurs itinéraires de durée variable (de 1 à 4 heures). Si vous faites partie d'un groupe de quatre personnes, les tarifs sont raisonnables. Dans la région, la température est imprévisible; vous ne pouvez donc jamais être certain de vous envoler. Le Centre d'accueil et les boutiques locales, les motels et les restaurants peuvent vous fournir les renseignements pertinents.

Excursions dans les basses terres

Il est facile d'observer depuis la route le phénomène des glaciers de roc. Une balade de 15 minutes au sud du **lac Kathleen** permet d'atteindre le **sentier Rock Glacier**. Ce sentier d'environ 1,5 kilomètre permet d'abord de traverser un torrent avant de pénétrer dans une longue zone forestière humide pleine d'aconits et d'autres fleurs, puis d'escalader un glacier de roc. Lorsqu'on a vu un de ces glaciers, on constate qu'ils apparaissent à tous les quelques kilomètres le long d'une bonne partie de la chaîne de montagnes frontalière. Ils ressemblent à de sombres rivières de rocs émoussés qui courent perpendiculairement à la route.

Le secteur situé à l'est de la chaîne de montagnes frontalière presque parallèlement à la route Haines-Alaska est l'endroit le plus fréquenté dans le parc. Le terrain de camping se trouve au lac Kathleen. On peut arrêter en voiture à un certain nombre de points de vue panoramiques munis d'écriteaux interprétatifs. De nombreux endroits y sont réservés pour les pique-niques et la pêche et le lac Kathleen lui-même demeure une zone très fréquentée le jour par les embarcations motorisées, les pêcheurs, les excursionnistes et les pique-niqueurs.

Les sentiers les plus courts commencent pour la plupart le long de la route. Plusieurs sont excellents si l'on veut explorer la ceinture verte. On peut se procurer une brochure descriptive au Centre d'accueil. Voici la description de quelques-uns de ces sentiers*.

Le sentier Saint-Élias est long d'environ 4 kilomètres. Il monte de façon continue jusqu'au lac et s'élève d'environ 150 mètres. Ce sentier est une ancienne route de mineurs maintenant

---

* À cause de la température incertaine, je n'ai pu parcourir que le sentier Auriol Range; je dois donc à Allison Wood, une interprète du parc, la description des sentiers qui mènent au lac Saint-Élias, à Auriol Range et à Sheep Mountain.

Parcs Canada.

Le glacier Kaskawulsh, situé à 27 kilomètres à l'intérieur des terres.

interdite à la circulation automobile. À proximité du lac, il faut avoir l'oeil ouvert au cas où l'on observerait des chèvres des montagnes. De même, on peut observer les petits mammifères et les oiseaux. Les excursionnistes peuvent utiliser le terrain de camping sauvage au bord du lac. Ce terrain dispose d'une cache pour la nourriture, d'un cercle pour les feux de camp et de toilettes sèches.

Le **sentier Auriol Range** est le plus accessible depuis la jonction Haines. La tête s'en trouve à 5 kilomètres au sud-est de la jonction Haines, sur la route du même nom. Il faut observer les écriteaux. On y trouvera une aire de stationnement. La boucle court sur 25 kilomètres. Il faut compter de 4 à 5 heures pour le parcourir en entier. Ce sentier traverse un territoire d'accès facile, mais grimpe régulièrement. En hiver, on le recommande aux skieurs intermédiaires. Il sert de route rapide vers la zone alpine des montagnes Saint-Elias. On y grimpe en traversant trois zones de végétation distinctes: la montane, la subalpine et l'alpine. On peut y apprécier, depuis divers points de vue le long du sentier, les panoramas des chaînes frontalières et la large **vallée Shakwak**. Notons aussi les glaciers de roc, les formations proéminentes de la chaîne Auriol et les failles de la vallée Shakwak. Le sentier longe en fait une faille active, la Denali.

Le sentier Auriol dispose d'un terrain de camping primitif où l'on trouve quatre emplacements pour les tentes, des toilettes sèches et une cache pour la nourriture.

Le **sentier du mont Sheep** commence immédiatement au-delà du Centre d'accueil du mont Sheep. Au départ du centre, il suffit de rouler durant environ 2 kilomètres en empruntant la route d'accès jusqu'à l'entrée. On peut y stationner pour la nuit et on y trouve des toilettes sèches. À pied, il suffit alors de suivre la route durant 160 mètres et d'emprunter la première bifurcation sur la droite. La route minière gravit peu à peu le mont Sheep durant 8 kilomètres. Ce sentier ne mène pas au sommet. On peut toujours se frayer son propre chemin vers le sommet; mais il s'agit d'une longue escalade abrupte! Il n'existe pas de meilleur endroit pour observer les moutons de Dall. Au cours de l'été, ils vivent dans les plaines alpines les plus élevées; pour les atteindre, il faut compter sur une longue excursion d'une journée. L'eau n'étant pas toujours accessible, il convient d'en apporter une bouteille. Une fois dans les hauteurs, on doit traverser le **ruisseau Sheep** si l'on veut atteindre le plateau Sheep Bullion, réputé pour la variété de ses fleurs sauvages et ses nombreux grizzlys.

Le terrain de camping le plus proche du sentier de Sheep Mountain se trouve à 9,5 kilomètres au nord du Centre d'accueil, au parc Cottonweed.

Histoire humaine

Si l'on veut apprécier l'histoire des autochtones de la région, il faut visiter le **village de Klukshu**, à l'extérieur de la limite sud du parc. Une petite boutique de souvenirs, décorée avec des outils et de l'équipement antiques, offre un modeste choix d'artisanat autochtone. Le ruisseau Klukshu coule derrière le village et, vers la fin de l'été, on peut y apercevoir les saumons rouge brillant pris dans les filets tendus presque d'un côté à l'autre du torrent.

Si l'on veut avoir une idée de l'époque des mines d'or, on peut visiter le village fantôme de **Silver City**, à quelques minutes de voiture le long de la rive sud du lac Kluane. Ce village abrite un poste de police de la North West Mounted Police et des casernes, un hôtel et des écuries. Plusieurs bâtiments s'y dressent toujours bien que leurs toitures soient incurvées et que les planchers ne soient pas dans un tellement meilleur état. Il s'agit d'un endroit étrange et dramatique à visiter bien que la multitude d'écureuils de l'Arctique lui ajoute une touche particulière. Le

Au village fantôme de Silver City.

village n'est d'aucune façon protégé et les visiteurs doivent donc assumer la responsabilité de le conserver intact.

Le Centre d'accueil demeure le meilleur endroit si l'on veut apprendre quoi que ce soit de l'histoire montagnarde. On y trouve une excellente exposition de photographies et de l'équipement qui a servi à l'ascension du duc d'Abruzzi. Ces grandes photographies en sépia et cet équipement usé racontent toute une histoire!

SERVICES ET COMMODITÉS

Programme d'interprétation

Le programme estival d'interprétation offre la meilleure entrée en matière possible sur le parc au visiteur d'un jour ainsi qu'au campeur arrivé en voiture. On peut demander un horaire au Centre ou le consulter sur les babillards du terrain de camping du lac Kathleen ou de l'aire de pique-nique. J'ai assisté à des causeries portant sur la ruée vers l'or, l'art de faire des excursions dans l'arrière-pays, l'art de photographier la nature et l'histoire géologique du parc.

Au cours de l'été, des membres du personnel mènent à plusieurs reprises de petits groupes de campeurs en excursions de deux jours dans l'arrière-pays. On peut téléphoner à l'avance pour savoir la date prévue de la prochaine excursion et demander à y participer. J'ai raté cette occasion et le regrette vivement. Les coupures budgétaires menacent malheureusement le programme d'interprétation de Kluane. Je souhaite pour ma part qu'il survive!

Camping

Il existe un terrain de camping au **lac Kathleen**, à environ 20 minutes de voiture de la jonction Haines. Ce terrain dispose de 41 emplacements dans une zone légèrement boisée où des trembles et un tapis de fleurs les séparent les uns des autres. Ouvert de la mi-juin à la mi-septembre, il est pourvu de toilettes à chasse d'eau, mais non de salles de bains. L'eau doit y être pompée; il est recommandé d'emporter un contenant qui ferme hermétiquement. Les emplacements disposent tous d'une table à pique-nique et d'une grille à cuisson et le bois de chauffage y est fourni. Le terrain est équipé en outre d'un petit cercle extérieur pour les feux de camp et on y présente souvent un programme d'interprétation. La durée maximale d'un séjour y est fixée à 14 jours.

À moins de 1 kilomètre du terrain de camping se trouve la zone d'utilisation diurne du lac Kathleen où commence un sentier qui mène très loin le long de la rive ouest du lac.

Autres terrains de camping

Le territoire du Yukon dispose d'un réseau très étendu de terrains de camping dont plusieurs emplacements le long de la route, mais du côté est de celle-ci, c'est-à-dire hors des limites du parc. Ces terrains sont situés pour la plupart sur les rives d'un lac ou d'un torrent, et la pêche y représente un passe-temps favori. Ces terrains fournissent l'eau, les toilettes sèches et les tables à pique-nique. L'un de ceux-ci se trouve juste à l'est de la jonction Haines; il y en a trois autres entre la jonction et la limite nord du parc; et un au lac Dezadeash, à environ 15 minutes en voiture au sud du lac Kathleen.

Autres agréments, essence, nourriture et approvisionnements

À la jonction Haines, on trouve quelques hôtels modestes et un motel-restaurant au lac Dezadeash. On peut obtenir une liste de ces endroits en écrivant aux Services aux visiteurs ou à Tourisme Yukon.

Whitehorse est la plus importante localité où il est possible d'obtenir de l'essence, de la nourriture et de l'équipement de camping. On y trouve un choix de boutiques. Les prix ne semblent pas gonflés, compte tenu des distances et de la brièveté de l'été.

La jonction Haines dispose de plusieurs stations-service et de petits magasins généraux. J'ai pu y obtenir tout ce que je désirais. On trouvera en outre de l'essence à Dezadeash, à l'auberge du lac Kathleen, à Mackintosh et à Bayshore.

La jonction Haines compte plusieurs petits cafés-restaurants; un autre se trouve à proximité du lac Kathleen et un autre encore au lac Dezadeash.

Pourvoyeurs et guides

Le parc vit en symbiose avec des pourvoyeurs et des guides locaux pour l'arrière-pays. Plusieurs visiteurs, surtout ceux qui viennent de l'étranger ou ceux qui ne disposent pas de beaucoup de temps ou encore qui sont inexpérimentés, trouveront très utile de retenir les services d'un pourvoyeur ou d'un guide. Ceux-ci offrent un éventail de services: excursions, randonnées à cheval, sorties d'une ou de plusieurs journées. On peut se renseigner à ce sujet en écrivant au parc, ou entrer directement en contact avec les pourvoyeurs.

Loisirs

Navigation   Les embarcations motorisées sont permises sur le lac Kathleen. Ce grand lac peut devenir rapidement très houleux; l'expérience et la prudence sont de mise. Le canotage n'est pas recommandé.

Pêche   La pêche est particulièrement bonne au lac Kathleen et raisonnablement bonne dans les autres lacs et torrents. On peut se procurer un exemplaire des règlements des parcs nationaux et acheter le permis obligatoire au Centre d'accueil.

Alpinisme et séjours dans les montagnes   Si l'on veut passer la nuit ou séjourner quelques jours dans l'arrière-pays de la ceinture verte, il faut s'enregistrer à l'aller comme au retour auprès des autorités du parc. Pour un séjour dans les montagnes Saint-Élias ou les champs de glace, on doit obtenir un permis auprès des gardiens au moins trois mois à l'avance. Les gardiens doivent être informés de l'habileté et de l'expérience du groupe, de ses provisions alimentaires, de son soutien aérien et radiophonique, et chaque membre du groupe doit inclure un certificat médical de bonne santé.

Sports d'hiver   Le parc dispose de sept pistes pour le ski de fond et la raquette, d'une aire pour les motoneiges près du lac Kathleen, et d'une aire pour les traîneaux à chiens. Le Centre d'accueil est ouvert en semaine aux heures habituelles et, à l'occasion, offre des programmes interprétatifs en soirée.

Comment s'y rendre

Il n'est pas particulièrement difficile de se rendre à Kluane, mais le voyage peut être long et coûter cher. On peut emprunter la route de l'Alaska ou encore les traversiers de l'Alaska ou de la Colombie-Britannique au départ de Seattle ou de Vancouver. Une solution de rechange: un certain nombre d'autobus touristiques partent de Prince-Rupert, parfois en conjonction avec les traversiers. Pour ma part, j'ai pris l'avion à Edmonton et ai loué une voiture que j'avais réservée en achetant mon billet d'avion. Le tarif aller-retour était plutôt raisonnable, mais le prix de la location de la voiture pour cinq jours m'a coûté près du double du prix de mon billet d'avion ! À mon sens, la façon idéale d'effectuer ce voyage consiste à le faire avec plusieurs autres personnes qui partageraient le coût d'une caravane ou d'une roulotte et de prévoir une absence de deux à trois semaines à compter de son point de départ dans le sud.

POUR DE PLUS AMPLES INFORMATIONS

Le surintendant,
Parc national de Kluane,
Haines Junction,
Territoire du Yukon,
Y0B 1L0

Tél. : [403] 634-2251

Tourism Yukon,
Gouvernement du Yukon,
C. P. 2703 — YN,
Whitehorse,
Territoire du Yukon.

LE PARC NATIONAL DE

NAHANNI

Des rivières furieuses ou calmes, plates et tortueuses ou plongeant dans quelques-uns des canyons de rivières les plus profonds de la planète; des rivières qui représentent, avec leur environnement montagneux, l'essence du parc national de Nahanni. Le parc s'étend sur une superficie de 4784 kilomètres carrés qui comprennent plus de 320 des 400 kilomètres de la longue rivière Nahanni du Sud. La longue silhouette mince du parc se voit déformée par un éperon presque en son milieu qui s'étend vers le sud-ouest sur environ 120 kilomètres et qui comprend près de la moitié de la rivière Flat. Les monts Mackenzie, dans le coin sud-ouest des Territoires du Nord-Ouest, servent de décor à ce parc.

Le panorama spectaculaire, l'évolution géologique et les accidents de terrain distinctifs, la richesse de la flore et de la faune, de même que le caractère vierge de l'écosystème des rivières Nahanni du Sud et Flat ont fait que Nahanni a été l'un des premiers sites inscrits par l'Unesco sur sa liste du patrimoine mondial; il s'agit d'un site possédant des qualités si merveilleuses et uniques qu'on a attiré ainsi sur lui l'attention du monde entier et qu'il est protégé à l'intention de tous et de chacun.

COMMENT VISITER LE PARC*

Les glaciations ont joué un rôle important et diversifié dans la formation du parc, de même que dans celle d'une bonne partie du

* Je n'ai pu visiter Nahanni. Je m'en suis remise à des entrevues avec Lou Comin, gardien-chef de Nahanni durant 6 ans, ainsi qu'à des écrits de Parcs Canada, des journaux, etc. Les textes de Derek Ford et George A. Brook m'ont été particulièrement utiles.

Canada. Les glaciers ont eu beaucoup à voir dans les origines de l'attrait principal du parc, les **chutes Virginia**, qui comptent parmi les chutes les plus impressionnantes du Canada, sinon de la planète. Ces chutes sont hautes de plus de 125 mètres. Elles sont larges d'environ 200 mètres et coupées en plein milieu par un énorme bloc de roc qui semble constituer en soi une petite montagne. La langue du glacier qui a creusé la vallée située à l'ouest des chutes a arraché un pan du **mont Sunblood** qui se trouvait dans sa trajectoire. Lorsque la glace a commencé à fondre et à reculer à l'extrémité du glacier, une rivière a été créée par la fonte. Cette rivière s'est frayée une route dans le roc sédimentaire mou, taillant dans les niveaux supérieurs tout en s'abattant sur les niveaux inférieurs. À l'instar de ce qui est survenu aux chutes du Niagara, les niveaux supérieurs se sont détachés, la rivière a entrepris de tailler un nouveau niveau inférieur, le niveau supérieur s'est effondré et les chutes ont remonté le courant de quelques mètres, laissant derrière elles une gorge profonde.

En amont des chutes Virginia, la rivière est lente et tortueuse avec une faible déclivité. Passé les chutes, cependant, elle entreprend une descente abrupte. Elle éclate avec fracas dans des virages en épingles à cheveux et des chutes étroites, puis carambole à travers trois canyons dont les parois atteignent 1500 mètres de hauteur. Il y a là un paradoxe : comment se fait-il qu'une rivière aussi rapide, coulant sur du calcaire friable, ait un cours aussi tortueux ? Pourquoi ne s'est-elle pas taillé un chemin beaucoup plus droit à l'instar des puissantes rivières de Banff ou de Jasper ? Si la rivière à elle seule n'est pas suffisamment puissante pour entailler le roc, comment se fait-il que les glaciers n'y ont pas forgé l'une de ces vallées de rivières droites et en forme de U que l'on retrouve à l'ouest du parc ?

Il existe deux réponses au problème posé par la tortueuse plongée de la Nahanni. Au cours de la dernière époque glaciaire, ce segment du parc n'a pas été recouvert par les glaciers et ceux-ci n'y ont donc pas façonné de vallées droites. La deuxième réponse fait appel au phénomène d'antériorité : la rivière existait *avant* que ne soient formées les trois chaînes de montagnes qui la croisent. La région située à l'est des chutes Virginia était jadis plutôt plate. Des rivières coulaient depuis les terres plus hautes de l'ouest, mais la déclivité n'était guère importante et, en arrivant en terrain plat, elles ont entrepris leur cours errant et sinueux. Puis d'importants mouvements dans les profondeurs de la terre ont plié l'écorce terrestre et formé les chaînes de montagnes dont font

partie les trois canyons extraordinairement abrupts. Sensi-
blement au même rythme que
celui du surgissement des montagnes, la rivière se frayait un
lit dans le roc friable, ce qui
explique que son cours n'a guère été modifié.

La rivière se redresse ici et
là quelque peu lorsque le courant découvre un endroit encore plus friable dans le roc et
saute de la courbe d'un des
méandres jusqu'à la rive oppo-
sée, prenant ainsi un raccourci
et piégeant une boucle de son
lit. Il est possible d'observer un
exemple de ce mouvement dans le très étroit secteur du troisième
canyon appelé **the Gate**.

Un oiseau de rivage se nourrissant dans les sources thermales de Rabbit Kettle.

Parcs Canada.

Les glaciations ont encore une fois joué un rôle à l'extrémité
est du parc. Les glaciers y ont comblé le dernier passage montagneux de la Nahanni du Sud à l'endroit qu'on appelle **Twisted
Mountains**, et bloqué à l'ouest l'écoulement de la rivière. Le
niveau des eaux a ainsi monté durant des millénaires et, en
refluant, celles-ci ont formé des lacs dans des vallées entières où
ne passaient auparavant que des rivières à leur altitude la plus
basse. Lorsque les glaces ont fondu, les eaux des vallées ont pu
s'écouler; une fois de plus, seule une rivière occupait le fond de la
vallée tout en s'alimentant grâce aux pluies et aux neiges et en se
frayant un chemin à travers les sédiments fragiles. Des gorges
profondes ont ainsi été formées au centre des vallées et les forêts
poussent à profusion dans les fonds d'anciens lacs. Telle est
l'histoire de la **rivière Flat**. Ses rapides à des altitudes élevées, sa
lenteur et la richesse de sa faune et de sa flore dans les plaines
autrefois immergées dans le secteur où elle rejoint la Nahanni du
Sud représentent de magnifiques additions à l'étonnante diversité
de ce parc.

Bien que les rivières Nahanni du Sud et Flat, de même que
leurs environs immédiats, constituent la pièce de résistance du
parc, il existe d'autres endroits le long de l'itinéraire des voyageurs qui contribuent grandement à la fascination qu'elles exercent. L'un de ces endroits, les **sources thermales Rabbitkettle**, se
trouve à l'extrémité ouest du parc, tandis que l'autre, la région

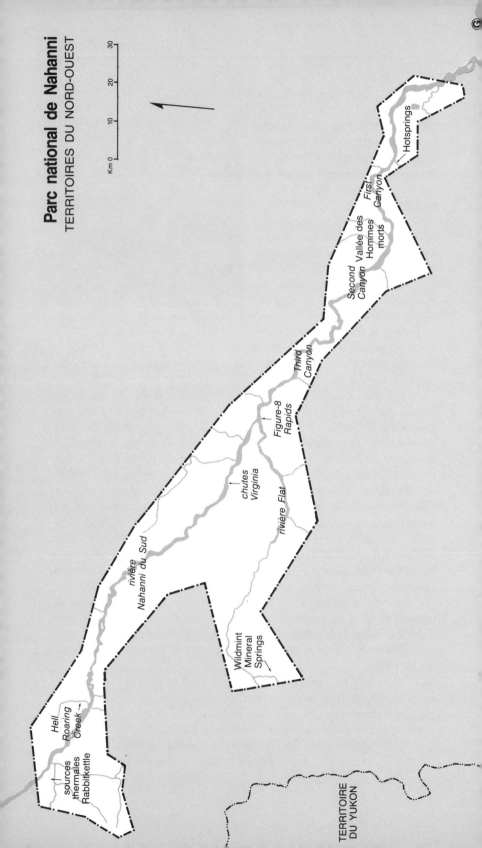

Parc national de Nahanni
TERRITOIRES DU NORD-OUEST

Km 0   10   20   30

Hotsprings

First Canyon

Vallée des Hommes morts

Second Canyon

Third Canyon

Figure-8 Rapids

chutes Virginia

rivière Nahanni du Sud

rivière Flat

Wildmint Mineral Springs

Hell Roaring Creek

sources thermales Rabbitkettle

TERRITOIRE DU YUKON

karstique qui commence au **premier canyon**, s'étend le long d'une mince bande de 50 kilomètres depuis la rive nord du canyon. Les eaux des sources thermales Rabbitkettle, qui atteignent une température de 21°C, traversent du roc à haute teneur minérale dont une partie se dissout avant d'être emportée à la surface de la planète. Le refroidissement rapide fait qu'en surface les minéraux se séparent des eaux et se déposent sur le sol. Il en a résulté des étangs circulaires faits de tuf, un carbonate de calcium aux couleurs vives. Il existe deux de ces monticules imprégnés d'eau. Le mieux formé des deux, **North Mound**, domine d'environ 27 mètres les environs. Une telle hauteur a pu être atteinte par une succession de terrasses semi-circulaires auxquelles succèdent des marmites circulaires au sommet. Les visiteurs ne peuvent atteindre les marmites que lorsqu'ils sont escortés par un gardien à cause de la fragilité de cette zone. Un gardien est habituellement disponible au lac Rabbitkettle.

La région karstique du premier canyon a elle aussi été formée par l'interaction des eaux et du calcaire. L'eau peut assez facilement dissoudre le calcaire; dans une région telle que la partie est du parc, où l'on trouve du calcaire épais de centaines de mètres et des eaux abondantes, la puissance et l'étendue de l'érosion sont énormes. Les torrents souterrains forment des cavernes, des entonnoirs et des lacs. Les lacs sont souvent à sec vers la fin de l'été ou le sont parfois même durant des années. De fortes pluies peuvent les remplir en quelques heures ou élever leur niveau de plusieurs mètres en une nuit. Mais les eaux risquent de s'écouler lentement de nouveau.

Au niveau du sol, l'action combinée de la pluie, du gel et du dégel fait que les eaux entaillent profondément l'écorce terrestre en façonnant d'immenses labyrinthes presque urbains de falaises, de ravins, de piliers, de tours, de corridors et, à l'occasion, d'espaces ouverts. Ces accidents de terrain frappants et bizarres peuvent être observés sur une bande qui court vers le nord depuis les rives du premier canyon. Il est très difficile d'y marcher et il faut encore gravir la paroi du canyon pour s'y rendre, mais il est possible d'aller suffisamment loin pour avoir une bonne idée du caractère distinctif de la région karstique.

La visite d'un parc sauvage

Il est sans doute préférable de visiter ce parc en juillet et en août. La température y est habituellement plus prévisible et la possibilité qu'il neige décroît. Avant de s'y rendre, chaque groupe devrait écrire au préalable au surintendant et lui exposer l'importance du groupe, son expérience en territoire sauvage et les buts de son séjour (descendre la rivière en canot, par exemple, ou passer quelques jours à canoter sans difficultés). Le parc peut en retour vous faire parvenir de la documentation pertinente sur les rivières elles-mêmes, sur leur accessibilité, sur les entreprises commerciales des pourvoyeurs, sur les vols nolisés, sur l'équipement requis, etc.

Un certain nombre de personnes descendent la Nahanni du Sud en radeau avec un pourvoyeur. Cette solution est surtout recommandée à ceux qui ont peu d'expérience ou dont la force physique est limitée. Équipement, nourriture et expertise sont alors fournis.

Un séjour dans le parc, que ce soit en compagnie d'un groupe bénéficiant des services d'un guide ou d'un groupe seul, peut être de durée variable. Il faut compter une bonne dizaine de jours si l'on entreprend sans guide de descendre la Nahanni du lac Rabbitkettle à Nahanni Butte. Plusieurs endroits ont été aménagés pour le camping en cours de route et il est aussi possible de camper sur de nombreuses plages sablonneuses. En amont des chutes, la rivière ne présente pas tellement de difficultés; mais, en aval, certains endroits nécessitent une réelle habileté de manoeuvre et de l'expérience.

Quel que soit le mode de transport utilisé ou le groupe dont vous faites partie, une expédition sur la Nahanni du Sud et le long des premiers kilomètres au moins de la rivière Flat devrait fournir au visiteur l'occasion d'observer quelques-uns des panoramas les plus spectaculaires, l'une des géologies les plus fascinantes, et une faune de même qu'une flore parmi les plus riches de notre planète. Un tel séjour exige de la planification et ne sera pas tellement bon marché, mais il devrait être à la hauteur d'à peu près n'importe quelle dépense de temps, d'énergie et d'argent.

SERVICES ET COMMODITÉS

Programme d'interprétation

Les gardiens offrent un programme d'interprétation informel. Ils parleront avec les visiteurs et répondront à leurs questions sur l'histoire natuelle et humaine du parc. Il n'existe pas de programme d'interprétation formel, selon un horaire fixe.

Les chutes Virginia.

Camping

On trouve un certain nombre de terrains de camping sauvage le long de la rivière et les gens qui s'arrêtent à proximité sont tenus de s'y installer. Dans le cas contraire, tout site est acceptable, mais on recommande les plages de sable.

Autres agréments, essence, nourriture et approvisionnements

On trouvera un petit hôtel d'une vingtaine de chambres à Fort Simpson, de même que deux hôtels et un motel au lac Watson. Au lac Watson et à Fort Simpson on peut s'approvisionner en essence. La nouvelle route Liard passe par Fort Simpson. On trouvera une grande épicerie au lac Watson, et une petite à Fort Simpson. Ces deux endroits abritent chacun un magasin de la Baie-d'Hudson. Dans la mesure du possible, il est cependant préférable de se rendre à Nahanni entièrement équipé.

Comment s'y rendre

On ne peut y accéder directement en voiture. Habituellement, on s'y rend par la voie des airs et par les cours d'eau, à moins de faire partie de ces aventuriers qui y parviennent en empruntant d'autres rivières loin à l'ouest du parc. La plupart des visiteurs y

Wapitis broutant dans le calme du crépuscule.

parviennent par un vol régulier qui atterrit soit au lac Watson, à l'ouest du parc, soit à Fort Simpson, à l'est. De l'un ou l'autre endroit, des vols nolisés permettent d'accéder au parc. Tous les visiteurs doivent s'enregistrer à l'entrée comme à la sortie; plusieurs endroits sont prévus à cet effet.

La destination des canoteurs se trouve en amont, à l'extérieur du parc; ils peuvent se rendre soit à Moose Ponds, source de la Nahanni du Sud, soit au lac Seaplane, s'ils veulent emprunter la rivière Flat, soit au lac Rabbitkettle, à l'intérieur du parc, pour la Nahanni du Sud. On peut alors descendre jusqu'à Nahanni Butte ou Fort Simpson et y être accueilli, suite à des arrangements préalables, par un avion nolisé. Les compagnies de nolisement sont en mesure de transporter les canots et toutes les autres pièces d'équipement; mais il faut absolument procéder à des arrangements au préalable.

Il est aussi possible d'effectuer en hydroglisseur le trajet aller-retour jusqu'aux chutes Virginia depuis Fort Simpson, Blackstone Landing, ou le petit hameau de Nahanni Butte, qui sert de quartier général au parc.

Un certain nombre de visiteurs se rendent effectivement au parc en canot par l'entremise de pourvoyeurs et de guides. On peut obtenir les noms de ces pourvoyeurs et de ces guides des compagnies de nolisement d'appareils en écrivant au surintendant ou au Service des renseignements des Territoires du Nord-Ouest.

POUR DE PLUS AMPLES INFORMATIONS

Le Surintendant,
Parc national de Nahanni,
C. P. 300,
Fort Simpson, T. N. O.,
X0E 0N0

Tél.: [403] 695-3151

Travel Arctic,
Government of the Northwest
Territories,
Yellowknife, T. N. O.,
X1A 2L9

WOOD BUFFALO

Wood Buffalo est le plus grand parc national du Canada et le deuxième plus vaste de la planète. Long de 283 kilomètres du nord au sud, il chevauche sur environ 160 kilomètres la frontière entre l'Alberta et les Territoires du Nord-Ouest.

Le parc national de Wood Buffalo a été établi en 1922 dans le but de protéger la dernière population de bisons des bois de la planète. Le bison des bois constitue une sous-espèce du grand bison qui habitait le nord des prairies du sud où vivait le bison des plaines plus petit. Bien que le parc ait été créé dans le but de protéger le bison, on a eu de plus en plus conscience, au cours des décennies, de l'importance de l'ensemble des espèces vivant dans le parc. Aujourd'hui, Wood Buffalo assume un rôle plus important puisqu'il protège une immense zone des plaines boréales menacées par la coupe du bois, l'érection de barrages et les activités reliées à l'extraction pétrolière ou minière.

COMMENT VISITER LE PARC*

On peut diviser le territoire de Wood Buffalo en quatre zones principales: les terres hautes de Caribou et de Birch, le plateau albertain, les terres basses de la rivière des Esclaves et le delta des rivières de la Paix et Athabasca.

Les **terres hautes de Caribou et de Birch** représentent une minuscule partie du parc, à proximité de ses limites centre-ouest et sud, respectivement. Elles sont virtuellement inaccessibles aux

---

* Je n'ai pu visiter ce parc. Je dois mes informations sur la visite du parc à Bernie Lieff, l'ancien surintendant, qui a été en poste durant cinq ans, jusqu'à l'hiver de 1981 ainsi que de publications émanant du parc et de documents de Parcs Canada.

R. D. Muir, Parcs Canada.

157

visiteurs. Leur plateau se trouve à environ 420 mètres au-dessus des plaines qui s'étendent vers l'est et le nord dans le parc. Les terres hautes sont formées de roches sédimentaires de l'ère crétacée et on y a découvert des fossiles dont, dans certains endroits précis, d'importantes concentrations d'écailles de poissons qui sont d'un grand intérêt paléontologique.

Le **plateau Albertain** recouvre la plus grande partie du parc. Il s'agit d'un territoire comportant des rivières immenses, d'importantes fondrières, de même que d'innombrables tourbières, marécages et torrents tortueux. Les **régions karstiques** sont l'un de ses éléments les plus particuliers. Ce paysage résulte de l'action d'un vaste système souterrain d'écoulement des eaux sur un lit de gypse. Le gypse est extrêmement sensible à l'action érosive de l'eau. Lorsque des poches de gypse se dissolvent, des cavernes et des tunnels se forment. Quand le sol s'effondre, des vallées karstiques et des entonnoirs sont formés. La plupart des étangs sont petits et peu profonds, mais certains atteignent des profondeurs de 35 mètres pour un diamètre qui fait le double. Si plusieurs de ces étangs se trouvent à proximité, ils se fondent et forment un lac. Le **lac Pine**, le principal site récréatif du parc, a été formé ainsi à partir de 6 entonnoirs. On trouve à Wood Buffalo la région karstique la plus étendue de la planète.

Les **terres basses de la rivière des Esclaves** occupent deux étroites bandes de terrain le long de la limite est du parc. Elles marquent la fin des plaines boréales puisqu'elles aboutissent aux collines de granit du Bouclier canadien. Les rivières des plaines intérieures contribuent beaucoup au caractère distinctif des terres basses. À l'instar des rivières souterraines qui créent des régions karstiques, d'autres filtrent à la surface au bas d'un escarpement peu imposant. Les eaux souterraines traversent une strate de sel profondément sous la surface et déposent ce sel, lorsqu'elles atteignent celle-ci, parfois sous forme d'une feuille qui brille au soleil, mais le plus souvent en monticules de près de 2 mètres de hauteur et larges de 6 à 9 mètres. Cette action a créé les **Salt Plains**, une région au paysage et à la flore particuliers.

Les rivières du parc sont responsables de la formation de la quatrième zone du parc, le **delta des rivières de la Paix et Athabasca**. Ce delta se trouve dans le coin sud-est du parc où les rivières **de la Paix, Athabasca, des Esclaves** et **Birch** convergent vers le **grand lac des Esclaves**. Ces rivières charrient d'énormes quantités de limon qu'elles déposent dans le delta. Les terres sont basses et plates; les rivières se divisent et serpentent, formant un

vaste réseau de torrents inter-
rompus par des étangs et des
lacs peu profonds de toutes les
dimensions. La majeure partie
des dépôts de limon survient
durant l'inondation du delta au
printemps. Ce renouveau annuel est très important pour le
maintien de la richesse de l'environnement. La zone sert
d'habitat à une multitude de
mammifères, dont le bison. En
juin et en septembre, des millions d'oiseaux aquatiques
convergent vers le delta, certains pour y nidifier, d'autres
parce qu'ils sont en route vers
leur territoire de reproduction

*La grue blanche d'Amérique,
une espèce menacée, se reproduit ici,
loin des lieux où peuvent accéder
les visiteurs.*

ou en reviennent. On peut aussi y apercevoir des aigles à tête
blanche et des faucons pèlerins, une espèce menacée.

Ces espèces dépendent toutes d'un délicat équilibre écologique. L'érection du barrage Bennett sur la rivière de la Paix entre
1968 et 1970 en Colombie-Britannique, à quelque 1000 kilomètres
du delta, a modifié de façon dramatique les écoulements d'eau
saisonniers qui impriment leur rythme à la vie végétale et animale. À défaut de ses inondations périodiques, la zone se dessèche
peu à peu. La faune y perd en grande partie son habitat; les
manifestations de vie y sont moins importantes. Le gouvernement albertain projette en ce moment l'érection d'un barrage sur
la rivière des Esclaves, à proximité de Fort Smith. L'impact d'un
tel projet sur le delta serait dévastateur, car une bonne partie de la
zone serait noyée*.

La visite d'un parc sauvage

Les excursions et le canotage dans l'arrière-pays constituent les
meilleurs moyens de visiter les principales curiosités du parc. Les
maringouins pouvant se montrer éprouvants, les meilleurs moments pour un séjour sont les mois de mai et de juin, puis le mois
de septembre et le début d'octobre. Certaines personnes visitent

---

* Les lecteurs et lectrices qui voudraient participer au débat sur cette question
  devraient entrer en contact avec une ou plusieurs des associations écologiques
  dont les noms apparaissent à la fin de l'ouvrage.

R. D. Muir, Parcs Canada.

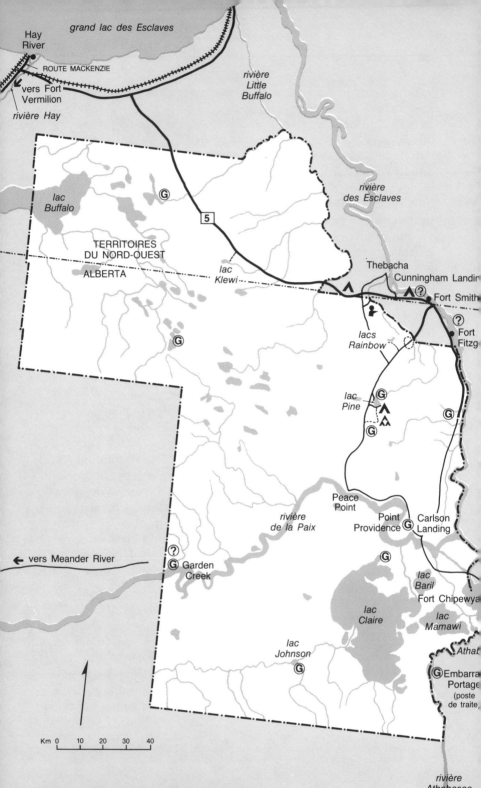

grand lac des Esclaves

Hay
River

ROUTE MACKENZIE

vers Fort
Vermilion

rivière Hay

rivière
Little
Buffalo

rivière
des Esclaves

lac
Buffalo

5

TERRITOIRES
DU NORD-OUEST

ALBERTA

lac
Klewi

Thebacha
Cunningham Landing

Fort Smith

Fort
Fitzg

lacs
Rainbow

lac
Pine

vers Meander River

Peace
Point

rivière
de la Paix

Point
Providence

Carlson
Landing

Garden
Creek

lac
Baril

Fort Chipewya

lac
Claire

lac
Mamawi

Athab

lac
Johnson

Embarra
Portage
(poste
de traite

Km 0   10   20   30   40

rivière
Athabasca

Parc national de Wood Buffalo

TERRITOIRES DU NORD-OUEST-ALBERTA

le parc seules, mais des interprètes dirigent des excursions et offrent d'autres activités qui varient d'une marche de quelques heures à des voyages de deux jours jusqu'au delta. Un certain nombre de personnes visitent l'arrière-pays avec des pourvoyeurs établis à Fort Smith ou à Fort Chipewyan. On peut obtenir plus de renseignements sur les services qu'ils offrent en écrivant au surintendant.

Le parc dispose de deux Centres d'information, l'un à Fort Smith, l'autre à Fort Chipewyan (« Fort Chip »).

Fort Smith

Fort Smith, sur la rivière des Esclaves, se trouve en fait à environ 20 kilomètres à l'extérieur du parc. Centre administratif du parc, on y trouve l'accès le plus direct au **lac Pine**, 65 kilomètres plus loin, où le parc entretient un terrain de camping sauvage, un théâtre d'interprétation, un poste de gardien et une jetée pour les bateaux. Plusieurs événements interprétatifs y ont leur origine. On y offre des excursions, des diaporamas en soirée et des rencontres informelles avec des naturalistes.

En arrivant à Fort Smith, on devrait demander aux naturalistes du bureau de l'administration où aller, et s'informer sur l'état de la route en boucle de 320 kilomètres qui serpente à travers la partie est du parc. Il est possible que la route soit bloquée, à l'occasion, par des inondations ou des glissements de terrain ou, encore, certaines années, par des incendies de forêt. Depuis la route, on n'aperçoit pas tellement autre chose que des arbres, des fondrières ou, parfois, un bison. Mais les naturalistes peuvent indiquer où il faut aller pour examiner des attraits tels que les dépôts de sel ou les lacs en entonnoirs.

On peut emprunter plusieurs sentiers de longueur variable, depuis les routes du parc; mais je recommanderais de faire pleinement appel aux services d'interprétation. Il est possible de participer à des excursions ou à des balades guidées qui consistent, par exemple, à « ramper » jusqu'aux bisons pour voir de près ces bêtes imposantes, à se rendre aux dépôts de sel, ou à pénétrer profondément en canot dans le delta avec les interprètes. On peut louer des canots.

Fort Chipewyan

La seule façon de visiter le parc au départ de Fort Chipewyan est de retenir les services d'une entreprise de pourvoyeurs et de guides, qui dispose d'un permis du parc. Leurs services comprennent des randonnées particulières sur les cours d'eau ou en traîneaux à chiens. Fort Chipewyan étant situé sur le delta des rivières de la Paix et Athabasca, cet endroit convient particulièrement bien au canotage et au camping lorsque l'on est intéressé par la faune et la flore aquatiques.

SERVICES ET COMMODITÉS

Programme d'interprétation

Le parc qui reçoit chaque année la visite d'au plus 2000 personnes, offre un programme d'interprétation très personnalisé. Le personnel peut ainsi adapter son programme aux intérêts des visiteurs. Au cours de l'été, le programme ne peut être interrompu et le plein usage du parc restreint que par un incendie. Chaque année, cinq pour cent du parc risquent d'être incendiés; le personnel peut donc paraître préoccupé et l'usage des routes et des sentiers, en être gêné.

Camping

Il existe au **lac Pine** un terrain de camping de 36 emplacements qui dispose d'eau, de toilettes chimiques, de grilles à cuisson et de bois de chauffage. Le camping dans l'arrière-pays est permis dans le parc, sauf à certains endroits protégés. Un permis, gratuit, est cependant nécessaire. On obtient auprès des gardiens permis et renseignements au sujet des règlements et de l'état de l'arrière-pays.

Autres agréments, essence, nourriture et approvisionnements

On trouvera à Fort Smith le terrain de camping Queen Elizabeth, un motel de 45 unités et un petit hôtel. Fort Chipewyan dispose de gîtes privés, de plusieurs chambres à l'arrière du restaurant et d'une petite auberge que l'on peut louer.

On trouvera de l'essence à Fort Smith et à Fort Chipewyan. Au magasin général de Fort Smith, on peut se procurer équipement de camping et aliments; un magasin de la Baie-d'Hudson offre un stock complet. Les prix sont habituellement plus élevés que dans le sud à cause des coûts du transport. À Fort Smith on peut louer de l'équipement pour le camping et des skis de fond.

Loisirs

Excursions   Il existe deux genres d'excursions dans le parc. On peut parcourir de courts sentiers à la journée vers des centres

R. Lewis, Parcs Cananda.

Le delta des rivières de la Paix et Athabasca, dont la luxuriance est menacée par le projet de construction d'un barrage à proximité de Fort Smith.

d'intérêt particuliers en allant, par exemple, du lac Pine au lac Lone, ou encore de la route en boucle aux lacs Rainbow. Par contre, on peut aussi retenir les services d'un guide et s'enfoncer dans le territoire en suivant des pistes de bisons aussi longtemps que la durée prévue de son séjour.

Traîneaux à chiens Le parc sert de plus en plus durant l'hiver à des personnes qui retiennent les services d'un guide pour se rendre en traîneaux à chiens dans des coins reculés.

Navigation La navigation est une activité populaire dans le parc. Des canots utilisables tant sur les lacs que sur les torrents les plus profonds peuvent être loués à Fort Smith et à Fort Chipewyan; les pourvoyeurs offrent aussi des excursions en canot. Les embarcations motorisées sont autorisées sur les rivières des Esclaves, de la Paix et Athabasca. On peut, en écrivant au préalable, obtenir des renseignements sur l'utilisation des rivières, les mesures de sécurité, les permis nécessaires, etc.

Pêche La pêche n'est pas particulièrement bonne dans la plupart des étendues d'eau du parc. Le lac Pine recèle de la truite arc-en-ciel, mais il est très difficile d'en prendre; dans les autres lacs et rivières, on trouve du brochet, du brochet rouillé, du corégone et de la carpe noire. Un permis du parc est requis. On l'obtient auprès du personnel à Fort Chipewyan ou à Fort Smith.

COMMENT S'Y RENDRE

L'avion constitue le meilleur moyen de se rendre au parc de Wood Buffalo. Au départ d'Edmonton, il y a des vols pour Fort Smith six fois la semaine, et deux fois la semaine pour Fort Chipewyan. On peut obtenir les détails auprès de son agence de voyage. Il est possible de louer une voiture à Fort Smith. En été, certains visiteurs roulent jusqu'à Fort Smith ; il faut compter deux jours, parfois sur des routes dures ou poussiéreuses. La route de Fort Smith s'incurve au nord de la rivière de la Paix ; mais, durant l'hiver, des ponts de glace et une route hivernale sont construits ; il est donc possible de se rendre à Fort Chipewyan. Quelques personnes courageuses se rendent en canot à Fort Chipewyan ; il est aussi possible de retenir les services d'un guide qui vous conduira en bateau de l'un à l'autre des deux forts.

POUR DE PLUS AMPLES INFORMATIONS

Comme il s'agit d'un parc sauvage, il est particulièrement important d'écrire ou de téléphoner au préalable de façon à savoir si le parc conviendra à ses intérêts ou à son expérience. Les aménagements et les services, dont on trouve ci-haut la liste, sont sujets à des modifications rapides, surtout dans le cas des entreprises commerciales ; il est essentiel de bien planifier son excursion, en ayant en mains les informations concernant le parc, si l'on veut que son voyage soit enrichissant.

Le surintendant,
Parc National de Wood Buffalo,
C. P. 750,
Fort Smith, T. N. O.,
X0E 0P0
Tél. : [403] 872-2349

Subarctic Wilderness
Adventures, Ltd.,
C. P. 685,
Fort Smith, T. N. O.,
X0E 0P0

Tél.: [403] 872-2467

Wood Buffalo Wild Life Tours,
a/s Sonny Flett,
C. P. 352,
Fort Chipewyan, Alberta,
T0A 1G0

Tél.: [403] 679-3926

PRINCE-ALBERT

Des plaines sans fin, de la neige battue par les vents, des épis ondulant sous le soleil plombant du mois d'août, telle est l'idée qu'on se fait de la Saskatchewan. Sur une carte, le parc national de Prince-Albert apparaît presque au centre géographique de la province et, en conséquence, c'est ce que le visiteur s'attend à y voir. Lorsqu'on y arrive, toutefois, on n'aperçoit aucune plaine.

Le parc est une réserve de 3875 kilomètres carrés de plaine et de forêt boréale du sud. Sur ce territoire, les zones herbeuses sont parsemées de bosquets de trembles. On y trouve quelques zones de fétuques et d'autres herbes dont les bisons avaient l'habitude de se nourrir; mais la plupart de ces petites zones sont inaccessibles au visiteur. La forêt boréale est humide, parsemée de tourbières et dominée par les conifères, surtout l'épinette noire et le mélèze qui apprécient l'humidité.

Soulignant en quelque sorte cette topographie, on trouve par endroits jusqu'à 180 mètres de till, ces rocs, ce gravier et ce sable retenus par les glaciers qui ont façonné et refaçonné une si grande partie du Canada et qui se sont déposés lorsque les glaces ont fondu.

Le parc national de Prince-Albert représente une zone de transition entre les forêts de trembles situées plus au sud et la limite de la forêt boréale qui couvre une si grande partie du nord du Canada. Les zones de transition sont toujours riches en flore et en faune puisque, dans un espace relativement circonscrit, deux environnements se succèdent côte à côte. Très peu d'espèces qui enrichissent tant le parc national de Prince-Albert pourraient subsister de nos jours dans les terres fortement cultivées qui l'entourent.

Prince-Albert a été établi en 1927 pour servir d'aire récréative au grand public et pour préserver la richesse de son histoire naturelle. Le parc a cependant aussi une histoire humaine. Grey Owl, qui y a vécu de 1931 à sa mort en 1938, en a été le résident le plus célèbre. Il s'est transformé en naturaliste, se servant de Prince-Albert comme base pour ses vigoureuses campagnes en vue de préserver la faune et, surtout, le castor. Sa cabane existe toujours et les nombreux castors qu'on retrouve dans le parc sont un vivant témoignage de son action.

Le parc, de forme verticale et oblongue, ressemble plutôt à une version miniaturisée de la province de la Saskatchewan elle-même. La transition de la prairie à la forêt boréale s'effectue à peu près le long d'une ligne est-ouest qui coupe le parc en son milieu, le lac Waskesiu servant de point de repère. Le village de Waskesiu regroupe les services offerts aux visiteurs, dont les terrains de camping pour les voitures, un certain nombre d'aires récréatives, le centre d'interprétation et le centre administratif du parc, de même que les boutiques, les cabanes et les autres services offerts par un petit village.

COMMENT VISITER LE PARC

Le parc offre un large éventail de moyens d'observer et d'apprécier son histoire naturelle et humaine. Cet éventail comprend des diaporamas dans les terrains de camping, des excursions guidées, des randonnées où l'on se guide soi-même, des arrêts avec renseignements le long de la route, et des sentiers qu'on peut parcourir indépendamment les uns des autres. Il existe aussi à Prince-Albert un événement interprétatif qui a été conçu de façon que le visiteur dont la voiture sert de base puisse être le plus exposé possible et de la façon la plus aisée qui soit à la diversité de l'environnement du parc.

Le parc publie un feuillet au titre approprié: *Wolf Country*. Une édition spéciale guide le visiteur en voiture au départ du village le long de la rive sud du **lac Waskesiu** jusqu'à l'aire d'utilisation diurne **Narrows**. Procurez-vous cette brochure: ses recommandations pourraient faire de cette promenade de deux à quatre heures le point culminant de votre visite. Cette balade commence au village et s'étend sur 26 kilomètres jusqu'à l'extrémité de la route au sud du lac Waskesiu où se trouvent un terrain de camping, une aire de pique-nique et une marina. Un certain nombre d'arrêts sont prévus en cours de route, dont au moins quatre emplacements pour les pique-niques magnifiquement situés le long des zones de plages sur le lac ainsi que des sites interprétatifs tels que celui de **Ice Push Ridge**. Un court trottoir de planches mène à un abri de castors et la brochure souligne l'existence, dans quelques secteurs, de canaux creusés pour permettre un drainage régulier de terrains

Papillon diurne.

inondés par les castors. Cette balade permet une excellente observation de particularités diverses telles que terres boisées, plage et lac, etc. Elle prend fin dans un secteur, les Narrows, où une péninsule court depuis la rive nord du lac jusqu'à 27 mètres de la rive sud.

Le territoire

Le parc national de Prince-Albert doit à deux facteurs son type de sol, ses innombrables lacs et torrents de même que son territoire plat. Son lit de roc n'a jamais été repoussé, tordu ou brisé par les énormes pressions internes de l'écorce terrestre qui ont façonné les montagnes qui longent les limites du continent. Les glaciations représentent le deuxième facteur. La région en entier se trouvait sous des glaces qui pouvaient atteindre une épaisseur de 1600 mètres au cours des trois principales glaciations dont la dernière a pris fin il y a environ 10 000 ans. En avançant, les glaciers ont creusé le lit de certains lacs importants tels que le **Waskesiu**, le **Crean** et le **Kingsmere**. Lorsque les glaciers ont fondu, les torrents d'eau ont souvent creusé plus profondément dans le lit des lacs et formé des rivières qui coulaient vers des altitudes moins élevées. À la longue, elles ont atteint les actuels systèmes de drainage de la rivière Churchill et de la baie d'Hudson ou de la Saskatchewan du Nord et du lac Winnipeg. Ces deux systèmes de

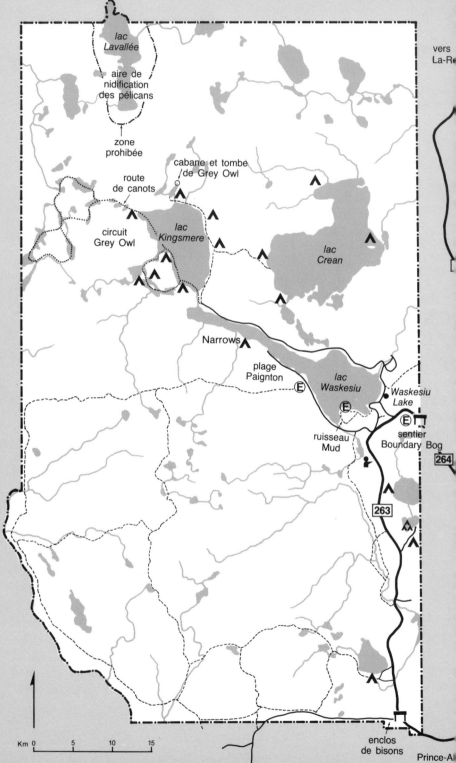

vers
La-R

*lac
Lavallée*

aire de
nidification
des pélicans

zone
prohibée

route
de canots

cabane et tombe
de Grey Owl

circuit
Grey Owl

*lac
Kingsmere*

*lac
Crean*

Narrows

plage
Paignton

(E)

*lac
Waskesiu*

*Waskesiu
Lake*

(E)

(E)

ruisseau
Mud

sentier
Boundary Bog

264

263

264

Km 0   5   10   15

enclos
de bisons

Prince-A

drainage sont séparés par une zone de terres hautes appelée le Height of Land.

En roulant sur la route 263 un peu plus au sud que le lac Shady, on arrive au **Height of Land Lookout**. Un écriteau interprétatif en trois parties décrit ce qui s'étend devant nous. On peut apercevoir plusieurs lacs, dont le lac Waskesiu où se trouve l'île William Lyon MacKenzie.

On peut facilement constater l'action érosive des eaux de fonte des glaciers depuis le **sentier de l'observatoire de la rivière Spruce**, situé juste au nord de cette rivière, à environ 12 kilomètres de l'entrée sud du parc. Ce sentier de gravier représente une marche de 10 à 15 minutes et on trouvera, en cours de route, plusieurs endroits pourvus de bancs et d'attrayants écriteaux interprétatifs. Prenez à droite de la fourche au début du sentier. La rivière serpente dans ce qui fut jadis un très large canal taillé par les glaciers. L'observatoire est bien situé et la vue très attrayante.

Le façonnement du territoire n'a pas cessé avec la fin des ères glaciaires. La glace continue à jouer un rôle en s'accumulant dans les grands lacs et en se brisant au printemps. Des blocs de glace sont repoussés sur terre par de puissants vents. Les arêtes frontales de la glace heurtent le fond peu profond du lac à proximité du rivage et, en fait, repoussent à l'extérieur de l'eau une partie du lit du lac en formant une basse crête. La flore colonise souvent cette nouvelle surface et la stabilise, la rendant ainsi beaucoup moins vulnérable au vent et à l'eau. Un minuscule territoire est ainsi créé. **Ice Push Ridge** est l'endroit tout désigné pour observer ce phénomène lorsqu'on se trouve à peu près à mi-chemin de l'aire d'utilisation diurne de Narrows. Surveillez les écriteaux du côté du lac, arrêtez-vous et consacrez quelques minutes à vous rendre à la plate-forme d'observation où se trouve l'écriteau interprétatif. On peut apercevoir depuis un certain nombre d'autres endroits les témoignages de la formation du terrain; la meilleure façon de le faire est de se joindre aux marches guidées appropriées.

La zone de transition: des trembles à la forêt boréale

Si vous êtes en mesure de distinguer le tronc blanc et droit et les feuilles triangulaires, scintillantes des trembles et l'apparence d'arbres de Noël des conifères, une balade le long de la route 263 depuis l'entrée sud du parc jusqu'au lac Waskesiu, 42 kilomètres plus loin, permet une excellente vue d'ensemble du passage du terrain parsemé de trembles à la forêt boréale. À l'intention de ceux qui voudraient observer en profondeur cette transition, le parc offre plusieurs marches guidées vers des sentiers qu'il est assez difficile de découvrir par soi-même. Vérifiez l'horaire des marches vers **Tea Pail, Treebeard** ou le **lac Shady**. Si vous souhaitez progresser à votre propre rythme, deux sentiers permettent d'expérimenter cette transition. Une attrayante brochure fournit un relevé du sentier où l'on se guide soi-même vers le **ruisseau Mud** tout en indiquant différents points d'intérêt en cours de route. La tête du sentier se trouve sur la route des Narrows (et non pas au village comme l'indique erronément la principale carte du parc), à droite de l'aire de pique-nique sur une jolie petite plage qu'utilisent les canoteurs. Cette marche est extrêmement plaisante et permet de se déplacer des bosquets de trembles à une zone humide où le ruisseau se jette dans le lac. J'ai été ravie d'apercevoir des lépidoptères à la robe carrelée noire et blanche s'agripper à des épilobes à feuilles étroites. On y observe de superbes perspectives sur le lac Waskesiu de même que sur les zones où le castor est actif. Un certain nombre d'arrêts en cours de route correspondent fort bien à la brochure et soulignent des coupes effectuées par les castors, des restes d'incendies et la succession des arbres, des aulnes aux trembles et aux épinettes.

Le sentier s'élève juste assez pour permettre une vue d'ensemble de la vallée des eaux de fonte où serpente lentement le ruisseau Mud jusqu'au lac. Il s'agit d'un excellent sentier en raison de la variété de ses habitats, de son ouverture et (peut-être à cause du vent) de son absence totale de maringouins.

Le **sentier Kingfisher**, qui court lui aussi le long de la rive sud du lac Waskesiu, en est un autre qu'on emprunte si l'on veut faire de l'exploration personnelle. Long d'environ 13 kilomètres, il faut compter environ 4 heures et demie pour le parcourir d'un bon pas. Il n'existe pas de brochure explicative à son sujet; mais, si vous avez déjà lu quelques-unes des brochures du parc ou avez participé à des marches guidées, vous pourrez sans doute suivre les transitions dans l'habitat depuis les forêts de trembles à l'habitat marécageux des castors à la forêt boréale, puis de nouveau en sens inverse. Il ne s'agit pas d'une excursion difficile. Le sentier commence derrière le Centre d'interprétation sur un trottoir de planches et ne s'éloigne jamais vraiment du rivage. On peut fort bien observer les oiseaux depuis ce sentier. Lors de mon séjour, j'y ai aperçu trois espèces de fauvettes, deux espèces de moineaux et quelques mésanges.

*En marchant dans le calme du soir, visiteurs et résidents
peuvent s'observer mutuellement.*

Un secteur particulièrement intéressant de ce sentier : une
éclaircie qui s'ouvre à proximité du rivage. Il y a là une salière
naturelle pour les animaux, une grande tache de boue collante et
grise que surplombe le trottoir de planches. Lors de mon séjour,
celle-ci était entièrement couverte de pistes d'animaux, sans doute
des orignaux et des wapitis.

La forêt boréale

La forêt boréale croît dans le parc national de Prince-Albert parce
que ce secteur du parc bénéficie de plus de pluies que les prairies
environnantes et qu'on y trouve une température moyenne plus
basse et moins d'évaporation. La moitié nord du parc bénéficie de
conditions particulièrement humides et recèle bien davantage de
lacs, d'étangs et de torrents que la moitié sud. Des tourbières se
forment dans toute région qui se draine mal, mais une forêt
boréale poussant là où des glaciers ont creusé des millions de bols
qui captent des eaux qui ne peuvent être drainées représente pour
elle un endroit de prédilection.

Dans le parc, un sentier où l'on se guide soi-même, **Boundary Bog**, mène à travers la forêt d'épinettes environnante, le long
d'une marmite glaciaire et d'un lieu où se rencontrent les loups,
jusqu'à une tourbière où l'on peut en apprendre long sur l'histoi-

re géologique, la flore et la faune de cet endroit. Ce sentier se trouve à proximité de la route 264, à environ 15 minutes en voiture à l'est du village. Il s'agit de l'un des meilleurs sentiers où l'on se guide soi-même que j'ai empruntés. Ce sentier dispose de sa propre brochure axée sur 13 endroits numérotés en cours de route. On peut observer et même entendre la transition qui s'effectue de la forêt de trembles à une forêt largement constituée d'épinettes et passant par une zone où les deux essences sont entremêlées. On apercevra de superbes secteurs où le sol est recouvert de différentes espèces de mousses et de lichens. À certains endroits, les sphaignes croissent à profusion et, en d'autres endroits, les mousses se mêlent à la cladonie.

Les endroits les plus humides recèlent des orchidées: on y aperçoit des calypsos, des habénaires hyperboréales, des spiranthes de Romanzoll et des habénaires à feuilles orbiculaires entre autres. En se rapprochant de la nappe d'eau au centre de la fondrière, on apercevra des sarracénies pourpres, une plante carnivore.

Histoire humaine

Au **lac Ajawaan**, la **cabane de Grey Owl** existe encore de nos jours, de même que l'abri de castors qui, jadis, pénétrait à l'intérieur. Il est impossible de s'y rendre en voiture: il faut, en effet, entreprendre une excursion de 19,5 kilomètres. Cette marche est assez aisée le long de la rive du **lac Kingsmere**, et on trouvera en cours de route des espaces réservés au camping. Le dernier terrain de camping se trouve à la périphérie nord du lac Kingsmere et il faut encore marcher 3 kilomètres pour atteindre le lac Ajawaan et la cabane elle-même. On peut, bien entendu, traverser le lac Kingsmere en canot ou en bateau et marcher les trois derniers kilomètres pour visiter la cabane.

Protection spéciale dans le parc

Le parc protège trois importantes formes de vie qui ne sont malheureusement pas accessibles à la moyenne des visiteurs. Il s'agit du secteur où se reproduit le pélican blanc à la limite nord-ouest du parc. Les seules personnes qui s'y rendent sont celles qui sont impliquées dans la surveillance de son statut. Mais gardez l'oeil ouvert: si vous vous promenez en canot ou marchez le long de n'importe quel lac dans le parc, il est possible que vous en aperceviez un troupeau enfonçant leurs becs à l'unisson lorsqu'ils rassemblent les poissons et les tirent de l'eau.

Portage sur rails vers le lac Kingsmere.

Le parc protège aussi une zone de véritable prairie de fétuques. On en aperçoit de petites plaques dans le coin sud-ouest du parc. Si vous êtes particulièrement intéressé et que vous disposez du temps et de l'endurance nécessaires à une excursion en boucle de plusieurs kilomètres, vous pouvez obtenir auprès des gardiens ou d'autres membres du personnel des informations détaillées sur l'endroit où se trouve cette prairie.

Les mammifères constituent la troisième forme de vie qui bénéficie d'une protection spéciale dans le parc. Ceci peut paraître aller de soi, mais il faut se souvenir que Prince-Albert est l'un des rares environnements qui ne soient pas dérangés dans cette partie de la province. Loups, ours, bisons, renards, loutres, pékans, blaireaux, aigles à tête blanche et gloutons s'y multiplient tous.

À cause de leur nature sauvage, il ne faut pas s'attendre à apercevoir plusieurs de ces animaux. Les premières et les dernières heures du jour sont les meilleures pour l'observation et, en évitant de faire du bruit tout en marchant lentement le long des sentiers qui longent les lacs, il y a de bonnes chances que vous aperceviez des castors, des orignaux ou des chevreuils, tandis qu'un porc-épic vous amusera en s'offusquant.

SERVICES ET COMMODITÉS

Programmes d'interprétation

Le parc offre un programme d'interprétation actif. Au cours de l'été ont lieu des marches guidées le long de sentiers courts mais intéressants tandis qu'on présente des diaporamas chaque soir au terrain de camping Beaver Glen et tous les dimanches soir au terrain de camping Narrows. On présente aussi des événements spéciaux tels que des hurlements de loups, des bramements de wapitis, des randonnées en canot ou des observations d'étoiles. On y offre de plus des programmes à l'intention des enfants. Dans un cas comme dans l'autre, on peut vérifier les horaires sur les babillards des terrains de camping, du centre d'information ou du centre d'interprétation, ou se renseigner auprès d'un membre du personnel. Le feuillet du parc, *Wolf Country*, publie les horaires des événements de même que de courts articles intéressants sur l'histoire naturelle ou humaine du parc.

Camping

Il existe quatre terrains de camping dans le parc qui sont accessibles en voiture. Beaver Glen et Narrows sont les plus grands et les plus développés. **Beaver Glen** se trouve à quelques minutes de voiture du village et à environ 10 minutes de marche de la plage principale. Il dispose de 213 emplacements dans une zone forestière dense. Les emplacements se trouvent tous sur la lisière extérieure de chaque boucle et l'intérieur est donc constitué d'une forêt intacte. Ce facteur augmente de beaucoup le sentiment de naturel et d'intimité qu'on ressent dans ce terrain de camping. Celui-ci dispose d'abris pour la cuisine munis de poêles à bois et de bois de chauffage. On y trouve des salles de bains et des douches de même que des robinets indépendants; mais, dans un cas comme dans l'autre, il m'a semblé qu'ils étaient très éloignés les uns des autres et qu'ils desservaient chacun un nombre inhabituellement élevé d'emplacements. Chaque emplacement dispose d'une grille à cuisson et d'une table à pique-nique et on y trouve du bois de chauffage dans plusieurs dépôts. Il n'y a pas de raccords pour les roulottes; mais, un poste de vidange est à leur disposition. Ce terrain possède, au village, une section réservée aux caravanes. Celle-ci occupe une pelouse et dispose de 153 emplacements où les caravanes sont simplement cordées. Cette section semble être occupée très rapidement, car son principal attrait vient de ce qu'elle se trouve de l'autre côté de la route, immédiatement en face de la plage principale et à deux pas de toutes les autres activités du village. Cette section est entièrement équipée pour les caravanes.

Le **terrain de camping Narrows** se trouve à environ une demi-heure de route du village sur la rive sud du lac Waskesiu. Le site est beaucoup plus naturel que celui de Beaver Glen. Certains emplacements sont à proximité du rivage. Le terrain est légèrement boisé et les emplacements sont assez rapprochés les uns des autres. On y trouve des toilettes à chasse d'eau, des robinets d'eau froide sur place, de même que des robinets tout autour du terrain. Grilles à cuisson, tables à pique-niques et bois de chauffage sont disponibles. La marina de Narrows se trouve à proximité avec ses entreprises de location de canots et de bateaux, sont petit casse-croûte, sa zone de pique-nique gazonnée. On peut y pêcher le long des rives.

Camping collectif

On peut pratiquer le camping collectif à proximité de la zone de camping du **lac Trappers**. Les groupes doivent réserver au préalable en écrivant au surintendant du parc.

Autres terrains de camping

Namekus est un terrain de camping accessible en voiture. Situé juste à l'est de la route 263, ce terrain dispose de 21 emplacements le long des rives. L'eau potable provient du lac. On y trouve des toilettes sèches, des grilles à cuisson, des tables à pique-nique et du bois de chauffage. Le **terrain de camping du lac Sandy**, situé du côté ouest de la route 263, dispose lui aussi d'emplacements (il y en a 26) à demi aménagés sur les rives. Il est pourvu de tables à pique-nique, de grilles à cuisson, de bois de chauffage, de toilettes sèches et d'eau provenant du lac.

Le **terrain de camping du lac Trappers**, du côté est de la route 263 juste au sud de Namekus, offre 5 emplacements sauvages disposant de bois de chauffage, de grilles à cuisson, de toilettes sèches et de tables à pique-nique. Il existe en outre un certain nombre d'emplacements primitifs qui ne sont accessibles qu'à pied ou en canot. Ceux qui sont le plus faciles d'accès se trouvent à l'extrémité sud du **lac Kingsmere**, à 30 minutes de marche seulement du terrain de stationnement le plus proche. Les autres emplacements indiqués se trouvent le long des routes de canots et des sentiers de l'arrière-pays. La plupart disposent de toilettes sèches, de bois de chauffage, de grilles à cuisson et de caches à l'épreuve des ours pour la nourriture. Tous se trouvent sur les rives. Les usagers doivent s'enregistrer auprès des gardiens ou des autres membres du personnel et empaqueter tous leurs détritus.

Autres agréments, essence, nourriture et approvisionnements

Le village de Waskesiu offre tout l'éventail de motels, d'hôtels et de cabines. On peut se renseigner à ce sujet en écrivant à la Chambre de commerce de Waskesiu.

Le village dispose d'à peu près tout ce dont le visiteur pourrait avoir besoin. On y trouve des restaurants, une buanderie, des boutiques de souvenirs, une pharmacie et un cinéma. La ville de Prince-Albert n'est qu'à 100 kilomètres du village et dispose de tout l'éventail des produits nécessaires.

Loisirs

Aménagements pour les handicapés   Le sentier Tea Pail est un court sentier panoramique le long de la rivière Waskesiu à l'usage des fauteuils roulants. On peut connaître sa location exacte en se renseignant auprès du personnel.

Excursions   De pair avec les sentiers qui servent à l'interprétation ou aux marches le long du lac Waskesiu, il existe de nombreux autres sentiers dans l'arrière-pays, surtout dans le secteur sud-ouest du parc. On peut se renseigner auprès du personnel sur l'état de ces sentiers.

Canotage   Ce parc se prête très bien aux excursions en canot, qu'elles soient longues ou courtes. On peut louer des canots aux marinas des lacs Hanging Heart et de Narrows, de même qu'à la marina principale qui se trouve à une dizaine de minutes de voiture du village sur la route qui longe la rive nord du lac Waskesiu. Il existe des routes de canots qui, partant du lac Kingsmere, empruntent plusieurs boucles et passent de petit lac en petit lac et où il faut portager, de même que par les lacs Crean et Hanging Heart. On peut aussi pratiquer le canotage sur les lacs Namekus, Trappers, Shady et Sandy.

Navigation   Les embarcations dont le moteur développe au maximum 40 chevaux-vapeur sont permises sur le lac Kingsmere; il n'existe aucune restriction sur les lacs Waskesiu, Hanging Heart et Crean. À chacune des trois marinas on peut louer des embarcations munies de moteurs de 10 et 20 chevaux-vapeur. On peut louer des pédalos à la plage du village et entreprendre des promenades à partir d'une rampe de mise à l'eau.

Natation Durant l'été, on peut nager sous surveillance dans la principale aire d'utilisation diurne de Waskesiu. Il est permis de nager dans tous les lacs sauf dans le lac Lavallée.

Golf Le village dispose d'un parcours de 18 trous. On peut louer l'équipement à la boutique et il y a un restaurant.

Cyclisme On peut louer des bicyclettes aux stations-service locales. Attention aux panonceaux.

Équitation Des balades à cheval sont offertes par une écurie locale. Gardez l'oeil ouvert pour les indications.

Pêche Il est nécessaire d'obtenir un permis des parcs nationaux si l'on veut pêcher le brochet, le vairon et la truite. On peut s'informer auprès du personnel ou des boutiques du village sur les limites, les lacs ouverts à la pêche, etc.

Sports d'hiver L'hiver est une saison très active dans le parc. Le camping est possible dans plusieurs emplacements qui disposent d'abris pour la cuisine et de toilettes aménagés pour cette saison. Le parc compte plusieurs pistes pour la raquette et d'autres de plus de 100 kilomètres pour le ski de fond. La plupart commencent au village. Il est permis de pratiquer le ski de fond dans l'arrière-pays. Les skieurs doivent s'enregistrer à l'arrivée comme au départ. On peut obtenir, en écrivant au surintendant, la brochure portant sur les activités du parc en hiver ou obtenir, en téléphonant, les renseignements les plus pertinents. Le village offre des aménagements commerciaux et un magasin d'approvisionnement à proximité. On peut louer des skis au lac McPhee, à une courte distance du village.

POUR DE PLUS AMPLES INFORMATIONS

Le surintendant,
Parc national de Prince-Albert,
C. P. 100,
Lac Waskesiu, Saskatchewan,
S0J 2Y0

Tél.: [306] 663-5322

La Chambre de commerce de Waskesiu,
Waskesiu, Saskatchewan.

Tél.: [306] 922-3232 (en hiver)
663-5410 (en été)

MONT RIDING

Le Mont Riding est à la fois un lieu de rencontre et un refuge. Situé dans le centre-sud du Manitoba, à proximité du centre géographique du Canada, il occupe une superficie de 2978 kilomètres carrés. La flore et la faune de trois zones écologiques habitent le parc où toutes les espèces sont protégées et à l'abri des modifications radicales que la population a imposées à la majeure partie du sud du Manitoba.

Le Mont Riding occupe l'Escarpement manitobain, un banc incliné de schiste silicieux, sorte de roc sédimentaire plus dur que le calcaire environnant. L'escarpement s'étend jusqu'au nord de la Saskatchewan où il forme des régions similaires de hautes terres; au Manitoba, il possède ses propres caractéristiques et son propre nom: le mont Riding. Par rapport aux plaines qui s'étendent de tous côtés, il s'agit bel et bien d'une montagne. Sa crête la plus élevée, du côté nord-est, atteint une altitude de 756 mètres, ce qui en fait le troisième sommet de la province.

COMMENT VISITER LE PARC

Les trois zones écologiques du parc sont les suivantes: la forêt caduque à l'est, qui comprend des érables du Manitoba et des chênes à gros fruits; les plaines de trembles où s'entremêlent forêts et prairies; et la forêt boréale d'épinettes blanches et de pins baumiers. Chaque zone écologique est accessible en voiture. On y trouve des sentiers où l'on se guide soi-même, des écriteaux dans les aires de stationnement le long de la route et, au village de **Wasagaming**, un centre d'interprétation.

Il est important de se souvenir que les trois zones écologiques du Mont Riding s'entremêlent. Il pourrait difficilement en

181

aller autrement dans une région qui sert de croisée des routes à différentes espèces végétales et animales. Bien que chaque sentier ou site appartiennent à l'une ou l'autre zone, chacun permet d'observer une variété d'habitats.

La zone boréale

On peut atteindre les régions surtout constituées de forêt boréale en se dirigeant vers le nord depuis le village de Wasagaming par la route 10 ou vers l'est par la route 19. Si vous empruntez la route 10, arrêtez-vous au **lac Moon**. Vous y trouverez un petit terrain de camping, si jamais vous décidez d'y demeurer quelque temps. Il s'agit là du coeur de la zone de la forêt boréale du nord du parc. Une exposition portant sur la forêt boréale de même qu'un court sentier où l'on se guide soi-même vous aideront à l'explorer.

À l'est du village, deux sentiers s'enfoncent à travers la végétation boréale. Les sentiers Arrowhead et Brûlé sont situés à proximité du terrain de camping du lac Katherine. Le sentier **Arrowhead**, long de moins de 3 kilomètres, permet d'observer les épinettes qui gagnent du terrain sur les trembles. On peut aussi y observer des traces de l'histoire glaciaire de la région. Des rochers de granit dénudés ne peuvent y avoir été apportés que par les glaciers depuis leur lieu d'origine du Bouclier canadien à plus de 200 kilomètres. Les étangs de la région sont des marmites, aussi connues dans les prairies sous le nom de chaudrons, formées au moment de la fonte de blocs de glace laissés là par les glaciers au moment de leur retraite. Cet endroit est un paradis pour les castors.

Le **sentier Brûlé** permet d'observer comment la forêt boréale se remet d'un incendie. Ce sentier traverse, en effet, une région d'épinettes et de pins gris qui a été entièrement incendiée en 1929 et en 1957 et, partiellement, en 1971. La brochure qui traite de ce sentier explique combien de temps il faut à une forêt comme celle-ci pour se remettre et de quelle façon elle a été affectée. Certains secteurs, le long du sentier, sont constitués d'une forêt d'épinettes dense et sombre. Si vous empruntez le sentier secondaire vers le **lac Kinosao**, vous découvrirez encore une fois la forêt boréale, mais en partie carbonisée. Les rives du lac sont tranquilles et magnifiques. On y trouve un petit secteur couvert de joncs avec un trottoir en planches. Faites attention à ne pas glisser lors des premiers pas: ce segment se trouve ombragé par la forêt et il est humide, mousseux et glissant. Le dernier segment du sentier traverse une petite zone de fétuques. Il s'agit d'un bon endroit pour observer des fleurs des prairies typiques. Le **sentier de la rivière Rolling** permet d'observer d'encore plus près que le sentier Brûlé les effets des incendies. En 1980, un important incendie a ravagé plus de 186 kilomètres carrés de la partie est du parc. Cet incendie ne put être maîtrisé qu'au bout de quelques semaines. Ce court sentier vous permettra d'étu-

Rose des prés.

dier les photographies et les textes qui décrivent les techniques de combat contre les incendies telles que bombardement à l'eau, contre-feu ou creusage de barrières. Le sol est recouvert de la première nouvelle végétation: des épilobes à feuilles étroites et des castilléjies écarlates particulièrement superbes.

Le personnel du parc a tracé, dans une autre partie de la forêt boréale, un court sentier très particulier, le **Ma-ee-gun**, conçu à l'intention des handicapés visuels. Long d'un peu plus d'un demi-kilomètre, il commence à la route 10, environ 6,5 kilomètres au nord du village. Il s'agit d'un sentier en boucle fait de copeaux de bois. Des planches disposées dans le sentier servent à distinguer chaque site d'interprétation. Un prospectus en caractères plus grands que la moyenne décrit ce qu'on peut y observer et indique le nombre de pas qui séparent les différents endroits. Les visiteurs sont invités à toucher l'écorce d'arbres mis à nu par les wapitis qui s'y frottent, à saisir les branches piquantes des conifères ou à rouler entre leurs doigts le terreau moite et riche. On peut obtenir au centre d'information ce prospectus ou s'informer de l'état du sentier.

Si l'on veut avoir une vraie bonne idée des variations du terrain et de l'habitat de l'**Escarpement manitobain**, qui est à la base de la zone boréale, on peut se joindre à l'une des caravanes guidées par des interprètes jusque dans la région du **ruisseau Wilson**. Pour ce faire, il faut vérifier les horaires et s'inscrire rapidement. Il s'agit d'une des caravanes de voitures les plus

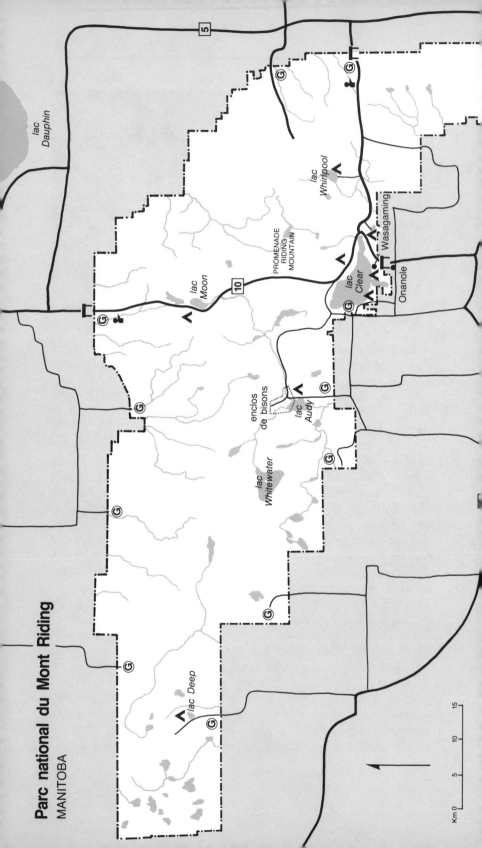

Parc national du Mont Riding

MANITOBA

lac Dauphin

lac Whirlpool

lac Moon

lac Clear

Wasagaming

Onanole

PROMENADE RIDING MOUNTAIN

enclos de bisons

lac Audy

lac Whitewater

lac Deep

Km 0   5   10   15

intéressantes auxquelles j'ai participé. La région est surtout parcourue par des excursionnistes de l'arrière-pays parce qu'il n'est habituellement pas permis aux voitures d'emprunter les étroites routes d'incendies.

La forêt caduque de l'est

Le **sentier Burls and Bittersweet**, où l'on se guide soi-même, offre ce qu'il y a de mieux dans ce genre de forêt; on l'emprunte à l'extrémité est du parc, à proximité de la route 19. Dans le sud du Manitoba, on ne trouve que rarement des espaces occupés par la forêt caduque de l'est puisqu'elle a été presque entièrement détruite lorsqu'on a pratiqué des éclaircies pour l'agriculture. On peut observer cependant à cet endroit un riche résidu de cette zone écologique complexe. Le sentier est orienté vers le **ruisseau Dead Ox**, un torrent bien plus beau que son nom ne l'indique. Dans la forêt environnante, on trouve un mélange de vignes, de buissons de baies, de champignons, de moisissures et de fleurs. La brochure vous aidera à identifier l'herbe à la puce. Au-dessus de nos têtes, les ormes, les chênes, les érables à épis et les frênes forment un dais.

Les **sentiers Oak Ridge et Beach Ridge** traversent eux aussi d'importantes végétations caduques. On trouvera le long du sentier Beach Ridge des écriteaux interprétatifs qui expliquent la formation de l'habitat et du terrain.

Terrain parsemé de trembles et marmites des prairies

Les prairies de fétuques, ouvertes et dures, parsemées de bosquets de trembles et de forêt boréale mixte, longent le rivage à l'est du **lac Audy**. On trouvera dans cette région un terrain de camping et un enclos de bisons où un petit troupeau d'une trentaine de bêtes, mâles et femelles, est conservé à des fins de reproduction et d'exposition.

Il n'existe à proprement parler aucun sentier balisé dans la région immédiate, mais on peut vagabonder dans le secteur des prairies. Des autobus quittent quotidiennement le village de Wasagaming pour l'enclos de bisons où l'on peut se joindre à des caravanes de voitures ou à des marches menées par des interprètes. J'ai participé à l'une de ces marches et j'ai été fascinée d'apprendre comment la flore et la faune doivent s'adapter dans un environnement tel que celui des prairies.

Si l'on veut avoir une idée d'ensemble de ce qui est survenu à la partie des prairies qui entoure le parc, il faut visiter la **tour**

Agassiz. Elle se trouve à environ 6,5 kilomètres de la limite nord du parc sur la route 10. La tour se dresse à la périphérie de l'Escarpement manitobain et on peut y observer une immense courte-pointe de terres agricoles.

Le Manitoba est célèbre pour ses milliers de marmites des prairies, ces lacs de toutes les dimensions qui se sont formés lors de la retraite des glaciers. Ces lacs représentent des havres pour les oiseaux aquatiques, les poissons, les autres espèces d'oiseaux et les insectes. Le Mont Riding recèle des douzaines de marmites; le parc est l'un des rares endroits dans les secteurs habitables du Manitoba où elles n'ont été ni drainées ni retournées. Le **marais Ominik** représente le meilleur endroit où en voir une; celui-ci se trouve à la périphérie du village, à proximité de Wasagaming Drive, du côté sud de la route de Boat Cove. Un petit torrent alimente et draine le marais et un trottoir de planches longe ses rives selon un cercle approximatif. On peut s'y joindre à une marche guidée; en s'y rendant tôt le matin ou tard en soirée, on peut en écoutant et en observant apprécier les particularités de ce magnifique environnement.

SERVICES ET COMMODITÉS

Programme d'interprétation

Au Mont Riding, on s'est beaucoup préoccupé des aménagements à l'usage des handicapés. En plus de Ma-ee-gun, le sentier où l'on se guide soi-même à l'intention des handicapés visuels, on y trouve le Lakeshore Walk, qu'on peut emprunter en fauteuil roulant. Une brochure du parc indique les aménagements qui sont accessibles en fauteuil roulant. On peut l'obtenir en écrivant au parc ou en la demandant soit au kiosque à l'entrée du parc, soit au centre des visiteurs.

Le parc offre une gamme complète et variée d'événements interprétatifs. Les horaires en sont disponibles aux kiosques situés aux points d'entrée, au centre des visiteurs, au centre d'interprétation et sur les babillards des terrains de camping. Les événements sont présentés à différents endroits dans le parc, de façon à correspondre aux intérêts et aux horaires de la plupart des visiteurs. Un musée-centre d'interprétation occupe le milieu du village. Le centre comprend un cinéma où il est possible de choisir sur une liste le film qu'on désire voir. J'en ai visionné un qui portait sur Grey Owl qui a passé une saison dans le parc en 1931, de même qu'un autre qui traitait des ours qui habitent dans les parcs nationaux.

La frontière des fétuques et des herbes sert de transition entre les prairies et la forêt.

Camping

Il existe cinq terrains de camping accessibles en voiture dans le parc. **Wasagaming** est situé dans le village et dispose de toute une gamme d'aménagements. On y trouve 86 emplacements équipés de triples raccords pour les caravanes et 72 emplacements qui ne sont équipés que d'électricité. Ce terrain comprend en outre 277 emplacements munis de tables de pique-nique, de grilles à cuisson, de robinets pour l'eau, de bois de chauffage et de salles de toilettes comportant toilettes à chasse d'eau et douches. On y trouve de même des abris pour la cuisine.

Le **terrain de camping du lac Katherine** est à 5 kilomètres à l'est du village sur la route 10. Ce terrain dispose de 108 emplacements situés dans une forêt mixte de trembles et boréale. Le sol en est légèrement accidenté et se trouve en bordure du lac Katherine, qui dispose de sa propre aire de pique-nique et qui constitue un excellent endroit pour les canoteurs débutants. Plusieurs pistes où l'on se guide soi-même, les sentiers Arrowhead, Evergreen et Brûlé, commencent à proximité de ce terrain de camping et d'autres, comme le sentier de l'île Loon, longent le lac. Le terrain de camping dispose de salles de bains où l'on trouve des toilettes à chasse d'eau, de l'eau chaude et froide, mais pas de douches. Les emplacements sont tous pourvus de grilles à cuisson et de tables de pique-nique et on trouve du bois de chauffage dans des dépôts. Des robinets servent à tous les deux ou trois emplacements. Un théâtre en plein air y présente des programmes en soirée.

Le **terrain de camping Whirlpool Walk-in** est, lui aussi, situé à l'est du parc, sur la route 10. L'aire de stationnement n'est qu'à environ 100 mètres du terrain lui-même, un espace herbeux sur la rive du lac. Ce terrain paraît peu fréquenté et très tranquille. Il ne dispose que de 15 emplacements. On y trouve un abri pour la cuisine, des toilettes sèches, des grilles à cuisson et du bois de chauffage. On peut se servir d'eau du lac ou d'eau de puits.

Le **terrain de camping du lac Moon** est similaire à celui du lac Whirlpool, mais on y accède en voiture. Il se trouve à proximité de la limite nord du parc, sur la route 10. Ce terrain compte 29 emplacements dans un environnement de forêt mixte. On y trouve des robinets d'eau froide, des toilettes à chasse d'eau et sèches, des tables de pique-nique, des grilles à cuisson et du bois de chauffage.

Camping sauvage

On trouve des terrains de camping sauvage le long de 11 sentiers dans l'arrière-pays. La plupart ont de l'eau et sont équipés de grilles à cuisson et de bois de chauffage. Tous disposent de toilettes sèches. On doit s'enregistrer tant à l'arrivée qu'au départ. On peut se renseigner auprès des gardiens sur l'état des pistes, le niveau de danger d'incendie, les rencontres d'ours, etc.

Camping collectif

Il existe deux terrains de camping collectif dans le parc, l'un est pour le camping à proprement parler, l'autre est équipé de dortoirs. On pourra en savoir davantage sur les détails de ces aménagements en écrivant au surintendant. Il est nécessaire de réserver.

Autres agréments, essence, nourriture et approvisionnements

Le parc du Mont Riding bénéficiant de l'existence d'un village, on y trouve tout un éventail de chalets, d'emplacements pour les roulottes, de motels, d'hôtels, de restaurants, d'épiceries, de stations-service, de boutiques, etc. En écrivant au parc, on peut

Une grande marmite des prairies transformée en marécage luxuriant.

obtenir une liste complète des divers aménagements qu'on trouve à Wasagaming.

Loisirs

Excursions   Le parc offre un vaste éventail de pistes, depuis les courts sentiers où l'on se guide soi-même jusqu'aux longs sentiers de l'arrière-pays, en passant par les marches autour des lacs. Le parc dispose d'un excellent guide pour les sentiers et d'une brochure explicative à l'usage surtout des visiteurs de l'arrière-pays. On peut les obtenir en écrivant au parc ou encore les demander au centre des visiteurs ou au centre d'interprétation.

Natation   On peut nager sous surveillance tous les jours de la semaine à la principale plage de Wasagaming. Il existe plusieurs endroits où l'on peut nager sans surveillance dans d'innombrables lacs. Certains lacs recèlent le parasite qui cause une inflammation de la peau; on peut obtenir les dernières informations disponibles à ce sujet au centre des visiteurs.

Navigation   Les embarcations motorisées sont permises sur les lacs Clear, Audy et Moon. Les lacs Clear et Audy disposent de rampes de mise à l'eau, mais non le lac Moon, où l'on se sert, pour des raisons pratiques, d'embarcations que l'on peut transporter à bout de bras. On peut pratiquer le ski nautique sur les lacs Clear et Audy et louer des embarcations au lac Clear derrière les bureaux de l'administration du parc.

Canotage   Plusieurs lacs du parc conviennent au canotage, bien que les rivières soient souvent endiguées par les castors.

Pêche   La pêche est permise dans tous les lacs, mais les plus importants sont les suivants: le lac Clear pour le brochet rouillé, le brochet, le corégone et quelques truites des lacs; le lac Audy pour le grand brochet; les lacs Deep et Katherine pour la truite arc-en-ciel. Un permis de pêche des parcs nationaux est nécessaire. On peut se le procurer pour un montant symbolique au centre d'information, aux kiosques situés aux entrées du parc, auprès des gardiens du parc, ou dans les hameaux de Rossburn et d'Audy Lake, juste à l'extérieur des limites du parc. Le parc publie une brochure sur la pêche qu'on peut obtenir en écrivant ou en la demandant une fois sur place.

Golf   Le village dispose d'un parcours de 18 trous. On peut y louer des clubs et des voiturettes à la boutique. Le club est équipé de toilettes et on y trouve un restaurant.

Tennis   Il y a six courts de tennis à surface dure, équipés de toilettes. On paie un prix modique à un gardien. Les taux sont établis à l'heure, à la semaine ou à la saison.

Équitation   Deux écuries à proximité de Wasagaming louent des chevaux et mènent des excursions sur les sentiers. Ouvrez l'oeil pour les indications.

Sports d'hiver   Le personnel du parc dirige des excursions de camping hivernal dans l'arrière-pays, quelques fois par hiver. Il s'agit là d'une excellente occasion d'apprendre les diverses techniques que cela implique. On doit déjà posséder de l'expérience en camping estival. On obtiendra, en écrivant ou en téléphonant, les horaires, des renseignements sur la préparation, sur l'équipement requis, etc.

On peut pratiquer le ski alpin au mont Agassiz où l'on trouvera une auberge, une cafétéria, de l'équipement à louer, un télésiège, un remonte-pente et l'équipement nécessaire à la fabrication de neige. On peut aussi y louer des chalets. En écrivant au parc, on obtiendra une liste des concessionnaires.

Le ski de fond est extrêmement populaire dans le parc. On y entretient les pistes avec beaucoup de soin et, en s'enregistrant, on peut s'enfoncer dans l'arrière-pays. On y trouve un certain nombre de huttes équipées de poêles, de bois et de haches où l'on peut se réchauffer. Une excursion annuelle de 30 kilomètres devient de plus en plus en vogue dans le parc. En écrivant au parc, on peut recevoir la brochure portant sur le ski de fond, la raquette et la motoneige.

La pêche sous la glace du lac Clear est de plus en plus populaire; on y prend du grand brochet, du brochet rouillé, de la perche et du corégone. Les motoneiges enregistrées au parc peuvent effectuer des sorties sur le lac lorsque les conditions le permettent.

Il existe des terrains de camping hivernaux équipés de toilettes et d'abris pour la cuisine dans les aires d'utilisation diurne des lacs Moon, Whirlpool et Katherine.

POUR DE PLUS AMPLES INFORMATIONS

Le surintendant,
Parc national du Mont Riding,
Wasagaming, Manitoba,
R0J 2H0

Tél.: [204] 848-2811

Page précédente: *Un arbre géant permet de traverser un profond ravin de la forêt humide de Pacific Rim.*

En haut: *Les visiteurs du parc national de l'Île-du-Prince-Édouard passent à proximité de cette aire de nidification des cormorans à Pictou.*

En bas, à gauche: *Les lis sont communs à Yoho.*

En bas, à droite: *Ce rossolis insectivore fait partie de la flore typique des fondrières de Terra Nova.*

En haut, à gauche: *Il est facile de se renseigner sur les forêts successives au parc de la Mauricie.*

En haut, à droite: *Yoho représente un paradis pour plusieurs espèces d'orchidées.*

En bas, à gauche: *Les visiteurs, debout sur une digue de castors, peuvent observer l'habitation et l'étang des castors à Kouchibouguac.*

En bas, à droite: *Une maubèche branle-queue a fait son nid au milieu d'une fondrière de Fundy.*

En haut: *Le sentier des lacs Carthew mène à la zone alpine des lacs Waterton.*

En bas: *Forillon renferme toujours un centre de pêcheries.*

En haut, à gauche: *On peut apercevoir, dans les fraîcheurs du cap Breton, des papillons aux couleurs rutilantes.*

En haut, à droite: *Ces pots-de-fleurs témoignent de l'histoire géologique tourmentée de la baie Georgienne.*

En bas: *Des falaises hautes de mille mètres se dressent au-dessus de l'étang Western Brook, à Gros Morne.*

En haut, à gauche: *L'érosion due aux eaux apparaît clairement dans le canyon Maligne de Jasper.*

En haut, à droite: *Une araignée dévore une proie dans un vallon de Kouchibouguac.*

En bas, à gauche: *Une libellule en dévore une autre près d'un ruisseau de Kejimkujik.*

En bas, à droite: *Les pots-de-peinture et les lits d'ocre de Kootenay sont aisément accessibles de la route même.*

En haut: *Une piste de portage qui surplombe les chutes Virginia, à Nahanni.*

En bas: *À Banff, le sentier du lac Agnes offre un point de vue spectaculaire sur le lac Louise et le Château, situés tout en bas.*

En haut: *Le secteur de Pointe-Pelée constitue le terrain de reproduction situé le plus au nord pour la rare fauvette orangée.*

En bas: *La calme beauté d'Elk Island.*

LE PARC NATIONAL DE

PUKASKWA

L'un des parcs nationaux les plus récents, Pukaskwa*, procède toujours à des aménagements à l'intention des visiteurs. Le parc s'étend sur 1880 kilomètres carrés le long de la rive nord du lac Supérieur. La majeure partie de sa superficie comprend une forêt sauvage et des eaux glacées: le parc a en effet pour slogan: « Le rivage sauvage d'une mer intérieure. » Si l'on explore en canot les rivières sauvages ou la longue côte, ou encore si l'on marche le long du sentier Coastal Hiking, les particularités de Pukaskwa, si impressionnantes, apparaîtront clairement.

Pukaskwa comprend deux environnements principaux: les eaux du lac Supérieur et des rivières qui s'y jettent, et les forêts tant boréales que caduques, celles-ci comprenant des essences diverses. Ces environnements découlent d'une histoire géologique complexe où domine le granit du Bouclier canadien et où les épanchements de lave volcanique ajoutent une autre dimension.

Le lac Supérieur est la plus grande étendue d'eau douce de la planète. Sa profondeur et sa situation nordique rendent ses eaux extrêmement froides. Un lac de cette dimension se comporte de la même façon qu'un océan le ferait à cette latitude, exception faite des marées. La température qui y règne se montre extraordinairement erratique. Des orages et des brouillards terrifiants y apparaissent en quelques minutes, apparemment venus de nulle part, et le ciel se dégage tout aussi soudainement. Ses eaux froides exercent des effets importants sur la terre ferme: le lac refroidit l'air qui le survole et l'air humide qui se dirige vers la terre ferme détermine en grande partie le genre de faune et de flore qui peuvent y survivre.

---

* Se prononce Pi-ou-ka-sah.

La forêt boréale de Pukaskwa a été grandement affectée par le froid du lac. En juillet et en août, la température moyenne est de 7°C à 15°C. Il arrive qu'il y ait là des périodes chaudes et ensoleillées, mais la fraîcheur omniprésente et le sol mince du Bouclier canadien ont généré les conditions premières pour qu'existent les forêts d'épinettes denses et rabougries de la zone boréale. Certains endroits dans le parc sont si exposés aux vents froids et si dépourvus de terreau que des espèces arctiques ou alpines qu'on ne retrouve habituellement que 1000 kilomètres au nord y poussent.

Le parc ne recèle cependant pas uniquement un terreau mince et des vents. Les failles dans le roc peuvent résulter en dépressions superficielles où le sol s'amasse. C'est ce qui est arrivé dans le secteur de Hattie Cove où ont réussi à pousser des plaques de conifères et de forêt caduque de pins baumiers et de bouleaux blancs.

L'histoire de l'occupation humaine de la région demeure plutôt mince, mais on croit que des peuplades y ont fabriqué, il y a de 5 000 à 10 000 ans, les mystérieux Pukaskwa Pits. Ces fosses de pierre sont longues de 1 à 2,5 mètres et leurs murs sont hauts d'environ 1,5 mètre. Il semble que, le niveau du lac Supérieur étant plus élevé à cette époque, les fosses auraient été édifiées sur les rives. Servaient-elles d'observatoires ou d'abris pour les pêcheurs ou les chasseurs? Nul ne le sait vraiment. On en trouve une centaine dans le parc le long du littoral ou sur des plages de cailloux surélevées.

COMMENT VISITER LE PARC

Bien qu'il s'agisse d'un parc sauvage, ceux qui ne sont pas des amateurs d'excursions peuvent beaucoup apprendre au sujet du lac, de la nature et de la façon dont on voyage à l'intérieur du parc, en visitant le centre d'interprétation de Hattie Cove. On y trouvera aussi un terrain de camping, le sentier Southern Headland et une anse protégée où les familles peuvent pratiquer le canotage. Mais si l'on s'y rend spécialement à cause de la nature, il faut le faire avec beaucoup d'expérience du canotage et des excursions, beaucoup de temps devant soi, un bon équipement et beaucoup d'endurance mentale et physique.

Le centre des visiteurs de Hattie Cove

Hattie Cove se trouve à 20 kilomètres du village de **Marathon**, le centre administratif du parc. À Hattie Cove, on trouve un terrain de stationnement et un magnifique petit centre d'interprétation. Les expositions qu'offre le centre décrivent l'usage qu'ont fait du parc les humains et montrent l'équipement approprié pour le canotage et les excursions, de même que des photographies et des descriptions de la faune et de la flore sauvages.

Le **sentier Southern Headland** commence à l'extérieur du centre. À travers de petits bosquets d'essences mêlées, il mène jusqu'au littoral. Par la suite, le sentier aboutit à une plage de la **baie Horseshoe**

La flore réussit à survivre dans le terreau captif des anfractuosités du roc.

avant de revenir à travers une bande de forêt boréale. Il faut compter environ une demi-heure pour effectuer ce trajet. Celui-ci est aisé, varié et superbe. Je l'ai emprunté en compagnie d'un naturaliste qui m'a expliqué les points d'intérêt. Les petites mares d'eau douce qui se remplissent au cours d'orages le long de parties protégées des rochers du littoral étaient des plus fascinantes. On peut y apercevoir des libellules, des gerris et des espèces de plantes qui vivent dans des eaux immobiles que réchauffe le soleil estival. Elles ne pourraient jamais survivre dans les eaux froides et houleuses du lac Supérieur qui ne se trouve pourtant qu'à quelques mètres. Au cours des prochaines années, on aménagera d'autres courts sentiers dans le secteur de Hattie Cove.

Sentier Coastal Hiking*

Le sentier Coastal, tel qu'il existe de nos jours, court sur environ 59 kilomètres depuis le **centre de la nature de Hattie Cove** jusqu'à la **rivière North Swallow**. Éventuellement, le sentier s'étendra sur 100 kilomètres jusqu'à la **rivière Pukaskwa**, à la limite sud du parc. À l'occasion d'une excursion d'une journée, il est possible d'emprunter le premier segment du sentier au terrain de camping

---

* Je m'en suis remise, pour les informations portant sur le sentier Coastal Hiking, à l'expérience de David Kennedy. Il l'a emprunté tant à pied qu'en se faisant déposer en bateau au cours de l'été et de l'automne 1982. L'état du sentier peut fort bien avoir changé avant que les lecteurs ne s'y rendent.

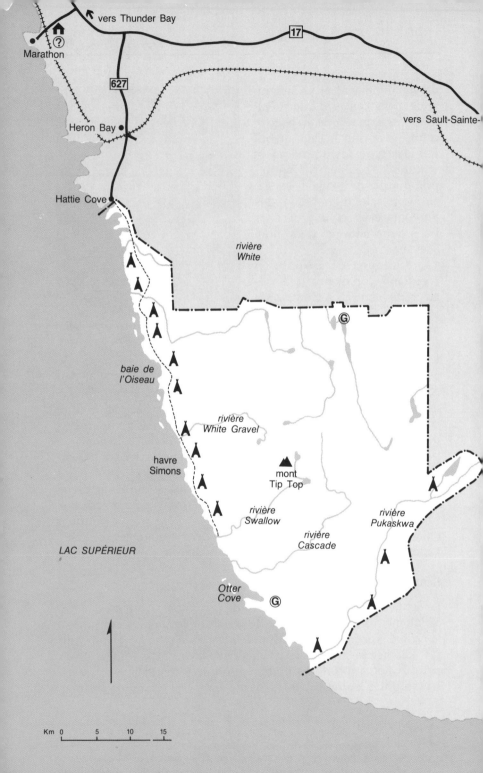

vers Thunder Bay

17

vers Sault-Sainte-

Marathon

627

Heron Bay

Hattie Cove

rivière
White

G

baie de
l'Oiseau

rivière
White Gravel

havre
Simons

mont
Tip Top

rivière
Swallow

rivière
Pukaskwa

rivière
Cascade

LAC SUPÉRIEUR

Otter
Cove

G

Km 0   5   10   15

Parc national de Pukaskwa
ONTARIO

de Hattie Cove et de se rendre jusqu'au premier emplacement de camping sauvage à la jonction de la **rivière White**. Il faut compter de trois à quatre heures dans chaque direction, mais on aura une bonne idée du littoral, du lac et de la forêt qui le borde. Les visiteurs plus intrépides peuvent expérimenter pleinement la nature sauvage en parcourant le sentier dans toute sa longueur, ce qui prend en moyenne sept jours dans chaque direction. La plupart des excursionnistes fixent leur but selon la durée de leur séjour. Il ne s'agit pas d'un sentier en boucle; ils progressent donc dans une direction, durant la moitié du temps dont ils disposent, puis reviennent sur leurs pas.

Le parc a l'intention d'équiper ce sentier sur toute sa longueur de ponts pour piétons jetés au-dessus des torrents importants et des rivières, de trottoirs de planches dans les secteurs fragiles et humides, et de marches dans les quelques endroits qui traversent des rochers abrupts et dangereux. En cours de route, on aménagera de nombreux terrains de camping sauvage. Le sentier est bien balisé et en bon état jusqu'à la **rivière Oiseau**. De la rivière Oiseau à la **rivière White Gravel**, le sentier est moins bien balisé. De la rivière White Gravel à la **rivière North Swallow**, le balisage et la surface du sentier s'améliorent grandement. Quel que soit le moment de l'année où on s'y rend en visite, il faut s'informer de l'état du sentier avec le personnel. En écrivant au surintendant, on pourra obtenir des brochures portant sur le sentier, des listes de cartes topographiques, et savoir quel est le genre d'équipement et d'expérience nécessaires pour un séjour dans la nature sauvage.

Voyage en canot le long des côtes

Ce voyage de 180 kilomètres permet de se rendre de l'une à l'autre limite du parc en passant par le **lac Supérieur**. Les gens commencent, pour la plupart, à Hattie Cove où ils stationnent et s'inscrivent. Le voyage prend fin à **Michipicoten Harbour**, juste à l'extérieur de **Wawa**. Une courte route mène de cet endroit à la route Transcanadienne. Certains retournent au parc sur le pouce. Si le groupe dispose de deux voitures, celui-ci peut en laisser une à chaque extrémité du parcours. Le voyage en canot le long des côtes présente des dangers potentiels : il faut toujours se prémunir contre le froid, le brouillard et les vents.

Le littoral étant échancré, il recèle plusieurs endroits où l'on peut camper ou attendre que le vent s'apaise. En fait, les canoteurs sont prévenus de s'attendre à devoir mettre le pied à terre un jour sur trois à cause du vent. Ce voyage nécessite toute l'habileté du canoteur sauvage: sens de l'orientation, endurance, bonne planification et équipement approprié. Les visiteurs devraient écrire au préalable au surintendant de façon à obtenir des informations, des cartes, des possibilités de transport, etc.

Route de canot de la rivière White

Voilà la bonne manière d'explorer les forêts et les rivières de Pukaskwa. Cette route est longue de 184 kilomètres; elle commence au **parc provincial du lac White**, mais aboutit au **lac Supérieur** à proximité de Hattie Cove. La rivière White était une route de voyageurs; elle traverse des marais, des forêts boréales et des secteurs dénudés du Bouclier canadien. Il faut plusieurs fois portager puisque rapides, digues et chutes ralentissent la progression. Ce voyage dure en moyenne de 5 à 7 jours, car le segment du lac Supérieur risque d'apporter quelque retard à cause de la mauvaise température. En écrivant au surintendant, on pourra obtenir la brochure qui traite de cette route et le nom de pourvoyeurs commerciaux et de guides avec qui on voudrait entreprendre le voyage.

SERVICES ET COMMODITÉS

Programme d'interprétation

Des interprètes renseignent les visiteurs au centre d'information de Hattie Cove et mènent de courtes excursions guidées.

Camping

On trouvera un terrain de camping de 67 emplacements à **Hattie Cove**. De ce nombre, 29 ne disposent que d'électricité. Les salles de bains comprennent douches, toilettes à chasse d'eau et eau chaude et froide. Les emplacements qui n'ont pas l'électricité disposent de tables de pique-nique, de grilles à cuisson, de bois, et de plate-formes pour les tentes. Ce terrain est densément boisé et les emplacements y sont séparés par des écrans de verdure. Il faut s'attendre à de nombreuses piqûres d'insectes.

Camping sauvage

Il existe plusieurs terrains désignés le long du **sentier Coastal Hiking** et de la **route de canot de la rivière White**. Ces terrains sont munis de toilettes sèches et on peut y disposer des cercles

Le rivage tourmenté de Hattie Cove.

pour le feu. Un poêle à gaz de camping risque de représenter la source de chaleur la plus fiable puisqu'il est possible que le bois ne soit pas sec.

Autres agréments, essence, nourriture et approvisionnements

On trouvera, dans le petit village de Heron Bay, à 5 kilomètres au nord du parc sur la route 627, un magasin général et une station-service. Le village de Marathon, au nord de Hattie Cove sur la route 627, offre un éventail de boutiques, d'hôtels, de motels, de stations-service, de restaurants, etc.

Loisirs

Excursions   La région de Hattie Cove offre des excursions courtes dans les environs et on y trouve le long sentier Coastal Hiking. Les excursionnistes doivent s'enregistrer à l'arrivée comme au départ.

Canotage   Bien que les principales routes de canot soient celle de la côte et de la rivière White, certains descendent la rivière Pukaskwa jusqu'à Otter Cove, sur le lac Supérieur. À Hattie

Un cerf à proximité de la route, photographié depuis une voiture.

Cove, le canoteur dépourvu d'expérience peut avironner une heure ou deux en toute sécurité à la vue du centre et à proximité du terrain de camping. S'ils empruntent les longues routes, les canoteurs doivent s'enregister à l'arrivée comme au départ.

Pêche On peut effectuer une bonne pêche dans le lac Supérieur et les rivières; selon la saison, on prendra de la truite, du brochet, du brochet rouillé, du saumon et du corégone. Un permis des parcs nationaux est requis. On peut l'obtenir au centre de Hattie Cove ou au bâtiment de l'administration, à Marathon.

COMMENT S'Y RENDRE

On peut atteindre Pukaskwa en voiture depuis la Transcanadienne, en autobus Greyhound ou par Via Rail. En autobus, on descend à Marathon; en train, à Heron Bay. Les canots peuvent être transportés à bord du train. On peut se rendre, par le biais de l'entreprise commerciale, à divers points de chute le long du sentier Coastal Hiking en bateau, mais la plupart des visiteurs préfèrent marcher dans les deux directions. Les canoteurs qui ont emprunté la rivière Pukaskwa jusqu'à Otter Cove ne peuvent y être cueillis qu'avec la permission du parc. En écrivant au surintendant, on obtiendra des renseignements au sujet des pour-voyeurs de moyens de transport à l'intérieur du parc.

POUR DE PLUS AMPLES INFORMATIONS

Le surintendant,
Parc national de Pukaskwa,
C. P. 550,
Marathon, Ontario,
P0T 2E0

Tél. : [807] 229-0801

ÎLES DE LA BAIE GEORGIENNE

La meilleure publicité dont ont bénéficié les Îles de la Baie Georgienne leur est venue des peintres du Groupe des Sept. Les arbres battus par les vents, le roc rose et dénudé de l'antique Bouclier canadien, les arbres dont les branches se dressent contre les vents dominants, les côtes torturées et les eaux claires et bleues sont bien connus de la plupart des Canadiens à cause des tableaux. Trois facteurs géologiques ont façonné les 67 îles ou parties d'îles dont se composent les 24 kilomètres carrés du parc national des Îles de la Baie Georgienne. Si l'on veut comprendre de quelle façon les îles en sont venues à être constituées d'une variété aussi exotique de formes et de dimensions, on peut imaginer que l'aire occupée par le parc est divisée tant entre le nord et le sud qu'entre l'est et l'ouest. Les îles qui se trouvent du côté est de la baie Georgienne reposent sur le roc dénudé du Bouclier canadien qui comprend du quartz, du granit et du gneiss. Ces îles sont âgées d'au moins 600 millions d'années. Mais la partie nord et la partie sud de ce côté de la baie ont subi des effets différents lors des glaciations, ce qui a eu des conséquences différentes sur leur faune et leur flore. Le secteur ouest du parc se trouve à l'extrémité de la péninsule de Bruce. Les îles y reposent sur du calcaire, lequel provient de l'une des mers intérieures qui couvraient une bonne part du centre de l'Amérique du Nord, il y a environ 400 millions d'années. Au cours des millions d'années d'existence de ces mers intérieures, les coraux et autres formes de vie contenant un pourcentage élevé de carbonate de calcium ont formé les sédimentations qui ont été par la suite compressées en différentes formes de calcaire. Le Bouclier canadien repose sous le

203

calcaire ; mais, dans la région de la baie Bruce, il se trouve à environ 450 mètres de profondeur. Dans la plupart des cas, le calcaire est coiffé par un roc plus dur appelé calcaire magnésien. Cette combinaison d'une strate de roc plus dur au-dessus d'un roc plus mou a produit les « pots » distinctifs de l'île Flowerpot.

COMMENT VISITER LE PARC

Il est relativement facile de constater les différences est-ouest et nord-sud en visitant plusieurs des terrains de camping et des aires d'utilisation quotidienne parmi les plus importants du parc. Tous ces endroits doivent être atteints par bateau ; mais, grâce aux services étendus de bateaux-taxis, aux visiteurs qui utilisent leurs propres embarcations et ceux qui ne rechignent pas à l'idée de conduire, il est tout à fait possible d'observer ces fascinantes variations en quelques jours de séjour.

Le parc comporte deux accès principaux : Tobermory et Honey Harbour. Ils sont séparés par près de quatre heures de voiture ; en bateau, ils sont aussi éloignés l'un de l'autre, et il faut traverser des eaux qui peuvent se montrer dangereuses. Les visiteurs devraient entreprendre leur séjour soit à Tobermory, du côté ouest du parc reposant sur le calcaire à l'extrémité de la péninsule de Bruce, soit à Honey Harbour, à l'est du parc, sur le Bouclier canadien. Ces deux villages disposent de marinas, de bateaux-taxis et de rampes de mise à l'eau pour les embarcations privées. Il est préférable de retourner sur la terre ferme à l'un ou l'autre village et de se rendre en voiture de l'autre côté du parc, compte tenu des risques encourus au cours d'un long déplacement en bateau.

L'île Beausoleil : le sud et le nord

J'ai entrepris mon séjour à Honey Harbour et on m'a transportée jusqu'au quartier général du parc, sur l'île Beausoleil, où l'on peut apercevoir l'un des meilleurs exemples de la différence entre les variations du nord et du sud du Bouclier canadien. La partie sud est constituée de till glaciaire ; il s'agit fondamentalement de dépôts de gravier formant un résidu glaciaire connu sous le nom de « drumlin ». Les débris laissés par les glaciers sont à la base du développement du sol et, éventuellement, du développement d'une forêt tout entière, ainsi qu'il paraît évident dans la partie sud de l'île. Dans la partie nord de l'île, par contre, les glaciers ont raclé le roc sans laisser de sable ou de gravier susceptibles de servir de base au sol. Celui-ci n'apparaît que dans les crevasses ou les ravins où se sont rassemblés à la longue des débris charriés par les vents, de même que des petits morceaux de gravier ou du sable résultant de l'érosion d'autres secteurs.

L'**île Southern Beausoleil** est formée de deux drumlins. Ils sont à la source de légendes amérindiennes fascinantes portant sur la fondation et la formation de la région par un antique géant. Trois sentiers de la partie sud de Beausoleil sont excellents pour observer l'histoire géologique de la région et la vie qui s'y est constituée.

Sabot de la Vierge.

L'un de ces sentiers mène à la pointe sud tandis que les deux autres sont de courts sentiers en boucle qui permettent de voir certaines particularités de la région. Tous trois commencent dans le secteur du terrain de camping de Cedar Spring.

Le **sentier Bobbie's** commence à l'arrière du bureau où s'enregistrent les campeurs du terrain de camping Cedar Spring. Ce sentier peut être parcouru dans son entier en 30 ou 40 minutes sans se presser. Il s'agit d'une boucle où l'on se guide soi-même ; on trouvera une brochure explicative dans une boîte au début du sentier ou en s'adressant au personnel. Le sentier traverse d'abord sur une courte distance une forêt de feuillus le long de la pente du drumlin.

Pour une bonne part, ce sentier traverse ensuite un marécage de thuyas. C'est une excellente région pour les fleurs et il n'est pas rare, en saison, d'apercevoir des cypripèdes souliers, une orchidée. Le long du sentier, on trouve des dépressions souvent remplies d'eau, surtout au début du printemps, et ce riche environnement humide s'avère excellent pour les oiseaux, surtout pour les fauvettes. Malheureusement, les maringouins aussi abondent.

Le **sentier Fire Tower** commence à 5 minutes de marche du centre des visiteurs. Long d'environ 1 kilomètre, on le parcourt lentement en 30 à 45 minutes. Tout en traversant la forêt, le sentier monte jusqu'à la crête du drumlin. On a une magnifique vue de la forêt de feuillus sur la gauche lorsque le sentier se

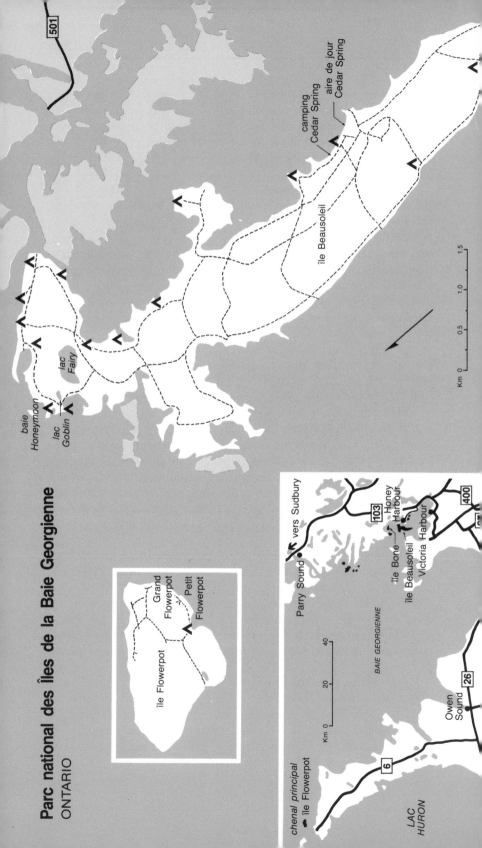

Parc national des îles de la Baie Georgienne
ONTARIO

501

baie
Honeymoon

lac
Goblin

lac
Fairy

camping
Cedar Spring

aire de jour
Cedar Spring

île Beausoleil

1,5

1,0

0,5

Km 0

Grand
Flowerpot

Petit
Flowerpot

île Flowerpot

chenal principal
île Flowerpot

vers Sudbury

Parry Sound

40

20

Km 0

103

Honey
Harbour

île Bone

île Beausoleil

Victoria Harbour

400

BAIE GEORGIENNE

6

Owen
Sound

26

LAC
HURON

rapproche de l'éclaircie de la tour de feu puis, de nouveau, lorsque le sentier emprunte un escalier rustique jusqu'au niveau du lac. Au bas des marches, on peut apercevoir des blocs erratiques, ces grandes pierres qu'y ont laissées les glaciers il y a des milliers d'années et qui paraissent incongrues sur ce terrain richement boisé.

Le **circuit de l'extrémité sud** change de nom à mesure que le sentier progresse. La première partie, qui commence à l'arrière du centre des visiteurs, s'appelle le **sentier Christian**. Je l'ai emprunté dans le sens inverse des aiguilles d'une montre, tout au long de la circonférence de ce parcours, on trouve des abris et des toilettes sèches, ce qui permet à un groupe de pique-niquer, de marcher à son gré, de patauger même quelque peu dans le lac. Le dernier segment du sentier, qui longe la bordure est de l'île en se dirigeant vers le centre des visiteurs, permet l'expérience la plus intense d'une forêt de feuillus qu'on puisse vivre dans le réseau des parcs nationaux de l'est du pays. Cette courte étendue est l'un des rares endroits où l'on puisse se faire une idée des forêts qui recouvraient jadis le sud de l'Ontario et du Québec.

L'**île Northern Beausoleil** présente un paysage tourmenté et rocailleux qu'a représenté le Groupe des Sept. Bien que cette région soit constituée de rocs dénudés du Bouclier canadien à l'instar des extrêmes limites du sud de l'île Beausoleil, les forêts ne peuvent y croître avec la même luxuriance que dans le sud. On trouve plutôt dans le nord des dômes, des monticules et des buttes de roc rose du bouclier, dont quelques languettes s'allongent dans le lac. La flore s'agrippe en s'enracinant dans les anfractuosités du roc de même que dans les crevasses créées par les glaciers ou par l'érosion due au vent, à la glace et à l'eau. La flore la plus imposante est constituée de pins blancs noueux dont les branches s'étendent souvent, sous le vent, à la façon d'étranges drapeaux. Le littoral, très irrégulier, comporte plusieurs anses qui représentent autant d'excellents endroits de mouillage pour les centaines d'embarcations qui s'y rendent au cours de l'été. Cette région ne se trouve qu'à 15 minutes en bateau-taxi de Honey Harbour et les personnes qui ne possèdent pas d'embarcations devraient trouver plutôt facile d'y passer un après-midi, ou encore quelques jours si elles sont équipées pour le camping.

Pour une marche de 2 ou 3 heures, il existe un sentier principal dont quelques enbranchements rejoignent plusieurs terrains de camping : ceux de Honeymoon Bay, de Sandpiper Bay et de Chimney Bay. Le sentier principal forme un cercle autour du **lac Fairy** et du **lac Goblin**, plus petit, qui se trouve à proximité.

Le sentier serpente sur du roc strié où l'on observe les traces du déplacement des glaciers. Les légères traces d'égratignure laissées par les glaciers de même que les stries sous forme de croissants formées lorsque les glaciers faisaient rebondir de grands rocs contre la surface résistante, marquent le roc du bouclier. On peut aussi y apercevoir des dykes de quartz qui, à l'état liquide, ont envahi les fissures dans le granit. Le sentier n'est pas d'un abord facile, surtout dans les secteurs de roc dénudé; il faut avoir l'oeil ouvert sur les petites balises de ciment dont le sommet est peint en jaune. Le sentier serpente parfois à travers des zones boisées où le terreau s'est formé dans les échancrures et qui sont de bons endroits pour observer des cypripèdes acaules, une orchidée. Les visiteurs ne devraient rien faire d'autre que regarder. Le simple fait de toucher une orchidée ou une autre plante fragile risque de les rendre susceptibles aux attaques de bactéries ou de petits animaux qui sont inéluctablement attirés par le sel que laissent inévitablement des mains humaines.

On peut aussi atteindre ce sentier depuis les terrains de camping situés beaucoup plus au sud le long de la partie est de l'île, y compris depuis le terrain de camping de Cedar Spring. Dans ce dernier cas, il faut compter de 4 à 5 heures de marche. Il pourrait s'agir d'une excellente excursion d'une journée, à condition de transporter suffisamment de nourriture. Il faut, en outre, bien suivre la carte et les indications.

L'île Flowerpot

Flowerpot est une destination populaire pour les visiteurs qui arrivent au parc depuis Tobermory. Il s'agit d'une île enchanteresse que son histoire géologique distingue facilement du côté est du parc, celui de Honey Harbour. Un sentier de 3 kilomètres commence à la zone d'accostage de **Beachy Cove** et une brochure dont on se sert pour se guider soi-même explique l'histoire naturelle de l'île. Pour suivre la brochure, il faut emprunter ce sentier dans le sens inverse des aiguilles d'une montre, mais, si vous ne disposez que de peu de temps, assurez-vous de voir les « pots de fleurs », ces colonnes coniques situées au bord de l'eau qui ont donné son nom à l'île. Le sentier dispose de quelques embranchements dont l'un mène à un phare en fonctionnement sur les falaises du coin nord-est de l'île, et dont un autre mène depuis le coin sud-ouest du sentier à un lit de marne et à la rive ouest de l'île.

E. Grant, Parcs Canada.

En mai, sur les terrains de camping, une bonne moustiquaire représente un avantage.

Du côté nord de l'île, des grottes s'ouvrent dans les falaises au-dessus du sentier. Ces grottes ont sans doute été formées par l'action des vagues qui atteignaient jadis ce niveau. Les visiteurs doivent s'enregistrer auprès du surintendant du parc avant de pénétrer dans l'une ou l'autre de ces grottes, exception faite de la grotte principale, laquelle est pourvue d'un escalier et de plates-formes d'observation.

Le corridor de cailloux qu'on traverse au cours de la marche de 10 minutes qui sépare le sentier principal des lits de marne sont une autre preuve du haut niveau des eaux de jadis. Les cailloux, arrondis par les vagues, constituaient la plage d'une petite baie qui comblais jadis les anfractuosités du terrain. Le lit de marne a lui-même été formé par les eaux de pluie qui coulaient le long des pentes environnantes en charriant des particules de calcaire qui ont formé, en se rassemblant, ce lit dense qui ressemble à de l'argile. Les eaux étant drainées très lentement à travers l'argile, l'étang a été formé.

La flore de l'île Flowerpot est, bien entendu, plutôt dépendante du type de sol disponible, c'est-à-dire de sa composition chimique et organique, de sa profondeur et de son inclinaison, de son taux d'humidité, etc. À cause de l'action glaciaire, le sol de l'île n'est profond qu'en quelques rares endroits. La flore ne peut donc s'enraciner profondément puisque les racines rejoignent le calcaire sous-jacent après quelques centimètres seulement ou, tout au plus, après un mètre. Le calcaire sous-jacent génère un sol très humide puisque les eaux ne peuvent s'échapper à travers lui. Ce sol frais, humide et peu profond forme un habitat ressemblant à celui d'une tourbière, ce qui est idéal pour des fleurs telles que les orchidées. Au cours de mon séjour, des douzaines d'orchidées calypso bordaient le sentier, tandis que j'ai pu voir des corallorhizes striées à la lisière de la pelouse du phare et, sur le **sentier Mountain**, des listères boréales et la rare orchis d'Alaska.

Avec une telle abondance d'orchidées, les photographes abondent. Je dois avouer ma stupéfaction devant le manque de respect pour l'habitat et les fleurs dont ont fait preuve certains photographes. Les orchidées que j'ai vues se trouvaient toutes le long du sentier principal et, bien qu'intactes pour la plupart, certaines fleurs parvenaient à peine à survivre au passage des photographes. Compte tenu de la variété des fleurs qu'on peut observer depuis le sentier, il me semble qu'un amour profond des fleurs rares devrait imposer qu'on ne piétine pas les zones les moins accessibles de sorte que les cycles de vie ne soient pas dérangés même si l'on désire plus que tout les photographier.

Cette excursion, comprenant le sentier en boucle et les embranchements vers le phare et les lits de marne prend tout au plus 2 h 30. On ne peut passer outre si l'on veut avoir une bonne idée de la diversité du parc. Et il s'agit tout simplement d'une merveilleuse expérience.

Autres centres d'intérêt

Les 67 îles étant éparpillées sur 150 kilomètres de côtes de la baie Georgienne, il est possible de visiter d'autres endroits que Beausoleil et Flowerpot. On peut s'informer auprès du personnel sur les endroits susceptibles d'être visités.

SERVICES ET COMMODITÉS

Programme d'interprétation

Le parc offre un programme d'interprétation actif de la mi-juin à la fête du Travail. Une attrayante circulaire est disponible aux bâtiments de l'administration de Tobermory et de Honey Harbour, au centre d'interprétation de Beausoleil, auprès de tout

Le phare de Cove Island: un élément vital de la sécurité aquatique.

membre du personnel en maraude, de même qu'à plusieurs restaurants, motels, boutiques, etc. Cette circulaire renseigne sur le lieu et le moment où sont présentés les événements interprétatifs. On offre souvent des marches guidées depuis le secteur du terrain de camping Cedar Spring; mais les naturalistes se déplacent aussi vers d'autres zones de camping où ils dispensent des causeries ou se contentent de rencontrer les gens de façon informelle et de répondre aux questions portant sur l'histoire naturelle et humaine du parc. On offre, à l'occasion, des expéditions au cours desquelles on observe à travers des masques les fonds marins; dans ce cas, l'équipement est fourni, de même que les embarcations, lors des excursions en canot.

Camping

Dans le parc, on ne peut camper que sous la tente; les visiteurs ne peuvent rouler dans quelque secteur du parc que ce soit. On n'y accède que par bateau, qu'il s'agisse d'une embarcation privée ou d'un bateau-taxi. Il existe plusieurs endroits où l'on peut jeter l'ancre, accoster à un quai ou tirer son embarcation sur le rivage; on trouve aussi des quais à l'intention des bateaux disposant de leur propre aménagement intérieur. La liste des tarifs, tant pour

le camping que pour l'amarrage, s'obtient auprès du surintendant.

Le plus grand terrain de camping, celui de **Cedar Spring**,
dispose de 87 emplacements partiellement équipés le long du
littoral sud-est de l'île Beausoleil. Un gardien s'y trouve pour
recevoir le prix d'entrée et veiller sur le secteur. On y accède
depuis Honey Harbour, à environ 20 minutes de bateau. Le
terrain, qui dispose de deux quais, se trouve immédiatement à
l'arrière de la mince plage de sable. De grands chariots sur roues
pouvant être roulés jusqu'aux emplacements sont à la disposition
des visiteurs pour le déchargement de leur équipement de camping. Chaque emplacement dispose d'une grille à cuisson; des
cordes de bois de chauffage sont disponibles gratuitement dans
un caisson central; le terrain est pourvu aussi de tables de pique-
nique, de toilettes à chasse d'eau, de douches à eau chaude, de
plusieurs robinets, de même que d'abris pour la cuisine tous
équipés de plusieurs grands poêles et de tables à pique-nique.

On peut emprunter plusieurs sentiers depuis le secteur de
Cedar Spring, et on y trouve le centre d'interprétation qui comprend un petit musée et un théâtre pour les diaporamas. Un
terrain de jeux, avec balançoires et glissades, fait la joie des petits.

Le secteur de Cedar Spring se prête bien à l'observation des
oiseaux. En juin, leur variété est fantastique. Lors de ses vagabondages, il faut toutefois se méfier des maringouins et de l'herbe à la
puce. Celle-ci domine dans les zones de buissons ouvertes de
même que le long des sentiers et des forêts, tandis que les
maringouins préfèrent l'intérieur des buissons.

Camping sauvage

Il existe dans le parc 14 terrains de camping sauvage tous pourvus
de toilettes sèches. L'eau provient du lac. Ces terrains disposent
de grilles à cuisson, de bois à brûler, d'emplacements dégagés
pour les tentes, de tables à pique-nique; la plupart des terrains
disposent d'abris pour la cuisine. La plus importante zone de
camping est celle de **Tonch nord, sud et est**, trois endroits près les
uns des autres et reliés par des sentiers. On compte au total
25 emplacements. À l'exception d'un seul, tous les terrains de
camping se trouvent dans les îles Beausoleil et Flowerpots. Chaque zone est équipée de quais ou dispose de plages où l'on peut
tirer son embarcation. Un surveillant en maraude effectue la
collecte quotidienne des frais de location.

Aspects tourmentés du Bouclier canadien à l'île Northern Beausoleil.

Camping collectif

Il existe deux zones de camping collectif à l'extrémité sud de Beausoleil. On ne peut les occuper que sur réservation, en écrivant au surintendant. On y accède en canot ou en marchant depuis Cedar Spring; les bateaux-taxis ne desservent pas ces zones à cause des eaux peu profondes.

Autres agréments, essence, nourriture et approvisionnements

Honey Harbour et Tobermory sont des aires touristiques et récréatives et disposent donc de plusieurs motels, de terrains de camping privés et de quelques hôtels. On trouvera de l'essence, de la nourriture et des approvisionnements aussi bien à Honey Harbour et à Tobermory que dans les autres villes et villages de la région. À l'île Picnic, à l'extérieur des limites du parc, vous trouverez une boutique et une marina; pour s'y rendre, il suffit d'un court trajet en bateau depuis l'aire de débarquement de Cedar Spring.

Bateaux-taxis   Au départ de Honey Harbour ou de Tobermory, on peut se faire déposer à n'importe quel terrain de camping ou aire de pique-nique par un bateau-taxi.

Loisirs

Excursions D'abord un avertissement: ce parc présente un *réseau* de sentiers plutôt complexe qui traverse divers terrains dont des marécages, des parties du Bouclier canadien et des bosquets de feuillus. Il est recommandé de porter de bonnes bottes. Les sentiers traversent souvent de grands espaces ouverts faits de roc où la trajectoire n'est pas aisément balisable. Les excursionnistes doivent constamment surveiller les bornes dont l'extrémité est de couleur orange puisqu'*il est facile, dans ces zones, d'errer hors des sentiers et de se perdre.* Bien que les distances ne soient pas tellement importantes dans les îles, les excursionnistes devraient se munir d'une boussole, surtout dans l'île Beausoleil. On peut obtenir auprès du personnel du parc un guide à l'intention des excursionnistes et se familiariser avec les photographies aériennes tout en y indiquant le réseau et le nom des sentiers avant le départ. Le personnel du parc peut aussi recommander certains sentiers à ceux qui voudraient observer des points d'intérêt spécifiques.

Les maringouins peuvent être particulièrement éprouvants, surtout au début de l'été, c'est-à-dire en juin, dans les zones boisées. Une visite à cette époque de l'année devrait aller de pair avec l'utilisation d'un produit contre les maringouins.

La partie nord de l'île Beausoleil sert aussi de refuge aux massasaugas. Ces petits serpents, dénués d'agressivité, sont venimeux et représentent un danger potentiel qu'on ne devrait pas mésestimer. Lorsque les excursionnistes rencontrent un de ces serpents le long d'un sentier, ils devraient prendre note de l'endroit où il se trouve et faire un grand détour. Ils ne doivent en aucun cas tenter de le déranger.

Navigation Il est recommandé aux canoteurs de faire usage des cartes nautiques qu'ils peuvent obtenir aux marinas ou en écrivant au Service canadien de l'hydrographie, Département des pêches et océans, 1675 Russel Road, Ottawa. La prudence est de rigueur puisqu'on peut contourner 90 000 îles, que les distances peuvent être importantes et que le temps, extrêmement variable, peut être souvent dangereux.

Il s'agit cependant de l'un des endroits les plus magnifiques où pratiquer le canotage en Amérique du Nord. On trouvera dans la région plusieurs marinas, de même que des clubs de voiliers et d'embarcations motorisées. Essence, huile, réparations et agences de location se trouvent à Honey Harbour, à Port Severn, situé tout près, de même qu'à Midland, à Penetanguishene et à Tobermory. Le parc lui-même offre plusieurs zones d'embarquement et de débarquement pour le camping ou pour un séjour à la journée, et les canoteurs ne devraient pas encombrer ces secteurs. Le camping ou l'amarrage de nuit ne sont permis que dans des zones désignées et la limite de l'amarrage de nuit est fixée à 48 heures. Les eaux de cale ne devraient être déversées ni dans le parc, ni à proximité, puisque le lac sert de source d'eau potable pour toutes les zones.

Natation   Une zone est réservée aux enfants en bas âge à Cedar Spring, et l'endroit où les eaux sont peu profondes est délimité par des cordes. On n'y exerce aucune surveillance, mais les cordes empêchent les embarcations d'y pénétrer. On trouvera des cabines pour se changer à Cedar Spring. Il est permis, par ailleurs, de se baigner sans surveillance partout dans le parc. Plusieurs anses et plages de sable sont attrayantes.

Sports d'hiver   On pratique de plus en plus de sports d'hiver à l'île Beausoleil. Celle-ci offre des pistes de ski de fond et de motoneiges. On peut se renseigner davantage en écrivant au parc.

POUR DE PLUS AMPLES INFORMATIONS

Le surintendant,
Parc national des
Îles de la Baie Georgienne
C. P. 28,
Honey Harbour, Ontario
P0E 1E0

Tél. : [705] 756-2415

POINTE-PELÉE

Le parc national de Pointe-Pelée est un joyau naturel : il est petit, rare, et d'une grande valeur. Il s'agit d'un mince triangle qui s'avance dans le lac Érié au point situé le plus au sud du Canada et cette bande de terrain s'étend aussi loin au sud que la frontière nord de la Californie. Son site, sa latitude et les eaux qui l'entourent en font un endroit unique au Canada pour la faune et la flore. Pointe-Pelée est l'un des parcs les plus visités du Canada et l'un des plus célèbres sur le continent.

COMMENT VISITER LE PARC

Pointe-Pelée est une minuscule péninsule qui s'étend sur à peine 10 kilomètres de longueur sur 4 kilomètres de largeur. Celle-ci est bordée à l'est par un marécage qui représente la plus grande part de la superficie du parc. La concentration et la complexité de cet habitat sont tout à fait renversantes et il faut examiner soigneusement celui-ci si l'on veut en apprécier les multiples facettes.

En termes d'histoire géologique, Pointe-Pelée est relativement jeune puisqu'elle n'existe que depuis 10 000 ans à peine. Ce site repose sur une base de sable et de gravier, de même que de terreau à certains endroits qui supportent les bosquets et les terres herbeuses. Exposé aux lacs, aux courants et à des vents féroces, le terrain change continuellement, surtout à l'extrémité fragile de la pointe. Les plages qui entourent le parc peuvent être plates, larges et dégagées un jour, mais abruptes, étroites et couvertes de débris de toutes sortes après un orage.

On accède aux divers habitats du parc par des sentiers, des trottoirs de planches ou des aires de pique-nique pas très éloignés des terrains de stationnement.

Parcs Canada.

217

La flore

À cause de la variété de ses habitats, Pointe-Pelée est une véritable fête pour les personnes qui s'intéressent à la flore. On y dénombre plus de 700 espèces de plantes à fleurs ou sans fleurs, dont certaines n'existent qu'à cet endroit ou dans les régions voisines du sud du Canada. Dans la zone de la forêt sèche, l'arbre dominant est le micocoulier. Celui-ci nécessite un sol profond et sec et pousse dans les zones les plus sèches et les plus élevées du parc, situées dans le centre-ouest. On trouve aussi à cet endroit des platanes d'Occident, des chênes des teinturiers et des noyers noirs d'Amérique. La basse altitude et le sol peu profond, souvent détrempé de la forêt marécageuse, produisent les bonnes conditions pour l'érable argenté. Celui-ci abonde dans les zones les plus basses qui sont souvent détrempées par les pluies et, à l'occasion, par les inondations provenant du lac. Ils apprécient que leurs racines soient mouillées et peuvent survivre en les allongeant de quelques centimètres sous le sol. Ce type de flore est caractéristique de la zone carolinienne qui recouvrait jadis dans leur totalité le centre et l'est de l'Amérique du Nord. Des traces de cette zone subsistent encore de nos jours à Pointe-Pelée, et il s'agit de l'endroit le plus boréal où l'on constate un tel phénomène. Une promenade le long du **sentier Woodland Nature** montre clairement les relations qui existent entre les forêts sèches et les forêts marécageuses.

Les fleurs de la forêt sont parmi les premières à éclore au printemps en sol canadien tant à cause de la température que des effets modérateurs du lac et de la latitude australe de la pointe. Les premières hépatiques et dicentres à capuchon constituent un spectacle qui fait chaud au coeur.

Les zones de prairie et de savane sont d'autant plus intéressantes qu'elle représentent l'habitat du figuier de Barbarie. C'est l'un des rares endroits à l'est du Canada où l'on observe ce cactus. Lorsque la prairie prend de l'âge, le genévrier rouge, le vinaigrier et le cornouiller s'y implantent.

L'habitat des marécages témoigne des changements qui surviennent dans la flore à différents niveaux d'eau. À l'extrémité nord, visible depuis l'entrée du parc et les trottoirs de planches, la plante qui saute d'abord aux yeux est la quenouille. Les vagues hivernales de tiges jaune-brun sont envahies au printemps par des pousses vertes qui croissent jusqu'à ce qu'elles dépassent de beaucoup la tête des enfants qui se promènent sur le trottoir de planches. Dans les zones d'eaux ouvertes, les lis d'eau décorent les eaux sombres de leur surface ronde et luisante ainsi que de leurs brillantes fleurs blanches. Le sol humide qui longe l'extrémité sud du marécage sert de soutien à des plantes et à des arbres aquaphiles tels que saules, peupliers à feuilles deltoïdes, cornouillers et érables argentés. Le meilleur endroit pour observer ceux-ci est la route transversale qui mène à **East Beach**.

Un petit nyctale, fréquent lors des migrations d'automne.

A. Wormington, Parcs Canada.

Les plages mettent en relief l'histoire de la succession des plantes : les plantes qui sont balayées sur les plages, ou dont les graines sont emportées par le vent ou les oiseaux, commencent à coloniser le sol situé au-dessus des hautes eaux du marécage. En pourrissant, ces mêmes plantes et la matière organique laissée par les animaux enrichissent le sable. À quelques mètres du bord de l'eau le sable enrichi se transforme lentement en terreau. Des herbes telles qu'élyme et barbon y enfoncent leurs longues et vigoureuses racines tout en contribuant à augmenter la stabilité et la végétation du sol. Un gros orage peut fort bien éliminer des mois ou des années de croissance au point de liaison entre les eaux et la végétation ; mais, ni les plantes, ni le vent, ni les eaux n'abandonnent jamais la partie. Au coeur de l'île, forêts et champs secs s'installent à demeure.

Les oiseaux

Les oiseaux de Pointe-Pelée ont fait sa gloire et sa célébrité. Il n'existe aucun endroit en Amérique du Nord si idéalement situé pour que soient présentes de grandes concentrations d'un si grand nombre d'espèces d'oiseaux. C'est surtout vrai à la mi-mai et, à un degré moindre, en automne.

Lors de leurs migrations, les oiseaux suivent des « corridors » fort larges et très longs. En se dirigeant vers leurs territoires de nidification des forêts boréales ou de la toundra arctique, les oiseaux en provenance du Mississippi central ou de l'Atlan-

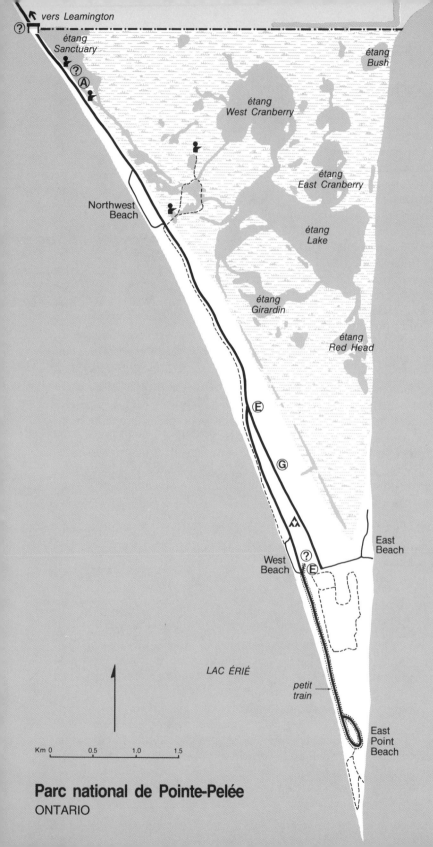

vers Leamington

étang
Sanctuary

étang
Bush

étang
West Cranberry

étang
East Cranberry

Northwest
Beach

étang
Lake

étang
Girardin

étang
Red Head

E

G

East
Beach

West
Beach

E

LAC ÉRIÉ

petit
train

East
Point
Beach

Km 0   0.5   1.0   1.5

Parc national de Pointe-Pelée
ONTARIO

tique à l'est se rencontrent dans le voisinage de Pointe-Pelée. Ces oiseaux qui ont survolé sans se nourrir la longueur du lac Érié s'écroulent presque littéralement sur la terre ferme, représentée par la minuscule Pointe-Pelée battue par les vents.

On en a dénombré environ 334 espèces à Pointe-Pelée depuis le début du siècle. Une centaine y nichent et une cinquantaine y passent l'hiver. Au cours d'une journée de printemps très active, des observateurs ont rapporté avoir compté près de 200 espèces. Un observateur isolé, ou encore deux ou trois observateurs qui unissent leurs efforts peuvent arriver à découvrir 100 espèces en une seule journée. Le nombre 100 représente un chiffre magique pour les observateurs d'oiseaux; cela signifie qu'en une journée, en un lieu spécifique, on a observé plus d'une espèce sur six parmi toutes celles qui ont été aperçues en Amérique du Nord.

Mais, pour atteindre ce chiffre magique, il faut faire un effort. On doit d'abord prendre le train qui mène à la pointe au départ du centre des visiteurs à 6 heures. Puis il faut revenir vers le centre, en empruntant le **sentier Woodland** ou en traversant les champs, puis rouler jusqu'au **trottoir de planches** du marécage, peut-être marcher le long des sentiers boisés ou pique-niquer du côté ouest le long de la route d'accès puis, alors que le jour tombe, observer le déploiement de la bécasse américaine à proximité du centre dans la lumière déclinante du soir et écouter le cri répétitif de l'engoulevent bois-pourri. Il est possible de procéder plutôt confortablement en emportant un pique-nique, en portant de bonnes chaussures et plusieurs épaisseurs de vêtements de façon à pouvoir enlever ou endosser ce dont on aura besoin au moment des changements de température (ou s'il pleut) au cours de la journée.

Les mammifères

Bien qu'ils ne soient pas aussi nombreux que les oiseaux, une observation attentive peut révéler une intéressante variété de mammifères. L'observateur dilettante apercevra surtout des écureuils. On peut y voir des cerfs, tant le jour que la nuit, et ils constituent toujours une agréable surprise. Les ratons laveurs sont eux aussi communs. Belettes, visons, mouffettes et même coyotes y vivent aussi, bien qu'on ne les aperçoive pas souvent. On y trouve cinq espèces de chauves-souris. Celles-ci peuvent quitter à leur gré la région de Pointe-Pelée et y revenir, mais les autres mammifères y sont presque prisonniers. Ils sont, en effet, cernés par les eaux sur deux côtés et par l'environnement bâti de Leamington, une ville de dimensions considérables, au nord du parc.

Les reptiles et les amphibiens

Le nombre d'espèces de reptiles et d'amphibiens est plutôt élevé et varié à Pointe-Pelée. On y trouve plusieurs espèces peu communes et même rares. Dans la zone du marécage, ou dans les zones marécageuses le long du sentier Woodland, l'observation ou le bruit printanier du ouaouaron est commun. On y trouve de même la beaucoup plus petite grenouille verte et la grenouille-léopard du nord. Les reptiles de la zone du marécage comprennent plusieurs espèces de tortues: vorace, masquée, ponctuée, teinte et de Blanding. La tortue teinte est la plus commune et la plus agréable aux yeux lorsqu'elle se réchauffe au soleil avec sa carapace vert luisant, sa tête et son cou couverts de bandes rouges et or. La tortue de Blanding est commune dans le parc, mais rare ailleurs au Canada. Il faut examiner attentivement toute tortue dont la carapace dorsale est unie au cas où le dessous de son cou et sa gorge seraient d'un jaune éclatant. Dans un tel cas, il s'agit d'une tortue de Blanding, une vision qu'il faut chérir.

Les zones marécageuses sont l'habitat de la minuscule et bruyante rainette, de la rare rainette chrysocale et de la rainette faux-criquet. Il est bien plus probable qu'on entendra les grenouilles plutôt que de les voir; mais, dans un cas comme dans l'autre, l'expérience qu'on fera des boisés et des marécages s'en trouvera enrichie.

Les serpents habitent les boisés aussi bien que les marécages. On y trouve la couleuvre rayée, et il existe une population à Pelée qui est entièrement sombre plutôt que parcourue sur toute sa longueur des trois habituelles bandes claires sur un fond sombre. La zone marécageuse sert aussi d'habitat à la couleuvre d'eau qui se nourrit de poissons, de grenouilles et même de petits mammifères. La couleuvre fauve, jaune-brun avec des taches sombres et souvent confondue avec le serpent à sonnettes, est inoffensive. Il n'existe aucun serpent venimeux dans le parc: on y a aperçu un massasauga pour la dernière fois en 1895.

Les insectes

Nous percevons souvent les insectes comme des créatures bonnes à exterminer en marchant le long des sentiers. On oublie souvent que les insectes servent de nourriture à d'autres animaux. L'observateur occasionnel ne s'aperçoit malheureusement pas souvent

On ne passe pas tout son temps à observer les oiseaux.

de la variété des insectes de Pointe-Pelée, résultat d'un habitat riche, relativement chaud et varié. Les libellules, cependant, font exception. On peut les apercevoir autour des plages et des marais, de même que dans les champs découverts. Leurs ailes veinées, claires comme du cristal, et leurs corps multicolores (la même espèce comprend des individus verts, pourpre, jaunes et noirs) sont particulièrement frappants.

À nos pieds, dans les champs, abondent une grande variété de sauterelles, de grillons, de sauterelles vertes et de phasmes. De nombreuses autres espèces, telles que la cigale, seront plutôt entendues que vues, mais on peut ouvrir l'oeil.

Les insectes les mieux connus sont les papillons. Le parc de Pointe-Pelée est célèbre pour ses concentrations de monarques qui se rassemblent sur certains arbres près de l'extrémité de la pointe de la mi-septembre au début d'octobre. Une fois de plus, la forme et le site de Pointe-Pelée favorisent cet événement fascinant et magnifique. Lorsqu'ils surviennent du nord-est au cours de la migration vers le sud qui leur permet d'échapper au froid, les monarques suivent aussi loin que possible la terre ferme avant d'entreprendre le dangereux survol des Grands Lacs. La pointe agit comme un entonnoir et ils s'y réunissent en grand nombre avant de la quitter. Ce phénomène migratoire est aussi vrai pour plusieurs autre espèces de papillons et de guêpes.

Peut-être serait-il de mise d'ajouter un mot au sujet des maringouins. Ils existent certainement à Pointe-Pelée, mais ils ne représentent pas un problème durant l'été dans les secteurs ouverts des sentiers, dans les champs ou au-dessus des marais lorsqu'il fait clair et chaud. Dans les secteurs ombragés, boisés, ou en fin de journée, un produit contre les maringouins, de même qu'une chemise ample, aux manches longues, devrait suffire.

Les poissons

Bien que le lac Érié renferme de nombreuse espèces et une importante quantité de poissons qui, dans un cas comme dans l'autre changent et déclinent, les visiteurs du parc risquent de ne prendre rien d'autre que de l'éperlan. Depuis 1948, il est possible de prendre de l'éperlan frayant, en avril, le long des plages de Pointe-Pelée. Des milliers de personnes y tendent leurs filets, mangent, boivent (l'alcool est interdit) et fraternisent au cours des nuits de ponte des éperlans. Habituellement, le nombre de prises est surtout important au cours de l'une des trois semaines de frai.

Le marécage représente l'autre endroit où les poissons font partie intégrante de la faune du parc. Peu profond, le marécage est presque entièrement obstrué par les joncs. L'eau y est tiède, se déplace lentement et n'est pas particulièrement claire. Parmi les 26 espèces de poissons qu'on y dénombre, deux seulement appartiennent à la catégorie « sportive » : le grand brochet et l'achigan à grande bouche. Toutefois, leur nombre décline. Mais les carpes sont si adaptables dans un tel habitat qu'elles croissent en nombre, de même que les perchaudes, les crapets à oreilles bleues et les crapets soleil. L'approvisionnement en insectes, en crustacés et en flore leur est extrêmement bénéfique.

La pêche est permise au cours des saisons appropriées à chaque espèce de poisson. Un permis est nécessaire pour pêcher dans le marécage. On pourra obtenir les derniers renseignements à ce sujet en s'adressant à la personne en poste à l'entrée du parc. On peut se contenter d'observer les poissons à l'instar de la flore et des autres animaux. Le trottoir de planches est plutôt large et suffisamment confortable pour qu'on puisse s'y arrêter et, en se penchant, observer la vie sous-marine dans les nombreux espaces dénués de joncs.

SERVICES ET COMMODITÉS

Programme d'interprétation

À Pointe-Pelée, il faut marcher si l'on veut vraiment voir le parc. Les voitures sont permises le long de la route principale ; on peut

Parcs Canada.

Trottoir de planches au-dessus d'un marécage bordé par une mince lisière d'arbres.

les garer dans le terrain de stationnement en bordure du trottoir de planches du marécage, près de certaines zones réservées aux pique-niques, de même que dans le terrain de stationnement principal près du centre d'accueil. Les brochures disponibles à l'entrée du parc indiquent clairement ces endroits.

Il est préférable de s'arrêter tout d'abord au centre d'accueil. Celui-ci montre des expositions éducatives et présente souvent des films. On y trouve une bonne mais petite bibliothèque, de même que plusieurs feuillets gratuits. L'association coopérative du parc administre un petit kiosque où l'on vend des guides naturels et autres publications de cet ordre. Au printemps, on y organise des excursions spéciales à l'intention des observateurs d'oiseaux. On y trouve de plus des toilettes propres et des fontaines.

Le magnifique sentier Woodland Nature commence à la porte arrière du centre. Il s'agit de l'endroit tout désigné si l'on ne dispose que d'une heure ou deux. Le sentier principal, long de 3 kilomètres permet d'apercevoir la plus grande concentration possible de l'immense variété des habitats du parc. Quelques écriteaux indiquent le chemin et il est donc préférable d'apporter toutes les publications qu'on obtiendra au parc, de même que ses propres guides de la flore et des oiseaux, sa caméra et ses jumelles. On ne trouvera pas d'aires de pique-nique le long des sentiers, même s'il en existe 7 dans le parc. On peut s'installer sur les plages ou dans l'une des quelques zones gazonnées à proximité du centre ou du trottoir de planches du marécage.

Après avoir emprunté le sentier Woodland, on peut se rendre en train jusqu'à la pointe. Celui-ci vous cueillera au centre d'accueil et vous déposera à la plage East Point. À partir de cet endroit, une courte marche vous mènera au sentier de la pointe de la péninsule. Ce sentier, un trottoir de planches, permet de se rendre à proximité de l'extrémité de la pointe, un endroit fascinant en toutes saisons.

Le trottoir de planches du marécage est lui aussi fascinant. Il court sur un peu plus d'un kilomètre et forme un cercle avec une saillie à l'extrémité la plus éloignée. Les moments où l'on observera le plus d'activité dans le marécage sont tôt l'avant-midi et en début de soirée, lorsque les visiteurs sont les moins nombreux.

Camping

Le camping individuel n'est pas permis dans le parc. Celui-ci dispose cependant de deux terrains de camping collectif; mais on doit réserver sa place auprès du surintendant.

Autres agréments, essence, nourriture et approvisionnements

Plusieurs villes sont situées à proximité du parc, Leamington étant la plus proche. On y trouvera un certain nombre de motels modestes et confortables, de même qu'un motel beaucoup plus luxueux à quelques minutes à peine de l'entrée du parc. Si l'on projette de visiter à la mi-mai tout en demeurant à Leamington ou à Kingsville, il faut habituellement réserver un motel dès décembre. Windsor, à une quarantaine de minutes de voiture, est une ville de 200 000 habitants; on ne devrait pas avoir de difficultés à s'y loger à longueur d'année.

Le parc comporte deux concessionnaires de nourriture prête à manger, l'un à l'extrémité de la pointe, l'autre à l'entrée du trottoir de planches du marécage. Ils ouvrent leurs portes durant les fins de semaine en mai et tous les jours à la mi-juin. Si l'on préfère apporter son propre pique-nique, on trouvera plusieurs petites boutiques d'alimentation en route vers le parc ou à Leamington.

On ne trouvera pas d'essence dans le parc; mais il existe un certain nombre de stations-service dans les localités voisines. Plusieurs d'entre elles ferment cependant à 19 heures; si l'on arrive tard et que l'on compte reprendre la route tôt le lendemain matin, il est préférable de faire le plein au cours de la journée.

Loisirs

Le parc dispose d'un certain nombre d'aménagements. On peut toujours obtenir les derniers renseignements à ce sujet auprès de la personne de garde à l'entrée, ou auprès des membres du personnel.

Canotage   Une entreprise de location est installée près du trottoir de planches du marécage. On peut cependant apporter son propre canot et y stationner.

Cyclisme   Le parc dispose d'une agence de location de vélos, laquelle est ouverte durant l'été. Certaines personnes préfèrent apporter leurs propres vélos. La piste cyclable est plutôt molle par endroits, mais on projette de la réparer au cours des prochaines années. La plupart des cyclistes préfèrent emprunter la route principale. Les vélos sont autorisés au-delà du centre des visiteurs et il est ainsi possible d'atteindre presque l'extrémité de la pointe en vélo.

Petit train   D'avril à la fête du travail, le parc offre un système de transport depuis le centre d'accueil jusqu'à un endroit situé juste au nord de la pointe. Lorsque les migrations d'oiseaux sont les plus importantes, au printemps, ce service fonctionne de 6 heures à 21 heures. En septembre, le service fonctionne la fin de semaine.

Sports d'hiver   Lorsque la neige est suffisamment abondante, certains sentiers sont entretenus en vue du ski de fond. Une zone située à proximité du trottoir de planches du marécage est dégagée et arrosée de sorte qu'on puisse y patiner en janvier et en février, ou aussi longtemps que la glace est en bon état.

POUR DE PLUS AMPLES INFORMATIONS

Le surintendant,
Parc national de Pointe-Pelée,
R. R. 1,
Leamington, Ontario,
N8H 3V4

Tél.: [519] 326-3204

LE PARC NATIONAL DES

ÎLES DU SAINT-LAURENT

Les îles sont toujours auréolées d'aventures. On ressent une certaine excitation à passer quelques heures « prisonnier » dans une île même si l'on peut parcourir celle-ci en moins de dix minutes. Les îles ne sont pas le seul élément du parc national des Îles du Saint-Laurent, mais elles en représentent la principale particularité.

Ce parc, qui s'étend sur une superficie terrestre de moins de 3,5 kilomètres carrés, est le plus petit du réseau canadien. Les 23 îles et les innombrables îlots qui constituent cette superficie s'étendent néanmoins sur 80 kilomètres vers le nord le long du Saint-Laurent depuis Gananoque. Il ne comprend qu'une seule petite zone sur la terre ferme à Mallorytown Landing. Le quartier général du parc, un court sentier forestier, un terrain de camping, le centre d'interprétation et les pièces d'exposition, des terrains de jeux, divers services, la plage et la marina s'y trouvent tous. La route des Mille-Îles longe le parc et offre une vue spectaculaire des myriades d'îles éparpillées dans le Saint-Laurent.

Bien que la région de Mallorytown vaille le coup d'oeil, c'est en visitant une île qu'on éprouvera surtout le sentiment de la particularité de ce parc. Les 23 îles font toutes au moins partielle-ment partie de la zone du parc accessible aux visiteurs ; 17 d'entre elles peuvent recevoir les embarcations et disposent d'aménage-ments pour les pique-niques et le camping.

Les Mille-Îles sont en fait les racines érodées d'une ancienne chaîne de montagnes au-dessus de laquelle coule le Saint-Laurent. Ces montagnes formaient un mur de roc qui s'étendait

229

des limites sud du Bouclier canadien, qui sert de base à une bonne partie du Canada, à la région où se trouvent de nos jours les montagnes Adirondack, dans l'État de New York. On appelle ce pont l'Axe de Frontenac. Lorsque les glaciers se sont retirés de cette région et que s'est formé le Saint-Laurent, les cimes de ce lien de roc ont continué de s'offrir aux regards sous forme d'îles.

Des forêts de feuillus en constituent le paysage dominant, mais elles sont entrecoupées de champs ouverts dont plusieurs ont été cultivés au cours des années et sont aujourd'hui abandonnés à la végétation. De façon caractéristique, les îles sont un lieu de rencontre pour la flore nordique qui y trouve l'endroit le plus austral où il soit possible de survivre, et pour la flore australe qui ne peut survivre plus au nord. Cette dernière comprend le pin résineux (qui fournissait la résine nécessaire à combler jadis les interstices des embarcations de bois) que l'on observe sur les îles Georgina et Grenadier, de même que le caryer à fruits doux que l'on observe habituellement sur l'île Georgina. D'île en île on constate souvent une grande différence entre la flore qui croît soit à l'extrémité nord, soit à l'extrémité sud du parc. Vents dominants et sites protégés relativement à d'autres îles jouent un rôle déterminant.

La faune est différente sur la terre ferme et dans les îles. Certains animaux ne traversent pas la barrière aquatique qui isole celles-ci. Les animaux qui, à l'instar des suisses, hibernent, ne traversent jamais les glaces durant l'hiver et ne nagent donc pas vers les îles durant l'été. Mais les écureuils, certaines sous-espèces de souris et certaines musaraignes sont actifs à longueur d'hiver et vivent donc tant dans les îles que sur la terre ferme. Des animaux plus imposants, tels que cerfs, porcs-épics, renards, même coyotes, peuvent aussi vagabonder d'île en île. Leur nombre est limité par l'étendue de chaque île puisque celle-ci décide de la quantité de nourriture disponible, qu'il s'agisse de végétation à brouter ou de souris à chasser. Les îles les plus importantes telles que Grenadier ou Georgina, Camelot ou Endymion (quels jolis noms!), abritent des cerfs en hiver.

COMMENT VISITER LE PARC

Il est à la fois facile et difficile de visiter le parc national des Îles du Saint-Laurent. La région de Mallorytown Landing est d'accès facile depuis la route 401, la Macdonald-Cartier qui mène de Toronto à Kingston et à Montréal. Les sorties sont clairement indiquées. Mais, pour visiter une île, il faut nécessairement emprunter l'un des bateaux-taxis de l'entreprise privée au départ de Gananoque, Rockport ou Ivy Lea. Le personnel du parc dispose de renseignements à jour sur les randonnées en bateau qui sont offertes. Si l'on veut demeurer plus longtemps, il est aussi possible de louer des péniches aménagées en habitations. La région entière est très bien aménagée en fonction du tourisme et de nombreux hôtels, terrains de camping et restaurants disposent de dépliants publiés par la Chambre de commerce des Milles-Îles où est dressée la liste des bateaux et des autres services qui facilitent la visite des îles.

Calla des marais, appartenant à la famille des arums.

Parcs Canada.

Une visite des îles

Je me suis rendue à la marina de Gananoque et me suis informée des bateaux à un kiosque situé sur les quais. Le naturaliste du parc m'a recommandé une visite de l'**île Aubrey**. Le pilote s'est montré très coopératif et nous avons convenu qu'il nous reprendrait plusieurs heures plus tard. Nous nous sommes déplacés lentement et confortablement durant une quinzaines de minutes en écoutant les commentaires du pilote. Sur le chemin du retour, il a emprunté un itinéraire plus long de façon à nous indiquer certains sites historiques particuliers, d'excellentes zones pour l'observation des oiseaux, et s'est même arrêté pour nous permettre de prendre des photos. Le fait de se plier ainsi à nos centres d'intérêt de même que le tarif sont réputés fluctuer avec la saison, l'heure du jour et l'humeur du pilote!

L'île Aubrey dispose de quelques emplacements dispersés pour le camping sous la tente. Il en est sur certaines autres îles. L'île étant petite — on la traverse en une dizaine de minutes à pied — un plus grand nombre d'emplacements résulterait en un encombrement. On y trouve des abris pour la cuisine et des toilettes sèches à chaque extrémité et chaque emplacement dispose de sa propre table de pique-nique et d'une petite grille à cuisson surélevée. En saison, on devrait trouver du bois de

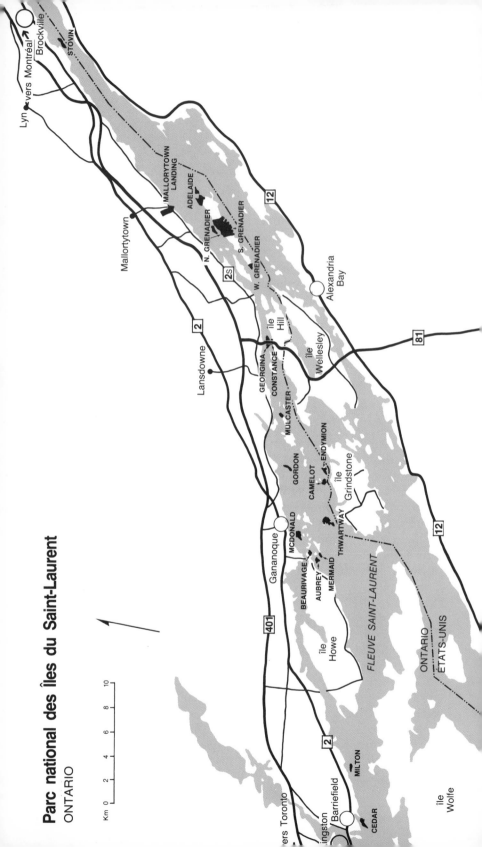

Parc national des Îles du Saint-Laurent
ONTARIO

Km 0 2 4 6 8 10

Lyn · vers Montréal
Brockville
STOVIN
Mallorytown
MALLORYTOWN LANDING
ADELAIDE
N. GRENADIER
S. GRENADIER
W. GRENADIER
12
2s
2
Landsdowne
Alexandria Bay
81
île Hill
île Wellesley
GEORGINA
CONSTANCE
MULCASTER
ENDYMION
GORDON
CAMELOT
île Grindstone
THWARTWAY
MCDONALD
Gananoque
BEAURIVAGE
AUBREY
MERMAID
île Howe
FLEUVE SAINT-LAURENT
401
ONTARIO
ÉTATS-UNIS
12
2
vers Toronto
Barriefield
MILTON
CEDAR
île Wolfe
Kingston

chauffage à l'une ou l'autre des deux zones d'accostage. Il y a sur l'île une pompe à eau, mais on doit s'attendre à travailler fort pour la faire couler. Un séjour sur l'île, si bref soit-il, représente une expérience merveilleuse. Au début du printemps, on apercevra un éventail de fleurs nouvelles: dicentres à capuchon, érythrones d'Amérique, claytonies de Virginie, hépatiques, trilles blancs. J'ai pu y observer des pics qui commençaient à construire leur nid, des grimpereaux bruns et des sittelles à poitrine blanche qui cherchaient de la nourriture le long des troncs d'arbres en raclant les trous oblongs creusés par un grand pic. Partout, des écureuils gris, noirs et rouges froufroutaient et bavardaient.

Les personnes qui possèdent leur propre embarcation, même s'il s'agit d'un canot, pourront vraiment apprécier le parc. Dix-sept des îles sont pourvues d'aménagements pour l'amarrage et une autre, **Thwartway**, ne dispose que de mouillages ainsi que d'une plage. Plusieurs îles sont équipées de toilettes et d'aires pour les pique-niques; certaines disposent d'abris contre la mauvaise température sont équipées de poêles à bois et de bois de chauffage, de petites zones réservées aux tentes et ont de l'eau potable. Le format des îles varie des moins de 2 hectares de l'**île Mermaid** aux 155 hectares de l'**île Grenadier**. La plupart des îles ont une superficie de 4 à 12 hectares. Elles offrent toutes des promenades agréables. Des eaux pour la natation, la pêche et la navigation se trouvent à proximité. On peut pratiquer le canotage entre les îles tout en étant protégé par la proximité de la terre ferme. Le parc dispose de ses propres cartes grâce auxquelles on peut se faire une idée d'ensemble des îles et des voies d'eau, mais il est essentiel de posséder des cartes nautiques si l'on veut naviguer en toute sécurité. Le secteur du parc est traité dans sa totalité sur les cartes numéros 1421, 1419 et 1418.

L'exploration de la terre ferme

Le court sentier **Mainland Nature** passe derrière le quartier général du parc et commence à la limite nord du terrain de camping. Une demi-heure de marche permet de parcourir un large éventail d'habitats. Je m'y suis trouvée, au début de mai, durant plusieurs journées claires et ensoleillées et ce sentier s'est révélé une expérience intense de concentration printanière. Des volées d'oies passaient au-dessus de moi et la rare anémonelle faux-pigamon fleurissait, à l'instar des trilles, des hépatiques et des podophylles peltés. Une gélinotte huppée lançait constamment son rapide putt-putt pour avertir les autres gélinottes de sa présence. À proximité, les premiers moqueurs roux et fauvettes jaunes de l'année chantaient aussi sans arrêt. Suisses et écureuils noirs s'activaient partout et, contrastant avec l'ensemble, un gros porc-épic se tenait assis dans la fourche d'un arbre au-dessus de ma tête. Je suis retournée chercher ma caméra dans ma voiture et il n'avait toujours pas bougé à mon retour 20 minutes plus tard! Vers la fin de ma marche, j'ai observé la plus grosse queue cotonneuse de lièvre que j'aie jamais vue.

SERVICES ET COMMODITÉS

Programme d'interprétation

Le programme d'interprétation du parc est à la fois stationnaire et mobile. Le centre d'interprétation, à Mallorytown Landing, est situé le long du littoral à côté de la plage. À quelques mètres du centre, on apercevra une maquette du naufrage de Brown Bay, une canonnière coulée au siècle dernier et qu'on a ressuscitée. Une bonne partie des visiteurs du parc étant des canoteurs qui ne demeurent pas très longtemps sur place, des interprètes en maraude empruntent en bateau les voies d'eau du parc. Ils s'arrêtent aux quais et aux terrains de camping avec leur bateau-théâtre et se montrent empressés d'augmenter le bagage de connaissances des visiteurs sur cette région magnifique. Le personnel d'interprètes a préparé un large éventail de brochures portant sur plusieurs caractéristiques du parc telles que ses poissons, sa géologie, son climat, ses oiseaux, ses mammifères, sa flore, ses reptiles, ses amphibiens et son histoire. Le parc publie en outre une lettre circulaire. Ces publications peuvent toutes être obtenues gratuitement au centre d'interprétation ou en les demandant au personnel en maraude; elles aident vraiment à mieux comprendre le parc lors des temps creux.

Camping

Mallorytown Landing dispose de 63 emplacements dans un petit champ derrière le centre administratif. Ce terrain est équipé de barbecues, de bois de chauffage, de toilettes et d'eau, mais on n'y trouve pas de raccords pour caravanes. Il est bien situé, si l'on veut emprunter le sentier naturel, et se trouve de l'autre côté de la route en face de la plage, du centre d'interprétation, de la maquette du naufrage de Brown Bay, du quai pour les bateaux et de la rampe de mise à l'eau.

E. M. Holroyd, Parcs Canada.

Tortue alligator pondant ses oeufs.

Camping sauvage

Quinze des îles offrent des terrains de camping sauvage équipés d'eau potable, de toilettes sèches et d'emplacements plats pour les tentes. On y trouve des abris pour la cuisine et des tables à pique-nique, mais pas de raccords. La durée de l'accostage est fixée à quatre jours par île. L'**île Grenadier** dispose de trois terrains pour le camping. Le personnel en maraude recueille les droits d'accostage lorsqu'on y passe la nuit. Des cartes du parc, disponibles au centre d'interprétation, indiquent clairement les aménagements de chaque île.

Autres agréments, essence, nourriture et approvisionnements

La région des Mille-Îles dispose de plusieurs motels, de quelques hôtels et d'un certain nombre de terrains de camping privés fort attrayants le long de la route et dans des agglomérations plus importantes telles que Gananoque ou Kingston. Le parc et plusieurs établissements commerciaux bénéficient de brochures qu'on peut obtenir auprès des agences de voyages et des associations touristiques locales. Pour de plus amples informations, on peut entrer en contact avec The Eastern Ontario Travel Association, R. R. 1, Lansdowne, Ontario, K0E 1L0.

On peut facilement obtenir essence, nourriture et approvisionnements le long de la route des Mille-Îles. On y trouvera de nombreuses marinas, de même que des boutiques d'équipements maritimes.

Loisirs

Le principal complexe récréatif se trouve à Mallorytown Landing. Il comprend un terrain de jeux à l'usage des enfants, une plage sous surveillance, des cabines pour se changer, des toilettes et une rampe de mise à l'eau. Le terrain de stationnement est assez vaste. La haute saison s'étend de juin à la fête du Travail.

Pêche   Une vingtaine d'espèces de poissons peuvent habituellement être prises dans les eaux des Mille-Îles. Ces espèces comprennent le saumon Coho, la truite grise, le grand brochet, le maskinongé, la barbote brune, l'achigan à grande et à petite bouche, la perche d'Amérique, la perche et le vairon. On peut vérifier auprès de n'importe quelle boutique d'équipement pour la pêche ou d'articles de sport quels sont les permis provinciaux requis pour certaines espèces.

Navigation   Au cours de l'été, des entreprises de location offrent des randonnées en bateau à Rockport, Ivy Lea et Gananoque.

LECTURE COMPLÉMENTAIRE

Ross, Don, *Guide du parc national des îles du Saint-Laurent*, Ottawa, Parcs Canada et le Centre d'édition du gouvernement du Canada, 1983.

POUR DE PLUS AMPLES INFORMATIONS

Le surintendant,
Parc national des
Îles du Saint-Laurent,
C. P. 469, R. R. 3,
Mallorytown Landing, Ontario,
K0E 1R0

Tél. : [613] 923-5241

Chambre de commerce
des Mille-Îles,
C. P. 36,
Lansdowne, Ontario,
K0E 1L0

MAURICIE

Le parc national de la Mauricie est peu connu en dehors d'un rayon de 200 ou 300 kilomètres, il s'agit pourtant de l'un des parcs les plus accessibles et les plus beaux du réseau canadien. Situé à 200 kilomètres au nord-est de Montréal, le parc national de la Mauricie comprend 550 kilomètres carrés des Laurentides québécoises. À cet endroit, les Laurentides sont des montagnes boisées couvertes de protubérances et émaillées de dizaines de cours d'eau et de lacs allongés.

Les Laurentides sont, avec plus de 950 millions d'années d'existence, dix fois plus âgées que les Rocheuses! Leurs assises sont constituées de roc métamorphique jadis profondément enfoncé sous des strates de sédiments qui ont été déposés dans la mer où ils se trouvaient. Il y a environ un milliard d'années, ce roc et ces sédiments se sont élevés au-dessus du niveau de la mer pour former une chaîne de montagnes aussi hautes que les Rocheuses. Des millions d'années d'érosion ont peu à peu rongé les strates de sédiments et formé un plateau de gneiss dur. Quatre ères glaciaires survenues il y a de 10 000 à environ un million d'années ont comblé et adouci les arêtes tranchantes des Laurentides. Rivières, pluies et vents ont continué à les adoucir jusqu'à ce qu'elles prennent la forme agréable, mais toujours variée, que l'on connaît de nos jours.

Les eaux se rassemblent sous forme de lacs dans les dépressions de la surface des montagnes et coulent le long des pentes ou à partir d'autres lacs de façon à constituer un réseau complexe de torrents et de rivières. Exception faite de sa limite sud et de la moitié de sa limite ouest, le parc est délimité par deux grandes rivières: la Mattawin le long de la moitié de sa limite ouest et de sa limite nord, et la Saint-Maurice le long du nord-est et de l'est. Le parc comprend environ 150 lacs et étangs dont certains, les lacs Wapizagonke, Anticagamac, Caribou, Édouard et à la Pêche, sont accessibles en canot ou au visiteur qui arrive dans le parc en voiture.

Dans son état protégé actuel, le parc de la Mauricie est densément recouvert d'un ensemble ramifié de forêts. Dans les sols riches, bien drainés et profonds, l'érable à sucre domine tant par le nombre que par le format, mais on y trouve aussi quelques bouleaux jaunes et hêtres à grandes feuilles. Dans les sols plus humides, il est possible que le pin domine, entremêlé d'épinettes noires et d'épinettes rouges. Dans les sols minces et rocheux ou encore dans les zones particulièrement humides, telles que lisières de tourbières ou dépressions mal drainées aux altitudes les plus élevées du parc, les forêts d'épinettes noires ou rouges sont les plus communes. Bien que le parc soit entièrement situé au nord de la forêt caduque qui constitue la zone forestière de la vallée du Saint-Laurent, la limite nord du parc n'est pas très éloignée de la limite sud de la forêt boréale de conifères qui recouvre le nord du Canada. La Mauricie représente donc une zone de transition où les forêts australes se mêlent à des arbres typiques du nord.

Les humains ont joué un rôle considérable dans l'histoire du parc. Durant plus de 5 000 ans, les forêts ont abrité un sous-groupe d'Algonquins, les Attikamèques. Ce peuple nomade parcourait les rivières et les forêts en chassant le gibier et en cueillant des baies, des racines et autres végétaux. Au cours de l'été, ils se réunissaient sur le site de Trois-Rivières pour fraterniser et troquer avec les Iroquois dont ils obtenaient les pots d'argile et les produits agricoles que ces voisins du sud, plus sédentaires, avaient à leur offrir. Durant l'hiver, les Attikamèques se regroupaient en familles pour chasser et trapper du mieux qu'ils le pouvaient.

Le respect qu'éprouvaient ces indigènes à l'endroit de leur environnement n'était pas partagé par les premiers trappeurs, négociants, bûcherons et fermiers européens, et jusqu'en 1970, année où le parc a été établi, pas davantage par nos contemporains. Les arbres de la région ont été abattus en grand nombre et des incendies en ont ravagé de larges secteurs. Aujourd'hui, la plus grande menace provient des pluies acides. Le lit de roc et le terreau de la Mauricie ne peuvent neutraliser les pluies qui y pénètrent. Un lit de roc formé d'un calcaire alcalin pourrait atténuer les problèmes occasionnés par les pluies acides, mais la Mauricie ne repose pas sur un tel lit. Une forme de destruction a donc pris fin pour être remplacée par un danger infiniment plus dévastateur.

COMMENT VISITER LE PARC

Si l'on veut apprécier l'histoire géologique, celle des lacs, des rivières et des forêts, de même que l'histoire humaine du parc, il est préférable de participer au programme d'interprétation tout en entreprenant de son propre chef des excursions ou des balades en automobile. De juin à septembre, on y présente des activités guidées tous les jours et, tous les soirs de la semaine, un diaporama commenté dans chacun des trois amphithéâtres du parc.

Souches en décomposition: un support à de nouvelles formes de vie végétales.

La fin de semaine, en automne, on présente des diaporamas au centre d'accueil des visiteurs, à Saint-Jean-des-Piles, de même habituellement qu'un événement interprétatif par jour. Les activités présentées à longueur d'année comprennent des marches guidées, des randonnées en canot, ainsi que des événements spéciaux. Pour les randonnées en canot, le parc dispose d'un énorme canot de transport jaune, le *Rabaska*. S'il n'y a plus de place, on peut louer un canot ordinaire ou apporter le sien et écouter la causerie en suivant derrière. Les randonnées en canot constituent un excellent moyen de se renseigner sur les lacs.

Si l'on veut explorer de son propre chef, on peut conduire d'une extrémité à l'autre du parc de façon à avoir une bonne idée des formes créées par les fissures et l'érosion du territoire. Il existe un certain nombre de points de vue où l'on peut s'arrêter et lire les écriteaux qui expliquent en détail ce que l'on observe. Le plus spectaculaire, **le Passage**, se trouve à proximité de l'extrémité nord du **lac Wapizagonke**.

Si l'on veut constater de quelle façon une forêt croît et se modifie, il existe un superbe sentier, **les Cascades**. Celui-ci commence à l'aire de pique-nique Shewenegan, principale aire d'utilisation diurne. On traverse le grand pont de bois et on suit les écriteaux interprétatifs. Ce sentier traverse plusieurs types de

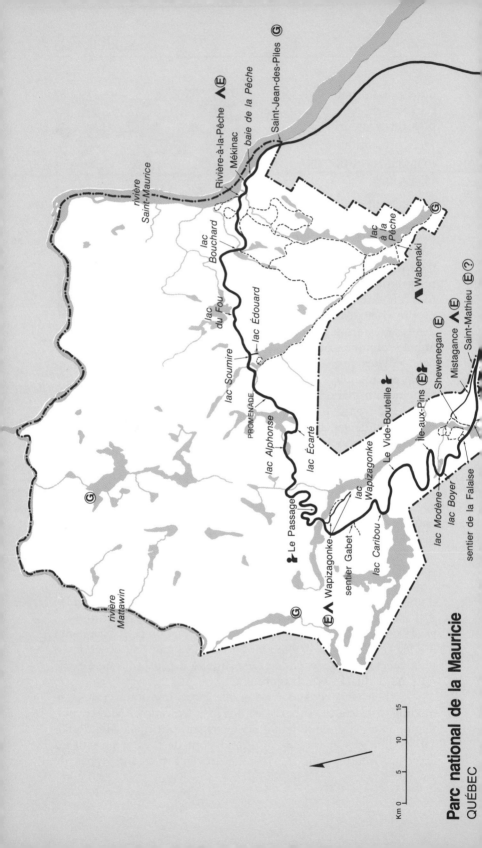

Parc national de la Mauricie
QUÉBEC

forêts. On peut emprunter un sentier secondaire qui mène au sentier **de la Falaise** qui passe à proximité de l'un des affleurements de roc en saillie qui apparaissent ici et là dans le parc. Un autre sentier particulièrement facile est celui du **lac Gabet**. Ce sentier permet d'entreprendre une longue marche à travers des forêts d'érables, de bouleaux jaunes et de hêtres. Il serpente légèrement le long d'une pente puis aboutit environ 30 minutes plus tard à un petit lac. Celui-ci est légèrement marécageux d'un côté et on y trouve des sphaignes ainsi qu'une plante en forme de coeur qui ressemble au thé du Labrador.

En hiver, lorsqu'on parcourt en ski les 70 kilomètres de ce sentier, les panneaux interprétatifs fixés aux abris renseignent sur la forêt et ses habitants au cours de cette saison.

Si l'on veut faire une visite très particulière, il existe un court sentier interprétatif dans la région marécageuse située le long de la route au sud du parc juste avant le pont du lac Wapizagonke. On quitte la route à l'Esker et on y stationne. Ou encore on emprunte le **sentier Vallerand** dans la région de Shewenegan. Celui-ci permet d'atteindre le sentier de la Tourbière après une marche d'environ 1,5 kilomètre. Ce **sentier de la Tourbière** est très court. Il s'agit presque entièrement d'un trottoir de planches qui mène au lit de sphaignes situé au bord du petit lac avant de revenir à travers la forêt d'épinettes qui s'est enracinée où le terrain le permettait. À la mi-juin, les sarracénies pourpres et les rossolis abondaient. Des orchidées sauvages y éclosent au cours des deux premières semaines de juillet.

On doit s'en remettre, pour l'histoire humaine du parc, au programme d'interprétation et à la salle d'exposition du centre d'accueil de Saint-Jean-des-Piles. Lorsque l'on connaît cette histoire, le parc prend une autre dimension: les rivières se transforment en routes de canots qui transportent des masses de billots; les forêts, en dispensatrices de nourriture et en abris. On y est entouré par l'histoire.

SERVICES ET COMMODITÉS

Ce parc est ouvert à l'année longue: il est très fréquenté de la fin de juin à la fête du Travail; on y pratique beaucoup le ski de fond durant l'hiver; et on y campe, on y fait des excursions et on le visite à la journée de façon modérée de la fin du printemps jusque tard à l'automne. À mon avis, visiter un parc au cours des demi-saisons du printemps et de l'automne, plus tranquilles, offre d'énormes avantages.

Programme d'interprétation

Le parc offre un programme d'interprétation très enrichissant et un certain nombre d'excursions où l'on se guide soi-même. On trouvera des horaires, des affiches et des avis épinglés aux babillards à l'entrée des terrains de camping et des aires de pique-nique. Dépliants et brochures portant sur l'histoire naturelle et humaine du parc sont offerts gratuitement ou à un prix modique tout à fait justifié. On peut trouver toutes ces publications aux centres d'accueil à l'une ou l'autre des principales entrées du parc.

Le centre Saint-Mathieu de Shewenegan, plus petit, dispose de cartes et on peut acheter des livres au petit kiosque administré par l'association coopérative du parc. Le personnel du parc peut aider à décider de sa destination et fournir les brochures ou les cartes portant sur les sentiers et les terrains de camping choisis.

À Saint-Jean-des-Piles, le parc peut vous offrir tout ce qui précède et bien plus encore. Il s'agit d'un bâtiment beaucoup plus imposant qui comprend un théâtre et d'extraordinaires pièces tant à l'intérieur qu'à l'extérieur et portant sur l'histoire naturelle et humaine du parc, ainsi que sur le camping, le canotage, le ski de fond et d'autres activités du parc. Ces pièces sont d'une aide précieuse. L'Association coopérative Info-nature met, à la disposition des visiteurs, des livres, des cartes et des souvenirs au centre d'interprétation.

Camping

Trois grands terrains de camping, accessibles en voiture, sont ouverts durant l'été : **Mistagance**, qui est le plus proche de l'entrée de Shewenegan ; **Wapizagonke**, à environ 30 minutes en voiture de celui-ci, à proximité de la route principale ; **Rivière-à-la-Pêche**, à quelques minutes de l'entrée de Saint-Jean-des-Piles. Ce dernier affiche complet le moins rapidement, mais tous risquent d'être très achalandés durant l'été. Dans la mesure du possible, il est préférable de s'y rendre en semaine. On peut y séjourner jusqu'à 15 jours. Tous les terrains de camping sont boisés et l'on compte en tout plus de 550 emplacements. Mistigance est le plus proche de l'agence de location d'embarcations et des plages situées au sud du lac Wapizagonke. Le terrain de Wapizagonke se trouve effectivement sur une plage. Tous disposent de douches chaudes, de salles de toilette, de toilettes à chasse d'eau, de tables de pique-nique, de grilles à cuisson, de dépôts de bois de chauffage et, exception faite de Mistagance, d'abris pour la cuisine.

Le début de la route de canot qui remonte la Wapizagonke.

Rivière-à-la-Pêche est aménagée pour recevoir les personnes qui se déplacent en fauteuil roulant. Ce terrain se trouve en outre à la tête de la totalité du réseau de sentiers et de pistes de ski de fond qui couvrent le secteur sud-est du parc. Chaque terrain dispose d'un amphithéâtre où sont présentés chaque soir des diaporamas commentés. Le terrain de camping Wapizagonke est fermé durant le printemps et l'automne, mais les autres disposent de suffisamment d'emplacements. Ni l'un ni l'autre n'est équipé de raccords mais tous possèdent des postes de vidange. Des renseignements sur la disponibilité des emplacements sont diffusés chaque jour entre 10 h 30 et 11 h 30 par les postes de radio des environs aux fréquences suivantes: 550, 1140, 1220 (MA) et 102 (MF).

Camping sauvage

Le réseau des routes de canots étant fort étendu dans l'arrière-pays, on trouvera plusieurs terrains de camping sauvage en cours de route. On doit s'enregistrer au centre d'accueil en indiquant dans quel terrain on a l'intention de s'arrêter de façon à éviter la surpopulation. Certains terrains disposent de bois de chauffage et de grilles pour la cuisson, d'autres non. Ceux-ci nécessitent l'usage de poêles portatifs qui sont les *seuls* permis lorsqu'il y a menace d'incendie. Les feux à ciel ouvert ne sont jamais permis sauf dans le foyer du terrain de camping collectif La Clairière. Ces terrains disposent tous de plates-formes pour les tentes et de toilettes sèches.

Camping collectif

Si l'on veut se renseigner à ce sujet ou réserver, il faut écrire au surintendant.

Autres agréments, essence, nourriture et approvisionnements

Un certain nombre de terrains de camping situés à l'extérieur du parc appartiennent à l'entreprise privée. On en obtiendra la liste au parc même. À l'intérieur du parc, on trouvera des casse-croûte dans l'aire d'utilisation diurne de Shewenegan et du lac Édouard, de même que sur la route d'accès du terrain de camping Wapizagonke, à quelques minutes de voiture de celui-ci. On trouvera de plus un petit magasin général dans l'aire d'utilisation diurne de Wapizagonke. On ne peut obtenir d'essence dans le parc. Les villages situés juste à l'extérieur des deux entrées du parc disposent de petits magasins généraux et on y vend de l'essence. Peu avant l'entrée du côté de Saint-Mathieu, on trouvera une boutique d'artisanat qui n'ouvre qu'en été.

Loisirs

À l'intention des personnes du troisième âge   Les lacs Boyer, Modène et Alphonse sont réservés aux personnes du troisième âge.

Aménagements à l'usage des handicapés   Un dépliant décrit en détail ces aménagements. Les groupes organisés de handicapés sont invités à se renseigner auprès du surintendant au sujet des programmes d'interprétation et des autres services prévus à leur intention. Les deux centres d'accueil, les principales aires d'utilisation diurne, le centre d'interprétation et la totalité des points de vue sont accessibles aux fauteuils roulants. Le lac Boyer dispose lui aussi d'aménagements spéciaux.

Canotage   La plupart des lacs sont accessibles aux canoteurs. Plusieurs lacs se trouvent à proximité de la route principale. Chaque jour de la semaine, de la mi-juin à la fête du Travail, on peut louer un canot dans l'aire d'utilisation diurne de Shewenegan, à Wapizagonke-Nord et au lac Édouard, de même que, les jours de semaine de la fête du Travail à l'Action de Grâces, à Shewenegan. On peut aussi louer des pédalos à Shewenegan. Si

Un cours d'histoire portant sur la Wapizagonke.

l'on veut passer quelques heures en canot, les lacs les plus fréquemment utilisés sont Wapigazonke, Édouard, Caribou, du Fou, Bouchard et Écarté. On peut stationner à proximité des aires de mise à l'eau. Les nombreux kilomètres de routes de canot de l'arrière-pays sont reliés par des sentiers de portage. Le parc dispose d'une brochure portant sur les routes de canot. Si l'on y passe la nuit, il faut s'enregistrer à l'entrée comme à la sortie et rapporter ses détritus. Au printemps et à l'automne, on s'enregistre soi-même au centre d'accueil des visiteurs.

Excursions Les sentiers sont habituellement courts et d'accès facile; certains sont interprétés. La carte contenue dans la principale brochure du parc peut aider à décider de la zone qu'on voudrait visiter, après quoi on peut demander les cartes dont dispose le parc pour ses deux secteurs: Wapizagonke, à l'ouest, et Rivière-à-la-Pêche, à l'est. Toutes indiquent le nom des sentiers, leur longueur, le temps moyen qu'on met à les parcourir et l'endroit où on les emprunte.

Natation On trouvera des plages sans surveillance dans les aires d'utilisation diurne de Shewenegan, de l'Esker et de Wapizagonke-Nord, de même que, sous surveillance, au lac Édouard.

Pêche La pêche est permise dans 34 lacs, mais il faut se procurer un permis annuel au centre d'accueil, aux entrées des terrains de camping, à l'un ou l'autre des kiosques situés aux entrées du parc, ou dans les boutiques de Saint-Gérard-des-Laurentides, de Saint-Mathieu ou de Saint-Jean-des-Piles. La saison de la pêche commence le dernier samedi de mai et se termine le jour de la fête du Travail.

Plongée sous-marine   Il est permis de pratiquer la plongée sous-marine dans les lacs Caribou, Wapizagonke et Édouard tous les jours, du dernier samedi de mai à la fête du Travail puis, en fin de semaine, jusqu'à l'Action de grâces. Les plongeurs doivent s'enregistrer et obtenir un permis à l'un ou l'autre des centres d'accueil. Un certificat de compétence est requis.

Sports d'hiver   Le parc offre un programme d'utilisation hivernale extrêmement étendu, axé sur Saint-Jean-des-Piles, à l'entrée est. On peut obtenir une brochure qui comprend une carte des nombreuses pistes et qui décrit tant l'équipement que l'expérience nécessaires en prévision du ski de fond, de la raquette et du camping hivernal aussi bien sécuritaires qu'agréables.

On y trouve 70 kilomètres de pistes de ski de difficultés variables, de même qu'une piste de 4 kilomètres pour la raquette qui commence au centre d'accueil situé à proximité du terrain de camping Rivière-à-la-Pêche. On peut camper sur ce site durant l'hiver. Celui-ci dispose d'une pièce pour le fartage, de toilettes, d'une aire de repos et d'aménagements pour les premiers soins. Tous les 5 kilomètres le long du réseau de pistes, on trouvera des huttes pour se réchauffer; celles-ci sont équipées de bois de chauffage, de poêles et de toilettes sèches. On peut y camper si l'on a apporté sa tente, etc., mais il est interdit de passer la nuit dans un de ces abris. Il existe, près de l'extrémité sud du lac à la Pêche, le refuge Wabenaki pouvant accommoder 28 personnes. Tout près de là, la maison Andrew peut accueillir 16 personnes. Une salle commune y dispose d'un foyer, d'une zone pour la cuisine, d'eau et de toilettes. Les usagers doivent apporter leur propre sac de couchage, leur nourriture, leurs articles de toilette et leurs ustensiles de cuisine. Pour s'assurer d'une place, on doit réserver au bureau de l'administration à compter du troisième lundi de novembre. Ce refuge n'est accessible qu'en ski et le tarif pour y passer la nuit est minime.

On peut louer de l'équipement pour le ski dans les villages situés à proximité des entrées du parc, de même qu'à Shawinigan et à Grand-Mère.

LECTURES COMPLÉMENTAIRES

Le Passage Wapizagonke-Antikagamac, Ottawa, Pacs Canada et le Centre d'édition du Gouvernement du Canada, 1981.

LAMOUREUX, Gisèle *et al.*, *Les Arbres du parc national de la Mauricie*, Ottawa, Parcs Canada et le Centre d'édition du Gouvernement du Canada, 1977.

POUR DE PLUS AMPLES INFORMATIONS

Le surintendant,
Parc national de la Mauricie,
C. P. 758
465, 5ᵉ Rue,
Shawinigan, Québec,
G9N 6V9

Tél. : [819] 536-2638

AUYUITTUQ

Auyuittuq* signifie « la terre qui ne fond jamais ». Une bonne partie de ce parc arctique est constituée de glaciers, dont les arêtes fondent en réalité durant l'été, mais qui sont ramenés à l'ordre en hiver. Une grande partie de sa superficie se trouve cependant dans une zone de pergélisol, où l'humidité de la terre, pas très loin sous la surface, est gelée de façon permanente. Durant l'été, les visiteurs pourront avoir l'impression que, sous leurs bottes, les touffes, le gravier et la boue sont complètement liquéfiés. Le fait de savoir qu'à quelques centimètres à peine sous la surface le sol est gelé n'a cependant rien de réconfortant; celui-ci ne peut servir d'assise pour les pieds. En levant les yeux vers les glaciers qui se déversent entre les hautes parois des vallées ou en se rapprochant des sommets de Thor et d'Odin façonnés par les glaciers, on sera peu enclin de regretter les efforts nécessités par une véritable expérience de la nature sauvage de l'Arctique.

Ce parc est le plus boréal du réseau canadien. Ses 21 470 kilomètres carrés protègent une partie intacte de l'est de l'Arctique sur l'île de Baffin. Les côtes de Baffin sont extrêmement tourmentées. Elles sont entaillées profondément par l'action des glaciers qui sont survenus en plusieurs vagues, les unes allant plus loin que les autres, et certaines zones étant entaillées plus d'une fois. Les glaciers sont responsables des vallées en forme de U, de même que des multiples fjords qui rayonnent depuis les hauteurs de l'île principale et les arêtes de ses péninsules.

L'action glaciaire exerce toujours son influence sur la topographie du parc. Le tiers environ de sa superficie est couvert par

Parcs Canada.

---

* Se prononce approximativement Aïe-you-é-touk.

la calotte glaciaire Penny qui occupe la partie centrale des hautes terres montagneuses Penny. Un certain nombre de montagnes des hautes terres atteignent une altitude de plus de 2 000 mètres, mais la calotte glaciaire les domine. Des glaciers, dont certains sont longs de 25 kilomètres, basculent dans l'océan au détroit de Davis à la limite nord du parc et apparaissent aux yeux des visiteurs le long de la principale route du parc, le col Pangnirtung, qui traverse la péninsule du nord au sud. Il serait erroné de ne voir en Auyuittuq qu'un endroit couvert de glace et de montagnes tourmentées. En réalité, à moins que le visiteur ne se soit rendu au parc précisément pour escalader des montagnes, son séjour se déroulera pour la plus grande part dans la vallée du col Pangnirtung, libre de glaces, qui n'atteint que 400 mètres à son point le plus élevé.

L'écosystème arctique est le résultat de l'interaction de l'état du sol, du climat, de l'approvisionnement en eau et de la longueur des jours et des saisons. En règle générale, le sol du parc est constitué aussi bien de débris de glaciers, tels que roc et gravier peu capables de fournir un habitat à une végétation autre que des mousses et des lichens, que de toundra reposant sur des dépôts de sable laissés par les vents et où poussent des buissons nains et certaines herbes. Ces herbes croissent souvent par grosses touffes hautes de près d'un mètre dans un tapis de végétation appelé « thufor ».

Les communautés de plantes des plats tidaux se sont développées sur les crêtes des fjords lorsque les falaises ne sont pas trop abruptes, de même que le long du détroit de Davis. Des plaques de neige (et non pas de glace) persistent enfin à l'année longue et, au cours de l'été, un certain nombre de plantes à fleurs peuvent y croître. La totalité du sol, quelle que soit sa composition, est gelé à l'année longue à quelques centimètres à peine sous la surface. Le sol libre de glace atteint au maximum une profondeur de 50 centimètres, mais la plupart du temps beaucoup moins.

Un sol pauvre en éléments nutritifs, un sol très mince, une température très froide, de même que des étés très courts sont des facteurs qui limitent sérieusement le nombre d'espèces végétales qui peuvent y subsister. La seule compensation découle du fait qu'Auyuittuq, qui se trouve juste au-dessus du cercle polaire, profite du soleil 24 heures par jour au moment du solstice d'été, le 21 juin. Les plantes dépendent du soleil pour la photosynthèse et la conversion des minéraux nutritifs en énergie et en tissus.

Une végétation clairsemée et son peu de diversité signifient aussi que le nombre des espèces animales est limité. On peut s'attendre à n'y voir que des lemmings, des grands lièvres arctiques (qui atteignent les 5 kilos!), des hermines et des renards bleus.

La faune la plus apparente aux yeux du visiteur estival, de juin à août, est constituée d'oiseaux. Bien qu'on n'y ait observé que 32 espèces, le nombre de représentants de chaque espèce est plutôt élevé. On y trouve 15 espèces d'oiseaux aquatiques tels que

La flore arctique demeure à ras de sol pour affronter les grands vents.

R. Marois, Parcs Canada.

huards, eiders, marmettes et mouettes tridactyles; des harfangs des neiges; des lagopèdes des rochers; des oiseaux du littoral tels que bécasseaux de Baird, bécasseaux maritimes, pluviers à collier et tourne-pierres; et des mangeurs de graines tels que bruants lapons et bruants des neiges. Ces oiseaux nichent tous dans la toundra. Les rares gerfauts et faucons pèlerins nichent pour leur part dans les anfractuosités des parois de roc de la vallée ou encore sur les arêtes des falaises ou sur les corniches de roc ou flanc des montagnes.

COMMENT VISITER LE PARC

Auyuittuq est un parc naturel tourmenté. Une visite sécuritaire implique qu'on soit en bonne condition physique, qu'on possède une vaste expérience du plein air, qu'on planifie soigneusement le moment de sa visite, qu'on soit convenablement équipé et bien approvisionné. Les visiteurs ne devraient toutefois pas apporter davantage qu'ils ne peuvent transporter sur leur dos puisqu'ils doivent être complètement autonomes et prêts à affronter toute situation d'urgence. Une fois sur les sentiers, les secours peuvent se trouver à plusieurs jours de distance. Les secours aériens ou alpins ne sont pas disponibles*.

---

* Je n'ai pas visité ce parc. Ce chapitre découle de mes lectures des publications de Parcs Canada et, surtout, du livre *The Land that Never Melts*. Pour la partie de ce chapitre qui porte sur l'utilisation du parc par les visiteurs, je m'en suis remise à des entrevues avec Roberto Cavalcanti qui a traversé dans sa totalité le col Pangnirtung.

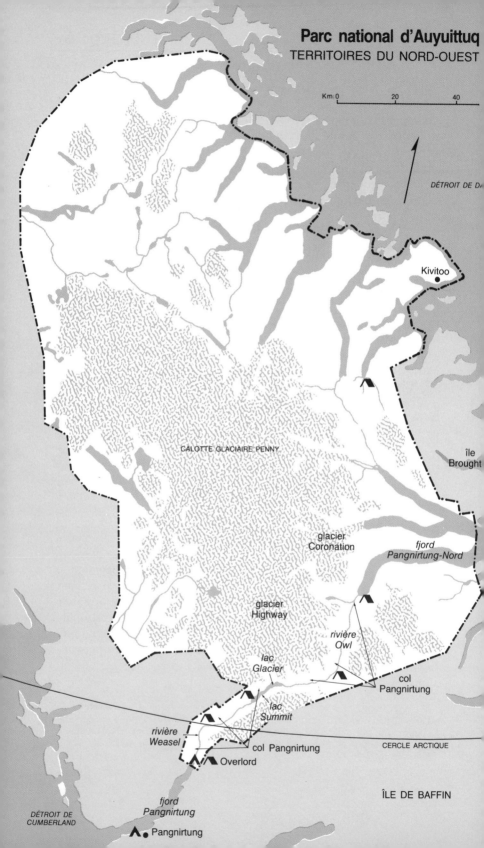

La route du col Pangnirtung

Bien que le parc offre aux excursionnistes une route principale, il existe plusieurs façons de le parcourir. Le col, long de 97 kilomètres, suit la **rivière Weasel** au sud depuis le **fjord Pangnirtung** jusqu'au **lac Summit**, au premier tiers environ, puis longe la **rivière Owl** jusqu'au **fjord Pangnirtung Nord**.

La première décision que les éventuels visiteurs doivent prendre est de savoir s'ils désirent parcourir la totalité du col et, si oui, dans quelle direction. Lorsqu'on a pour but de parcourir le col en son entier, il faut se souvenir que le segment sud se trouve plus proche des aménagements d'**Overlord** et qu'il dispose de quatre abris tout en recevant davantage de visiteurs. La pente vers les **lacs jumeaux Summit et Glacier** est plus abrupte quand on se dirige vers le nord que lorsqu'on arrive des lacs situés dans le segment nord. Si l'on préfère parcourir le segment le plus isolé lorsqu'on est frais et dispos, si l'on veut éviter d'escalader les segments les plus abrupts du sentier lorsque son sac à dos est encore presque plein, et si l'on veut se trouver à proximité de la « civilisation » au cours des quelques derniers jours de l'expédition, on devra songer à entreprendre celle-ci depuis l'**île Broughton** et se diriger vers le sud jusqu'à Overlord. Il faut compter de 9 à 12 jours.

Il n'est cependant pas nécessaire de parcourir cet itinéraire dans sa totalité pour avoir une bonne idée de l'environnement arctique. Plusieurs visiteurs entreprennent une excursion à partir du terrain de camping de 12 tentes à Overlord dans le sud et font l'aller-retour jusqu'au lac Summit, ou plus loin jusqu'au lac Glacier avant d'emprunter l'autre rive de la rivière Weasel au retour. Une telle excursion permet d'observer l'éventail complet des spectaculaires panoramas glaciaires, de la flore arctique, des torrents d'eaux de fonte glaciaire qu'il faut traverser à gué, et d'affolantes touffes de thrufor qu'il faut contourner. L'aller-retour prend au moins une semaine.

Quel que soit le genre d'excursion, il faut toujours prévoir qu'on avancera beaucoup plus lentement qu'on ne s'y attendait et qu'on mangera beaucoup plus qu'on ne le croyait possible. Les sentiers de la vallée Weasel sont balisés, ce qui n'est pas le cas de ceux de la vallée Owl, et on perd beaucoup de temps à identifier la route. On ne risque pas de se perdre puisque les parois de la vallée déterminent l'espace où l'on se déplace. Au nord du lac Glacier, les sentiers ne sont toutefois pas balisés parce que l'usage fréquent d'une seule route dans une zone de pergélisol devient rapidement destructeur. Des routes balisées seraient en outre souvent cachées par les changements de direction des torrents, les avalanches printanières, etc. Entre les larges parois de la vallée, les excursionnistes sont donc laissés à eux-mêmes. Le terrain est rarement sec et solide. Les zones les plus élevées, au pied des parois de la vallée, sont souvent encombrées par des talus instables ou les restes des avalanches de l'hiver précédent. Les excursionnistes doivent faire preuve de patience et d'endurance, et disposer de casse-croûte énergétiques et de boissons chaudes. L'eau douce est abondante, mais il faut transporter son propre poêle et ses propres réserves de mazout.

Les excursionnistes doivent en outre faire preuve de la plus grande prudence lorsqu'ils traversent les nombreux torrents qui se déversent dans le col. Il est préférable de traverser tôt durant la journée, avant que le soleil de midi n'augmente la fonte et, en conséquence, le volume des torrents. Trois personnes ou plus devraient s'encorder. À défaut d'une cordée, on se servira d'une perche solide et on n'oubliera surtout pas de *détacher la ceinture de son sac à dos*. Certaines personnes se sont noyées dans des eaux même peu profondes lorsque, en glissant, elles ont été incapables de se débarrasser de leur lourd fardeau.

À l'île de Baffin, la température est très capricieuse et il peut neiger sur le col Pangnirtung tous les mois de l'année. Il gèlera en moyenne un jour sur trois ou quatre tout au long de l'été. Il y pleut fréquemment et il vente constamment. Les journées sont longues et risquent d'être claires avec des températures qui peuvent atteindre 20°C au plus fort de l'été, mais on doit être prêt à affronter les pires conditions atmosphériques possibles.

En passant quelques jours dans l'un ou l'autre des établissements inuit de Pangnirtung ou de l'île Broughton et en se promenant dans le col durant un certain nombre de jours, les visiteurs devraient tirer d'Auyuittuq une inoubliable introduction à l'Arctique de l'est du Canada, à la vie de ses habitants et à son histoire naturelle très particulière.

SERVICES ET COMMODITÉS

Programme d'interprétation

Un parc sauvage n'offre pas de programme d'interprétation et de services aux visiteurs qu'on retrouve dans les parcs du sud. Les gardiens en poste à Pangnirtung ou à l'île Broughton patrouillent les sentiers et veillent à l'entretien des abris pour les urgences,

Abri en cas d'urgence et hutte pour se réchauffer dans la région du lac Summit.

M. Beedell, Parcs Canada.

des toilettes et des dépôts de détritus. Les abris ne doivent servir qu'en cas d'urgence et, sur presque toute la longueur du sentier, les matières fécales humaines doivent être enterrées et les détritus, emportés. Les excursionnistes sont supposés s'enregistrer à l'arrivée comme au départ auprès des gardiens qui peuvent les renseigner sur l'état de la piste, sur la disponibilité de canots pour le transport des marchandises, sur les réservations, etc. Les gardiens sont en mesure d'organiser une expédition de secours sur une petite échelle, mais les grimpeurs ne peuvent s'attendre à être secourus que s'ils ont été capables de redescendre jusque dans la vallée.

Camping

On trouvera un terrain de camping sauvage à **Overlord**, à l'extrémité sud du sentier. Il dispose de 12 emplacements pour les tentes, de toilettes sèches, de grilles à cuisson et d'eau provenant des torrents. Son utilisation est gratuite. Toute autre forme de camping se pratique dans le parc au gré des visiteurs. Il existe le long de la piste sept abris principaux dont on peut se servir en cas de températures extrêmes ou d'urgence physique. Ces abris disposent tous d'une zone plate pour les tentes, ainsi que de toilettes primitives. Les zones plus sèches et graveleuses sont recommandées.

Le col Pangnirtung depuis Overlord.

M. Beedell, Parcs Canada.

Autre terrain de camping

On trouvera à **Pangnirtung** un terrain de camping de huit emplacements administré par le gouvernement territorial. Ce terrain dispose de toilettes et d'abris pour la cuisine, mais pas d'eau potable.

Autres agréments, nourriture et approvisionnements

On trouvera à l'île Broughton un centre de transit qui ressemble plutôt à un motel et où l'on peut passer la nuit pour environ 35 dollars. La compagnie de la Baie-d'Hudson possède des magasins à l'île Broughton et à Pangnirtung. Ils sont très petits, on y vend très cher et les approvisionnements y sont souvent très limités. L'unique navire d'approvisionnement, s'il parvient à s'y rendre, arrive en septembre. Comme la plupart des visiteurs y séjournent en juillet et en août, il faut prévoir transporter tout son équipement; mais il est tout à fait possible que les magasins disposent précisément de ce qu'on aura oublié.

Loisirs

Alpinisme   Il s'agit certainement d'un attrait pour les visiteurs. On trouve dans le parc un certain nombre de sommets très escarpés d'environ 2 000 mètres. Le désir d'être le premier à vaincre une montagne éloignée ou de gravir une paroi de granit lisse à laquelle personne ne s'est encore attaqué attire de plus en plus d'alpinistes dans le parc depuis plus d'une décennie. On pourra avoir une idée de telles ascensions en consultant d'anciens numéros du *Canadian Alpine Journal* (en particulier les numéros 37, 47, 49, 55, 56 et 57). Il faut écrire au parc au moins un an à l'avance pour se renseigner sur les routes, sur l'expérience d'autres alpinistes, sur l'équipement requis, etc. Le genre d'expédition favorisé par les alpinistes consiste à partir de Pangnirtung en motoneige et à grimper des jours ou des semaines durant alors que le temps est froid mais peut-être dégagé à la mi-juin. C'est à cette époque de l'année que les neiges sont les moins abondantes et que la lumière du jour brille durant 24 heures. Dès le mois d'août, il neige régulièrement aux altitudes supérieures à 600 mètres.

Pêche   La pêche à l'omble arctique dans les fjords du détroit de Davis est excellente, mais il ne s'agit habituellement pas du but principal d'un séjour dans le parc.

Autres services Des pourvoyeurs commerciaux installés à proximité du parc ou provenant d'autres régions du Canada servent de guides à des groupes dans le parc. Des associations de plein air telles que Canadian Youth Hostels mettent au point un séjour annuel dans le parc. Pour obtenir de l'information à ce sujet, on peut écrire au parc ou à Travel Arctic, une agence du gouvernement territorial. Plusieurs magazines consacrés à la nature ou à la conservation renferment de la publicité à ce sujet.

COMMENT S'Y RENDRE

Des jets font régulièrement la navette entre Montréal et Frobisher Bay, au sud de l'île de Baffin. À partir de cet endroit, on peut s'envoler vers le village de Pangnirtung, au sud de la péninsule de Cumberland, ou vers l'établissement de l'île Broughton, sur le détroit de Davis. À partir de l'un ou l'autre de ces endroits, il est nécessaire de voyager à bord d'un canot de transport de marchandises jusqu'aux têtes de sentier à l'extrémité nord ou sud du col Pangnirtung. Les Inuit offrent ce service après la rupture des glaces, habituellement à la fin de juin ou au début de juillet vers Pangnirtung, et début d'août à l'île Broughton. Le déplacement depuis Pangnirtung jusqu'à la tête de sentier sud à Overlord prend environ 1 h 30. En 1982, le tarif s'élevait à 100 dollars pour deux personnes et leur équipement. Le déplacement depuis l'île Brighton jusqu'à la tête nord du sentier à l'embouchure de la rivière Owl prend de 4 h 30 à 5 h. En 1982, le tarif pour deux personnes s'élevait à 150 dollars. Ces tarifs augmentent chaque année.

Les visiteurs doivent écrire au parc à l'avance de façon à connaître la disponibilité des canots de transport et le genre de service auquel ils doivent s'attendre, en particulier les horaires, les coûts, la capacité des embarcations, etc. C'est surtout le cas du service partant de l'île Broughton puisque celui-ci est beaucoup moins utilisé. Une fois rendu à l'un ou l'autre des deux établissements, il est essentiel de se renseigner auprès des gardiens et des habitants de façon à s'assurer d'un mode de transport à la fin du séjour. Il est aussi possible d'être transporté en motoneige avant que les glaces ne soient rompues, en juin, jusqu'à l'entrée du col. Celui-ci sera dégagé et la température y sera plutôt stable. La mince bordure de glace le long des rivières facilite en outre les excursions.

LECTURE COMPLÉMENTAIRE

WILSON, Roger *et al.*, *Au pays des glaces éternelles. Guide du parc national Auyuittuq*, Montréal, Parcs Canada et Éditions de l'Étincelle, 1977.

POUR DE PLUS AMPLES INFORMATIONS

Le surintendant,
Parc national d'Auyuittuq,
Pangnirtung, T. N. O.,
X0A 0R0

Tél.: [819] 473-8962

LE PARC NATIONAL DE

FORILLON

Forillon se trouve sur une péninsule qui s'avance dans la mer. Les interrelations de son site, de la mer et des humains lui confèrent un caractère particulier. On peut explorer ce parc en voiture, à vélo ou en marchant le long de ses sentiers et de son littoral. Forillon occupe l'extrémité la plus boréale sur terre de la chaîne des montagnes Appalaches qui s'étend vers le sud jusqu'en Georgie. Les falaises escarpées gris-blanc qui miroitent face à l'océan sont faites de calcaire. Avec le temps, les éléments ont réduit par endroits ce calcaire en cailloux tout en façonnant les magnifiques plages en forme de croissant qui émaillent le périmètre de la péninsule gaspésienne. À une certaine époque, ces plages servaient de base à un mode de vie particulier. Des expéditions en provenance d'Europe, surtout françaises et espagnoles, venaient pêcher dans les eaux froides et poissonneuses du plateau continental. La longueur du voyage de retour rendait nécessaire de sauvegarder les prises en les asséchant au préalable sur les plages de galets gaspésiennes. Ce processus exigeait de longues périodes de temps sec et les mois d'avril à novembre convenaient particulièrement bien. Le séchage rapide sur des claies signifiait qu'il était possible de conserver le poisson sans abuser du sel. Le poisson traité en Gaspésie étant très peu salé, on le rechercha bientôt plus que toute autre morue sèche disponible aux marchés mondiaux.

L'Europe étant trop éloignée pour y retourner entre les saisons de pêche, les gens commencèrent à s'établir au Nouveau Monde. Ils jardinaient au sommet des falaises et abattaient des arbres pour se construire maisons et bateaux de même que pour se chauffer en hiver.

Forillon offre bien davantage aux visiteurs qu'une côte spectaculaire et historique. L'intérieur montagneux, avec ses pentes et ses vallées boisées, s'étend du coeur de la péninsule aux falaises escarpées du bord de mer. Les forêts sont constituées d'essences boréales (pins et épinettes blanches) et acadiennes (érables et bouleaux) entremêlées. Dépendant de l'altitude, certains endroits abritent une flore arctique et alpine.

Le secteur de la plage Penouille, à la limite sud-ouest du parc, est une péninsule basse, longue d'environ 2 kilomètres. De longues plages de sable doux et des dunes peu élevées ornent son côté ouvert et un riche marais salin occupe son rebord intérieur. Au centre, une flore qu'on retrouve habituellement à 500 kilomètres au nord, dans la taïga, prolifère. La cladonie tapisse le sol sablonneux.

COMMENT VISITER LE PARC

Il existe trois bonnes façons d'étudier la forme de la péninsule ainsi que la flore et la faune du parc et des environs. On peut tout d'abord les observer depuis la mer. Il suffit de se joindre à une expédition maritime, à bord d'un bateau de croisière administré par l'entreprise privée, au quai situé immédiatement au nord du terrain de camping **Le Havre**. Une croisière a lieu chaque jour, de même qu'une expédition de pêche où l'on peut taquiner la morue. J'ai, pour ma part, choisi la croisière d'une heure et demie qui longe les côtes et aboutit à l'extrémité de la péninsule où un phare domine tout le reste. À bord du bateau, il est facile de déceler la structure géologique des immenses falaises, d'apercevoir les plaques de lichen orange qui leur donne de la couleur, et de constater qu'elles représentent l'habitat d'oiseaux maritimes tels que mouettes, guillemots noirs, marmettes communes, cormorans à aigrettes et petits pingouins. Les plages étroites, formées de débris de roc, fournissent aux eiders des endroits où nicher. Le phoque commun donne naissance à ses petits dans les eaux qui entourent la péninsule tandis que le phoque gris y arrive lorsque ses petits sont déjà nés. De grands fous de Bassan blancs survolent les lieux, provenant sans doute de l'île Bonaventure qu'on peut apercevoir au loin par temps clair. Un interprète participe à la croisière et contribue à la compréhension, en plus de l'appréciation, de la beauté des interrelations de la terre, des eaux et de la vie qu'ils abritent.

Une deuxième façon de connaître la péninsule consiste à observer sa flore et sa faune sous-marines. On peut consulter l'horaire du programme d'interprétation au sujet des démonstrations offertes par des plongeurs une fois par semaine à la plage **Grande-Grève**. Ceux-ci plongent de plus en plus profondément et rapportent de chaque niveau des spécimens caractéristiques de la flore et de la faune. Sur la plage, des interprètes équipés d'aquariums reçoivent ces différentes espèces et expliquent en détail ce qu'on leur rapporte de même

Le monotrope uniflore est une plante saprophyte.

que les moyens mis en oeuvre pour assurer leur survie à différentes profondeurs. Les plongeurs auront expliqué préalablement de quelle façon ils sont équipés et ce qu'ils s'apprêtent à faire. Cet élément du programme du parc est très populaire; de nombreuses personnes s'intéressent à la vie aquatique mais seules quelques-unes sont en mesure de pratiquer elles-mêmes ce genre de plongée. Les plongeurs sont les bienvenus dans le parc puisque celui-ci est fier de la multitude d'espèces de flore et de faune arctiques qu'on retrouve aussi loin au sud.

Le troisième moyen d'explorer la forme de la péninsule consiste à se rendre au sommet. Pour ce faire, on peut emprunter le **sentier Grande-Montagne** derrière la **zone portuaire de Grande-Grève**; ce sentier suit le rétrécissement de la péninsule en direction du terrain de camping Le Havre. On peut, si l'on veut, marcher durant quelques heures, parcourir toute la distance qui sépare le **cap Bon-Ami** et le terrain de camping Le Havre de la zone portuaire de Grande-Grève. Certains segments sont évidemment en pente le long de l'épine dorsale de la péninsule, mais le sentier est bien aménagé et offre plusieurs points de vue d'où il est possible d'apprécier le panorama et reprendre son souffle.

À environ 1 kilomètre au nord de Grande-Grève, le sentier suit le rebord crénelé de l'endroit le plus élevé de la péninsule gaspésienne. À chaque tournant important, des points de vue soigneusement clôturés confèrent l'impression excitante de se retrouver flottant entre les boisés tapissés de fleurs derrière soi et

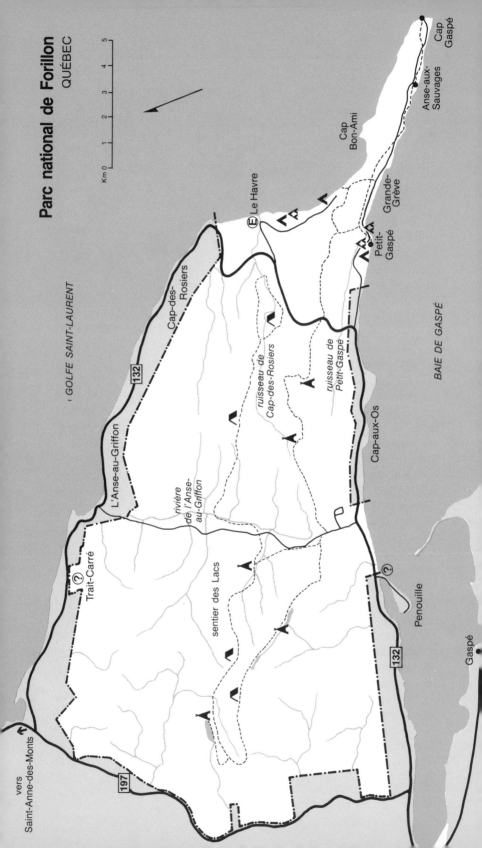

le vaste océan qui s'étend à l'avant, environ 100 mètres plus bas par endroits. N'oubliez pas votre caméra!

Gens de la terre et gens de la mer

La pêche, le jardinage et la coupe du bois ont fait partie intégrante, durant des centaines d'années, de la région de Forillon. Le parc lui-même n'est plus habité par les humains et, en conséquence, on n'y pratique plus ni le jardinage ni la coupe du bois, mais on pêche toujours dans le port de **Cap-des-Rosiers** et sur le quai de **Grande-Grève**. À ce dernier endroit, une jetée sert surtout aux embarcations locales qui vont et viennent incessamment. Les visiteurs peuvent pique-niquer à proximité, ou taquiner eux-mêmes le poisson en s'installant au bout de la jetée. On appelle *grèves* les plages de galets qui longent la péninsule; la plage, plus large qu'ailleurs, est longue d'environ 400 mètres. Le parc a préservé une partie du petit village qui était autrefois un centre de pêche et de traitement du poisson. À l'Anse-Blanchette, on peut pénétrer dans ces bâtiments qui ont été restaurés. Une grange a été transformée en salle d'exposition portant sur les techniques et l'histoire des pêcheries dans la région.

On y apprend que la mise en marché du poisson pouvait s'avérer plus précaire que le fait de parcourir des eaux froides et démontées. Un système s'était développé où les pêcheurs, qui ne pouvaient s'offrir l'équipement nécessaire, empruntaient de l'argent ou des marchandises aux marchands ou aux pêcheries. Le coût de l'emprunt n'était établi qu'une fois les dernières prises effectuées. Il est peu surprenant que les revenus n'aient jamais suffi aux pêcheurs à rembourser leurs dettes, à faire suffisamment de profit pour traverser l'hiver et à être prêts à pêcher l'année suivante. À Grande-Grève, ce côté décourageant de la pêche en Gaspésie est fort bien documenté.

En quittant la grange, on roule à travers des champs où l'on cultivait le foin, puis dans les boisés qui représentaient une source de combustible et de matériaux de construction. La coupe du bois s'effectuait en hiver, saison où il était plus facile de charroyer les billots et où les habitants n'étaient pas occupés à pêcher et à cultiver. Un sentier panoramique fascinant permet de se rapprocher de beaucoup de certains aspects de la vie d'autrefois dans la région.

Un autre sentier, du côté sud de la péninsule, indique de façon dramatique les épreuves générées par la pêche et l'ingéniosité dont faisaient preuve ces gens pour surmonter ces obstacles.

La route, qui passe par Grande-Grève, prend fin, à l'Anse-aux-Sauvages, à quelques centaines de mètres de là. On trouve à cet endroit une jetée encore suffisamment solide pour qu'on puisse y marcher, un vieux cimetière, une zone de pique-nique équipée d'eau et de toilettes, ainsi qu'une excellente grève. Il s'agit d'un endroit de prédilection pour les plongeurs et les véliplanchistes intrépides.

Si l'on tient à expérimenter davantage les modes de vie gaspésiens, il faut emprunter le **sentier Les Graves** qui mène au phare de l'extrémité de la péninsule gaspésienne. Ce sentier longe les falaises qui dominent la mer. En suivant ce sentier dégagé, on traverse des champs couverts de primevères et de carottes sauvages. À toutes les quelques centaines de mètres, le sol paraît se dérober sous nos pieds lorsque le sentier arrive en bordure d'une anse longée par une grève. Plusieurs endroits permettent d'observer les ruines des plates-formes remplies de roches et des longues rampes construites pour permettre le transport des personnes, du poisson et même des embarcations vers les terres situées au sommet des falaises verticales. Le parc a entièrement reconstruit l'une de ces rampes et les visiteurs peuvent l'utiliser pour flâner sur les grèves ou remonter vers le sentier à la marée montante. Bien que ces rampes aient dû alléger quelque peu les fardeaux, il est presque douloureux de constater à quel point leur construction a dû être pénible et à quel point il devait être difficile d'y monter ou d'y descendre quoi que ce soit.

Le sentier qui dépasse ces anses mène au **phare du cap Gaspé**. Ce sentier est circulaire et lorsqu'on l'emprunte jusqu'au niveau supérieur (une marche de 10 minutes), on se retrouve au beau milieu de l'une des zones de forêt boréale du parc. Celle-ci ouvre tout à coup sur une clairière où se trouve le phare blanc et rouge qui corne ses avertissements, les jours de brume. Ici aussi, on peut se dresser au bord de la falaise et il est particulièrement amusant de se retrouver nez à nez avec les mouettes et les goélands qui se servent des vents qui hurlent le long de la façade de la falaise pour basculer ou planer à un mètre à peine de soi, mais à peut-être une centaine de mètres de l'océan tout en bas. Il est facile de parvenir à cette magnifique destination bien qu'il faille compter environ une heure de marche dans chaque direction.

La plage Penouille

La plage Penouille forme un contraste frappant avec les montagnes boisées, les falaises blanches, et les grèves sculptées par les

Falaises de calcaire qu'on voit mieux depuis une embarcation.

vents et les eaux de Forillon. Il s'agit d'un terrain plat, sablonneux, à la végétation clairsemée par endroits et aux riches bancs
de boue, par ailleurs. Cette plage se trouve à l'entrée sud-ouest
du parc, près d'un centre d'information où le personnel peut
aider à planifier une visite, distribuer cartes et dépliants ou
vendre affiches et livres portant sur l'histoire naturelle. Ceux qui
se rendent à Penouille stationnent à ce centre et parcourent les 2
kilomètres qui les séparent de la pointe à bord d'un tramway
alimenté au gaz propane. La pointe dispose d'un casse-croûte, de
cabines pour se changer et de douches à l'intention des baigneurs, de toilettes et de tables de pique-nique.

On peut apprécier à cet endroit les formations de dunes
basses du côté océan de la pointe, le marais salin couvert de
vallisnéries spirales du côté de la terre ferme (un excellent endroit
pour les migrateurs du littoral) et la flore sèche de la taïga au
milieu de la langue de sable. Une telle combinaison ne survient
que très rarement.

SERVICES ET COMMODITÉS

Programme d'interprétation

Il existe deux centres d'information (à Penouille, près de Cap-aux-
Os, et à Trait-Carré, près de l'Anse-au-Griffon) de même qu'un

centre d'interprétation au Havre. On y trouve l'horaire des événements interprétatifs, des dépliants, des cartes et des livres, et il est possible d'y discuter avec le personnel de ce qui vous intéresse dans le parc.

Camping

Il existe trois zones de camping pour les tentes ou les caravanes, de même qu'un terrain de camping collectif. Aucun raccord n'est disponible, mais on trouvera, dans chacun, un poste de vidange pour les caravanes. Tous disposent d'eau. **Petit-Gaspé**, au sud-ouest, est celui qui affiche complet le premier. Il compte 136 emplacements dans une magnifique zone boisée. La plupart des emplacements sont à deux niveaux : un pour le véhicule et l'autre pour la tente. Cet aménagement ajoute à l'intimité tout en étant visuellement intéressant. On y trouve d'excellents abris pour la cuisine, des salles de bains équipées de douches, de même qu'un petit terrain de jeu et du bois de chauffage. Le **terrain de camping Le Havre**, du côté nord du parc, comprend environ 155 emplacements. Aménagé dans un grand champ en pente, il est adossé à l'arête de la péninsule et fait face à l'océan. Il n'y a pas d'arbres, mais la prairie luxuriante a été partiellement éclaircie pour les tentes, les tables et les accès en gravier. On y accède facilement à la plage et à des sentiers qui mènent à l'extrémité de la péninsule. Ce terrain offre des douches, des salles de bains et des abris pour la cuisine, tous en excellent état. Le bois de chauffage est disponible sur place. Un amphithéâtre et un centre d'interprétation occupent le centre de ce terrain. Le quai pour les croisières ne se trouve qu'à quelques minutes en voiture ou à pied.

Le **terrain de camping du Cap-Bon-Ami** se trouve à quelques minutes plus loin en voiture sur la route qui traverse Le Havre. Il s'agit d'une petite zone réservée aux tentes. On y trouve des plates-formes de terre pour les tentes et on peut stationner les voitures entre les emplacements. Ce terrain dispose d'abris pour la cuisine, de toilettes et de douches, de tables de pique-nique et d'un grand terrain de jeu. Il se trouve à peu de distance des montagnes qui se dressent à l'arrière, de la mer et des sentiers qui mènent à l'extrémité de la péninsule. À proximité, les visiteurs à la journée ont à leur disposition, une aire de pique-nique et un point de vue. Un peu plus loin, un spectaculaire point de vue domine des falaises où nichent certains oiseaux de même que le pittoresque cap Bon-Ami où l'on trouve 32 emplacements de camping.

Phoques se prélassant au pied des falaises.

Camping collectif

Pour cet emplacement, situé à proximité de **Petit-Gaspé**, il est nécessaire de réserver; on peut le faire en écrivant au surintendant.

Autres agréments, essence, nourriture et approvisionnements

Tant au nord qu'au sud du parc, des villages disposent de motels, de terrains de camping privés, de petites épiceries, de boutiques d'équipement de camping et de stations-service. Ces boutiques et ces motels offrent souvent des informations sur le parc, en particulier les horaires de ses événements interprétatifs.

Loisirs

Natation   On peut pratiquer la natation sous surveillance dans la presqu'île de Penouille et sans surveillance partout ailleurs. Les gens pataugent souvent sur les autres grèves tandis qu'ils se promènent ou pique-niquent. Bien que froide, l'eau n'est pas intolérable.

Plongée sous-marine   Le parc encourage la plongée sous-marine à cause de son habitat maritime varié. Il s'agit de l'un des rares endroits dans le réseau des parcs nationaux où il est possible d'observer la flore et la faune marine arctiques. Au cours de l'été, la température de l'eau dans la plupart des secteurs varie de 8° à 19°C à la surface et de 2° à 3°C à 18 mètres de profondeur.

Sports d'hiver   Plusieurs possibilités s'offrent aux fervents du ski de fond et de la raquette. Les débutants sont incités à utiliser la zone voisine du terrain de camping de Petit-Gaspé. On peut aussi y camper. On y trouvera un abri pour se réchauffer, du bois de chauffage, un poêle et des toilettes sèches, mais pas d'eau; il faut apporter la sienne.

Il existe des pistes beaucoup plus longues et beaucoup plus ardues à l'intérieur du parc, dont la piste des Lacs, où l'on trouvera deux huttes pour se réchauffer et des toilettes. Le Castor et le Ruisseau sont aussi de bonnes pistes.

Pêche   La pêche est gratuite et il n'est pas nécessaire de se procurer un permis pour pêcher sur les quais. Aucun quota n'est imposé. Le maquereau représente la prise habituelle. Pour la pêche à la truite dans les torrents et les lacs intérieurs, un permis à la journée est requis et on peut l'obtenir auprès des gardiens ou au kiosque de l'entrée. Il est interdit de pêcher dans le même lac deux jours d'affilée et les quotas pour la truite sont faibles.

LECTURE COMPLÉMENTAIRES

SAINT-AMOUR, Maxime, *Guide du parc national Forillon*, Ottawa, Parcs Canada et le centre d'édition au gouvernement du Canada, 1985.

LEFEBVRE, Ghislain, *Les Plantes rares du parc national Forillon*, Ottawa, Parcs Canada et le centre d'édition du Gouvernement du Canada, 1983.

POUR DE PLUS AMPLES INFORMATIONS

Le surintendant,
Parc national de Forillon,
146, boul. de Gaspé,
C. P. 1220,
Gaspé, Québec,
G0C 1R0

Tél. : [418] 368-5505

KOUCHIBOUGUAC

Le parc national de Kouchibouguac offre une merveilleuse occasion d'apprécier une plaine maritime. Son territoire descend en pente douce vers la mer et 25 kilomètres de plages bordées de dunes blanches protègent de chaudes lagunes et de riches marais salins. À première vue, Kouchibouguac paraît peut impressionnant si l'on excepte ses magnifiques plages. Sans doute parce qu'aucune partie de la plaine n'est à une altitude supérieure à 30 mètres, les visiteurs ont tendance à croire que le parc n'est rien d'autre qu'un endroit où se baigner, se promener en vélo ou pique-niquer. Il n'est pas évident que cet endroit comporte une riche histoire naturelle et a subi des changements spectaculaires. En réalité, Kouchibouguac renferme l'un des écosystèmes les plus dynamiques de l'ensemble du réseau des parcs nationaux: le chapelet d'îles qui longe sa limite est provoque une modification constante des dunes, des récifs et des lagunes.

La barrière d'îles se forme et se modifie en grande partie grâce à la puissance des courants océaniques. L'action des vagues, surtout au moment d'un orage, arrache du sable tant au littoral qu'au fond marin et le projette contre les crêtes qu'on peut apercevoir en déambulant le long de la plage. Les crêtes des dunes résultent de l'action ultérieure des vents et des courants côtiers qui remuent le sable fin exposé tandis que des barrières se forment sous l'eau. Trois dunes insulaires principales, Kouchibouguac-Nord, Kouchibouguac-Sud et Richibucto-Nord, existent depuis environ 2 500 ans. Elles se déplacent depuis plusieurs siècles vers le littoral, poussées par les vents. Bien que ces dunes soient permanentes, leur configuration change constamment.

Ce système insulaire n'a rien d'un accident géographique isolé; il joue un rôle important sur le caractère de la région située derrière lui en ce sens que la barrière adoucit et contrôle les effets de la mer sur le littoral. Les eaux qui contournent l'extrémité des îles et pénètrent dans les criques ne raclent pas les fonds sablonneux ni ne dérangent la flore et la faune marines variées. Le sable y est plutôt stable et, près de la limite du flux tidal, la boue peut se former. Les éléments nutritifs s'y collectent, les graines s'y enracinent, mollusques et poissons s'alimentent et s'abritent dans cette flore qui tolère le sel dans des boues plutôt stables et des eaux tièdes et limoneuses.

Les rivières et les ruisseaux qui traversent la plaine et se déversent dans la mer se réunissent à cet endroit particulier. L'eau douce y rencontre les eaux tidales des lagunes, s'y fonde et se voit partiellement retenue dans les lagunes par la barrière d'îles. Il en résulte une eau de mer diluée dans les lagunes qui se déversent lentement; faune et flore peuvent ainsi survivre dans les estuaires à l'embouchure des rivières et dans les parties les plus rapprochées des lagunes. On trouve aussi à certains endroits des marais salins où poussent les herbes que les oiseaux aquatiques apprécient et où ils se reproduisent. Un gros orage peut modifier radicalement la configuration des îles et la vie des lagunes, des estuaires et des marais salins situés au-delà. Mais tandis qu'une partie disparaît, une autre apparaît; c'est dont là une histoire de changement plutôt que de destruction.

La forêt et les champs de l'intérieur du parc ont été façonnés par les humains aussi sûrement que la zone côtière l'est par la mer. La forêt a été abattue et incendiée plusieurs fois au cours des derniers siècles. Les grands pins blancs ont été abattus pour servir de mâts aux navires; d'autres arbres l'ont été pour la construction de navires ou de bâtiments. Il arrivait qu'un pin blanc soit épargné parce qu'il était noueux ou difforme. Le long du sentier Claire-Fontaire ou du ruisseau Major, il est possible d'apercevoir plusieurs immenses pins blancs, chacun affligé d'un défaut. Les champs ont été dégagés pour être cultivés ou pour que les animaux domestiques puissent y brouter. On permet tant à la forêt qu'aux éclaircies de retourner à leur état naturel. Elles sont riches et variées et représenteront de fascinants exemples de changement au cours des années à venir.

Des tourbières couvrent 21 pour cent de la superficie du parc, bien qu'elles ne soient accessibles qu'à Kellys Bog. La plaine maritime qui constitue leur lit est très plate et très dense et ne permet pas aux eaux de s'écouler à travers elle. Dans cette région, un haut niveau d'humidité et un bas niveau d'évaporation produisent de bonnes conditions pour que se forment des tourbières. Il s'agit de tourbières surélevées, alimentées exclusivement par les pluies et les neiges. Elles accumulent couche après couche de sphaignes et de petits arbustes, puis acquièrent peu à peu la forme de dômes. Kellys Bog renferme plus de 5 mètres de sphaignes et ces couches condensées se sont transformées en tourbe.

Aréthuse bulbeuse et sarracénies pourpres de la fondrière Kellys.

COMMENT VISITER LE PARC

La barrière d'îles, les plages, les lagunes et les marais salins

La **plage Kellys** représente la première destination de la plupart des visiteurs. Un grand terrain de stationnement, un casse-croûte, des cabines pour se changer, des douches et des toilettes font partie d'un complexe aménagé dans la zone boisée située derrière la plage. Les sentiers qui mènent à la plage sont tous faits de planches de façon à protéger la flore fragile et les sables instables. Cette marche de cinq minutes commence dans un mince boisé où l'on peut apercevoir des fauvettes, des grives et des moucherolles et entendre des hiboux la nuit. Les fauteuils roulants peuvent emprunter le trottoir de planches sans trop de problème. Le boisé cède bientôt la place aux herbes du marais salin où abondent les bruants des prés. On y aperçoit aussi des bruants à queue aiguë. Puis, on arrive à la première lagune qui court parallèlement à la plage. Le trottoir de planches flotte sur l'eau ; il s'agit d'un merveilleux exemple d'une solide construction qui s'élève et s'abaisse au gré des marées. Les gens y plongent ou se contentent de sauter à l'extrémité pour entreprendre leur marche sur le côté protégé de la **dune Kouchibouguac-Sud**. Le trottoir de planches prend fin du côté océan de la dune. L'été, on peut apercevoir des fous de Bassan et des eiders qui volent et s'alimentent près de la grève. La crête de la dune est couverte de gourbets, le principal

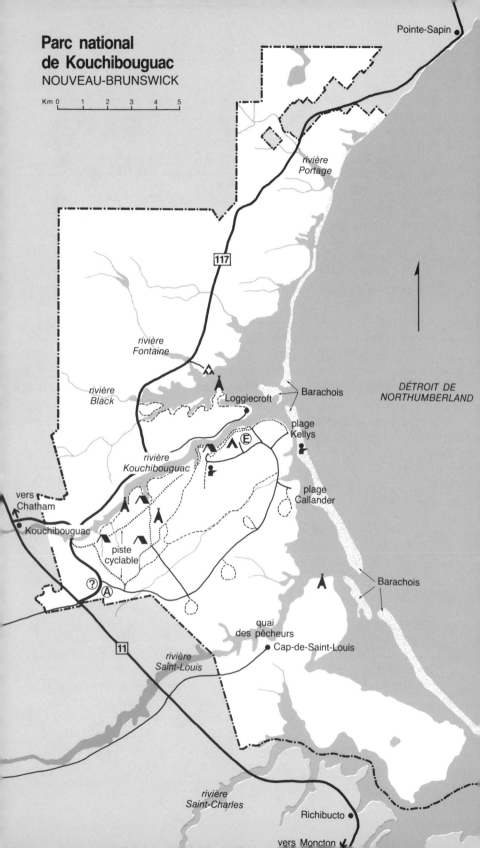

Parc national
de Kouchibouguac
NOUVEAU-BRUNSWICK

Km 0   1   2   3   4   5

Pointe-Sapin

rivière Portage

117

rivière Fontaine

rivière Black

Loggiecroft

Barachois

rivière Kouchibouguac

E

plage Kellys

DÉTROIT DE NORTHUMBERLAND

plage Callander

vers Chatham

Kouchibouguac

piste cyclable

Barachois

?

A

quai des pêcheurs

Cap-de-Saint-Louis

11

rivière Saint-Louis

rivière Saint-Charles

Richibucto

vers Moncton

colonisateur de cet environnement sablonneux et changeant. Dans les secteurs à peine plus stables, caquilliers édentulés et baies de lauriers prennent racine. Sur la plage elle-même, on peut marcher sur des kilomètres de sable ferme et propre. Les eaux océaniques sont suffisamment chaudes pour s'y baigner durant l'été, mais les lagunes sont beaucoup plus chaudes et plus calmes. Les oiseaux sont davantage présents sur les barres de sable et sur les îles les moins fréquentées qu'on peut toutes apercevoir depuis l'île principale. Des milliers de sternes et de goélands nichent dans l'**île Tern**, juste au sud de la dune Kouchibouguac-Sud. Une paire de jumelles, sans être essentielle, peut être utile. On peut aussi apercevoir quelques individus appartenant à un troupeau de phoques qui prennent le soleil dans les îles et sur les plages les plus tranquilles.

Il arrive parfois que les pêcheurs de la région emmènent des visiteurs dans les lagunes, voire jusque dans le détroit de Northumberland, le long du parc. Une telle croisière ajoute certainement au plaisir et à la compréhension de cet écosystème complexe. On peut se faire aider à noliser une embarcation en s'adressant au centre d'information.

On peut se promener en canot dans les lagunes, mais les vents qui se lèvent au cours de l'après-midi peuvent causer des problèmes dans certains secteurs.

Les forêts

On peut faire de très bonnes marches tant au nord qu'au sud du parc. (La rivière Kouchibouguac représente la frontière coutumière entre le nord et le sud.) Au nord, le **sentier Claire-Fontaine**, qui court sur 3 kilomètres, est bien balisé et aisé. Il contourne une presqu'île boisée qui s'avance dans la lagune Kouchibouguac. La forêt y est typiquement acadienne mixte : bouleaux, pins blancs, de même que plusieurs autres essences de conifères. Le terrain est plutôt ouvert et il y pousse des trilles, des érythrones et des rougets. Nous y avons aussi aperçu quelques touffes de monotropes uniflores au bord du sentier.

On y trouve plusieurs espaces dégagés pourvus de bancs qui dominent soit le côté ruisseau, soit le côté lagune. Ce sentier en boucle commence et prend fin dans une zone de tourbières où l'on aperçoit des kalmias, de nombreux champignons et où l'on trouve plusieurs lieux très humides. Par endroits, le sentier est constitué de planches.

Le **sentier Beaver** se trouve à peu près à mi-chemin le long de la route qui va du Centre d'information au terrain de camping. Ce très court sentier en boucle permet d'apprécier un exemple fascinant des changements qui surviennent dans la forêt acadienne lorsqu'elle est affectée par les niveaux variables des eaux. Les castors ont édifié d'importantes digues en forme de croissant et l'étang ainsi formé a tué plusieurs grands arbres âgés tout en formant un excellent environnement pour les buissons et les arbres qui tolèrent l'eau comme l'aulne. L'étang et les zones marécageuses représentent aussi un excellent habitat pour les insectes aquatiques. Ces éléments constituent par ailleurs d'excellentes zones d'alimentation et de reproduction pour les oiseaux. Les fauvettes du Canada et les fauvettes flambloyantes nichent dans les bosquets qui délimitent la forêt sèche et la forêt noyée en compagnie des fauvettes masquées, des fauvettes à tête cendrée, des fauvettes obscures et des fauvettes à croupion jaune. Les arbres morts au milieu de l'étang sont un havre pour plusieurs familles de pics. Les grives et les viréos patrouillent l'orée légèrement plus sèche de la forêt, et martins-pêcheurs et tyrans survolent les eaux pour s'y nourrir. J'y ai aperçu cinq espèces de papillons et quatre de libellules. La plutôt étrange tipule fantôme, qui apprécie les zones humides et herbeuses, y abondait elle aussi. Cet insecte est noir, exception faite des articulations de chacune de ses pattes, longues de 3 centimètres, qui sont d'un blanc lumineux. Tandis qu'il s'agite et oscille, on ne voit souvent rien d'autre que ces taches blanches tandis que le corps demeure à peine visible.

Les champs

La plupart des champs se trouvent à l'est de la route principale qui mène au terrain de camping. La bicyclette demeure le meilleur moyen de les voir. On peut en louer une à l'extrémité de la route de la plage Kellys bien que de nombreuses personnes apportent la leur. Le parc améliore constamment ses pistes cyclables qui courent sur plusieurs kilomètres le long des forêts et des étangs ou à travers les champs. Des aires de pique-nique sont aménagées à Pattersons, Kouchibouguac Centre, Sandstone Gardens, La Source et Petit-Large. Des sentiers commencent au **pont Major Creek**, à la limite est du terrain de camping, de même qu'à plusieurs autres endroits qui sont indiqués le long de la route principale.

Parcs Canada.

Ces îles, qui se déplacent constamment, protègent les marais salins de l'intérieur des terres.

Les tourbières

L'environnement de Kouchibouguac est tellement dynamique que même ses particularités qui bougent lentement se modifient rapidement. C'est le cas de **Kellys Bog**. Il ne faut pas oublier que la plupart des tourbières de l'est du Canada existent depuis environ 8 000 ans. Mais ici, dans cette tourbière âgée de 4 500 ans, les sphaignes et la tourbe sont plus épaisses que dans des tourbières beaucoup plus âgées. Il s'agit d'une tourbière surélevée, ayant la forme d'un immense bol à soupe renversé et peu profond, plein de sphaignes, qui couvre une superficie de 4 kilomètres carrés. La tourbière est d'accès facile: il suffit de rouler ou de marcher durant 2 kilomètres depuis le terrain de camping en direction de **La Source**. On y trouvera un terrain de stationnement pour les voitures et les vélos. Puis on marche en direction de l'un des joyaux du programme d'interprétation du parc: le trottoir de planches qui permet de se rendre au centre de la tourbière. On s'y guide soi-même grâce à des écriteaux explicatifs colorés en cours de route.

La première partie du sentier traverse la mince bande forestière qui entoure la tourbière. Cette zone humide et densément boisée est excellente pour les fauvettes. Lorsque la zone boisée s'ouvre sur l'immense fondrière, on aperçoit une tour d'observation avec un large escalier en spirale et plusieurs paliers où l'on peut se reposer et faire de l'observation avant d'arriver au sommet de ses trois étages. On a alors une vue d'ensemble sur toute l'étendue de la fondrière. Lorsqu'on regarde à ses pieds, la couleur pourpre des sarracénies et la couleur rose des pogonies ressortent contre les sphaignes dorées de la surface.

Le trottoir de planches longe quelques petits étangs où se balancent des grassettes vulgaires. Il s'agit de plantes carnivores, à l'instar de la sarracénie pourpre et du rossolis, beaucoup plus communes. Les feuilles immergées de la grassette portent de petites vésicules qui sucent rapidement les minuscules espèces aquatiques qui les heurtent.

À l'extrémité la plus éloignée du trottoir de planche, on remarque un espace partiellement fermé, occupé sur trois côtés par des banquettes. On peut y demeurer quelque temps et apprécier l'atmosphère de la tourbière. Mon neveu et moi y avons passé presque toute une nuit en espérant qu'un orignal vienne brouter ou boire dans l'un des étangs voisins. Aucun orignal ne s'est montré, mais nous avons entendu des coyotes et des hiboux à l'orée du boisé. Un cerf nous a aussi rendu visite et nous a vraiment effrayés en lâchant son puissant ronflement dans la noirceur, vers 3 heures du matin.

SERVICES ET COMMODITÉS

Programme d'interprétation

Dans ce parc, les services d'interprétation tentent d'apporter leur programme aux visiteurs plutôt que de rassembler ceux-ci dans un amphithéâtre. La liste des divers événements est affichée aux terrains de camping, au centre d'information et à la plage Kellys. La plupart des présentations se déroulent dans le secteur du trottoir de planches de la plage Kellys ou dans des endroits préalablement choisis sur la plage. Lors de mon séjour, nous avons eu droit à un très agréable feu de camp autour duquel on nous a offert des chansons, des histoires et de l'histoire naturelle.

Camping

On trouve un terrain de camping disposant de 218 emplacements. Ce terrain n'offre pas de raccords, mais il y a un poste de vidange pour les roulottes. Les emplacements sont magnifiquement conçus en termes d'espace et d'intimité; ils sont assez éloignés de

En canot sur le ruisseau Major.

la route et tous sont séparés par des buissons et quelques arbres. La zone réservée aux tentes est recouverte de pelouse agréable qui n'a rien de très naturel, mais qui s'avère très confortable. On y trouve des tables, des cercles pour le feu munis de grilles à cuisson, et on obtient le bois de chauffage près de l'entrée. Le grand abri pour la cuisine, fort agréable, est équipé de grands poêles à bois, d'éviers et de toilettes. On trouve à un endroit des douches propres avec eau chaude, et, en quatre autres endroits, de grandes salles de bains équipées d'éviers et d'eau chaude. Ce terrain de camping offre aussi un merveilleux terrain de jeu de type aventure aménagé dans un immense champ.

Au cours des fins de semaines achalandées des mois de juillet et d'août, les gens font souvent la queue pour obtenir un emplacement. Ces jours-là, on prend les noms des visiteurs dès leur arrivée et les emplacements sont attribués au début de l'après-midi. Lorsqu'on a donné son nom, on peut en profiter pour apprécier le parc et retourner au terrain à l'heure fixée pour l'appel des noms de ceux qui bénéficieront d'un emplacement. Habituellement, il vaut la peine d'attendre.

Camping sauvage

Le parc offre quatre terrains disposant chacun de quatre emplacements pour les tentes : **Black River Point, Sîpo*, Petit-Large** et **Pointe-à-Maxome**. Ces terrains sont accessibles en canot à l'exception de Petit-Large. Ils disposent de toilettes sèches, de bois de chauffage et d'eau. On s'enregistre auprès du gardien au centre d'accueil des visiteurs. L'occupation est gratuite.

Camping collectif

Un espace est aménagé pour le camping collectif. Cet espace dispose d'un abri pour la cuisine, de bois de chauffage, de toilettes et d'une pompe à eau. On peut réserver en écrivant au surintendant.

Autres agréments, essence, nourriture et approvisionnements

On trouvera plusieurs petites localités à l'une et l'autre extrémité du parc de même qu'à mi-chemin lorsqu'on le traverse. Ces endroits disposent de motels et de trois terrains de camping ; mais, durant les fins de semaine de juillet et d'août, il est possible qu'ils affichent complet.

Les localités voisines de Kouchibouguac, Pointe-Sapin, Saint-Louis-de-Kent, Richibucto et Rexton sont pourvues d'épiceries, de quincailleries, de magasins à rayons, de stations-service, de caisses d'épargne et de banques.

Loisirs

Natation   On peut nager sous surveillance de la mi-juin à la fête du Travail à la plage Kellys, et sans surveillance à la plage Callander où l'on trouvera de grands champs pour les pique-niques et un abri pour la cuisine.

Navigation et canotage   Le parc comprend plusieurs kilomètres de lagunes et de rivières. Une publication locale portant sur les routes de canot de la région de même que la mosaïque photographique du parc décrivent ces voies d'eau. Chaloupes et canots peuvent être loués à Ryan's Landing, à proximité du terrain de camping Kouchibouguac-Sud. Il est permis d'emprunter les principales rivières en embarcation motorisée.

---

* Se prononce Si-bou.

Cyclisme   Le parc est unique par l'étendue de ses pistes cyclables et, compte tenu des distances, on peut en visiter une bonne partie à vélo. On peut louer des bicyclettes à Ryan's Landing.

Sports d'hiver   Le parc encourage le ski de fond et la raquette. Des cartes y indiquent les pistes et les abris pour se réchauffer. Un marathon annuel et d'autres événements communautaires y ont lieu en hiver. Le terrain n'est pas ardu et on peut y accéder par plusieurs endroits. Il est possible d'organiser du camping collectif hivernal, en entrant en contact avec le surintendant.

Pêche   On peut pêcher la truite, le bar rayé et le saumon en été, tandis qu'en hiver on peut pêcher l'anguille sous la glace. D'autres poissons, des crustacés et des myes qu'on trouve dans les sables tidaux font d'excellents repas. Un permis de pêche des Parcs nationaux est requis, sauf dans le cas des crustacés. Il est possible d'organiser une expédition de pêche en haute mer en s'adressant aux pêcheurs de la région; on pêchera alors de la morue, du maquereau et de la plie.

POUR DE PLUS AMPLES INFORMATIONS

Le surintendant,
Parc national
de Kouchibouguac,
Kouchibouguac,
Nouveau-Brunswick,
E0A 2A0

Tél. : [506] 876-2443

LE PARC NATIONAL DE

FUNDY

Je suis arrivée à Fundy par l'ouest à la mi-juin; le parc semblait désert. Il n'y avait personne au kiosque; aucun terrain de camping n'était ouvert; on y trouvait simplement ça et là des écriteaux qui indiquaient un lac ou un sentier et des kilomètres de forêt de conifères rabougris. Vraiment pas de quoi s'énerver. Mais après une demi-heure de route, le terrain s'ouvrait tout à coup : la baie de Fundy s'étendait vers un horizon brumeux. D'immenses falaises rouges et des arbres verts luxuriants encadraient le panorama. La route serpentait vers le secteur du quartier général, ouvert pour la saison, où m'attendait un accueil chaleureux. Le surveillant du terrain de camping accueillait chaque visiteur comme un ami. Je me suis retrouvée les mains pleines de brochures; on m'a indiqué les emplacements libres où dresser ma tente et on m'a expliqué où je trouverais les interprètes du parc même s'il était très tard dans l'après-midi. Le parc de Fundy a donc produit sur moi une nouvelle impression, solidement ancrée dans mon esprit.

COMMENT VISITER LE PARC

Il existe un certain nombre de façons de se familiariser avec le parc de Fundy. On peut camper, parcourir les pistes réservées aux voitures, explorer les sentiers, utiliser des brochures et lire les nombreux écriteaux, parler avec les naturalistes, etc. L'été, on y offre un éventail étendu de marches menées par des interprètes et de diaporamas conçus pour tous les âges et qui permettent d'aborder plusieurs des particularités du parc au cours d'un séjour de deux ou trois jours.

Les marées de la baie de Fundy

Le parc est célèbre à cause des marées extrêmes de la baie de Fundy. Deux raisons expliquent qu'elles soient exceptionnellement hautes et basses. La première, c'est que la quantité habituelle d'eau de mer se trouve à s'engouffrer dans une longue baie en forme d'entonnoir, ce qui produit un contraste énorme entre la ligne la plus haute et la ligne la plus basse des marées. La deuxième raison découle d'un phénomène appelé résonance : les eaux de cette baie presque entièrement fermée sont ballottées de l'une à l'autre extrémité à toutes les treize heures environ ; les eaux sont en outre soumises à la gravité de la Lune qui s'exerce avec le plus d'ampleur à toutes les douze heures et trente minutes. Ces deux phénomènes coïncidant presque, ils interagissent de sorte que les marées de Fundy acquièrent plus d'ampleur.

On peut observer ce phénomène à plusieurs endroits. Les **terrains de camping du quartier général** sont magnifiquement situés sur une falaise à la limite est du parc. De cet endroit, on domine le village d'**Alma**, aménagé au bord d'une petite rivière qui possède son propre marais tidal et sa propre zone d'accostage pour les bateaux. En s'installant sur les emplacements situés plus à l'est des terrains de camping, il est possible d'observer les eaux recouvrir les fonds. Quelques minutes de marche ou de voiture permettent d'accéder, à Alma, à la plage elle-même. On peut alors marcher à marée basse sur un bon kilomètre ; mais il ne faut pas oublier que la marée monte au rythme de 1,5 mètre à la minute. On a intérêt, dans ces conditions, à ne pas laisser ses souliers trop loin.

Herring Cove est un autre bon endroit pour se renseigner sur les marées. Des maquettes explicatives y sont d'un précieux secours si l'on a oublié sa brochure ou si l'on ne s'est pas joint à un groupe guidé. **Point Wolfe** offre une autre occasion de voir de près les changements océaniques.

Bien entendu, il n'est pas nécessaire de se retrouver sur la plage pour apprécier la beauté et la fascination des marées et de la baie elle-même. Des sentiers tels que celui des **chutes Dickson**, de **Devil's Half Acre** ou de **Coppermine** offrent tous des panoramas à couper le souffle ou des points de vue à donner le vertige sur les rochers et les rives qui se trouvent beaucoup plus bas.

Les forêts

La forêt acadienne, l'un des huit types de forêts qu'on trouve au Canada, couvre une bonne partie des Maritimes. Une forêt acadienne est constituée à la fois de conifères, tels que l'épinette rouge et le pin baumier, et de feuillus comme l'érable rouge et le bouleau blanc. On y trouve aussi des tourbières là où les mouvements des glaciers ont creusé des dépressions dans lesquelles les eaux de pluie et les neiges s'amassent beaucoup plus rapidement qu'elles ne sont drainées. Ces dépressions se remplissent lentement de mousses et d'autres plantes aquatiques qui, à la longue, meurent et coulent vers le fond. Dans ces eaux froides et acides, elles ne se décomposent que

Il est possible que ce mélèze ait mis un siècle pour atteindre sa taille actuelle.

très lentement et contribuent éventuellement à la formation de tourbières.

Dans certaines régions des Maritimes, on ne trouve que des forêts de conifères; d'autres sont en grande partie constituées de tourbières; d'autres encore sont dominées par les feuillus. L'étroite bande côtière qui longe la baie de Fundy a ceci de particulier qu'elle renferme ces trois habitats. Chacun de ces habitats comporte une flore et une faune caractéristiques dont on peut être conscient en empruntant certains sentiers explicatifs.

On se guide soi-même sur le **sentier des chutes Dickson**; des écriteaux explicatifs aident à comprendre les attraits particuliers de cette forêt côtière. Il s'agit d'un sentier court que peuvent emprunter sans difficulté des personnes de tous âges, quelle que soit leur forme physique. Il mène peu à peu à un excellent point de vue sur de magnifiques chutes à deux niveaux en contrebas.

Le **sentier Devil's Half Acre** est très humide à cause du brouillard côtier. On y voit la forêt côtière précairement agrippée à ces flancs de montagne accidentés et abrupts qui mènent à la mer, et qui n'est pas établie de façon aussi sécuritaire qu'aux chutes Dickson. Des écriteaux le long du sentier traitent des diverses légendes portant sur les raisons qui ont fait que le terrain, à Devil's Half Acre, ressemble aux vestiges d'une gigantesque bataille: rochers fracturés, importantes ravines et fissures, arêtes offertes aux éléments. Il semble qu'une strate inférieure de schiste glissant soit recouverte de grès relativement friable et

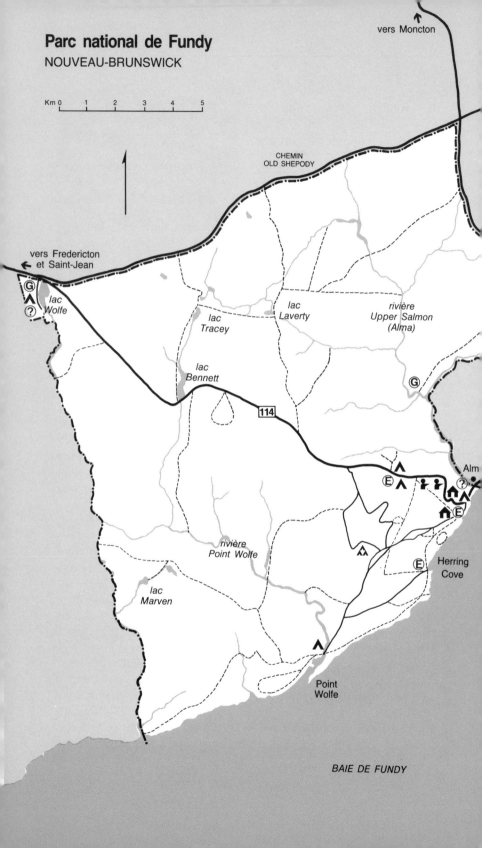

Parc national de Fundy
NOUVEAU-BRUNSWICK

vers Moncton

Km 0   1   2   3   4   5

CHEMIN
OLD SHEPODY

vers Fredericton
et Saint-Jean

Ⓖ
Λ
⑦ lac
Wolfe

lac
Tracey

lac
Laverty

rivière
Upper Salmon
(Alma)

lac
Bennett

Ⓖ

114

Alm

Ⓔ Λ

Λ

⑦
Λ

Ⓔ

rivière
Point Wolfe

ΛΛ

Ⓔ Herring
Cove

lac
Marven

Λ

Point
Wolfe

BAIE DE FUNDY

poreux. À travers les millénaires, ces strates ont eu tendance à se déformer sous la pression puisqu'elles se trouvent en bordure d'une pente très escarpée qui donne sur la mer. Des années de gel et de dégel, accompagnées d'expansions et de contractions, ont contribué à façonner cet étonnant paysage. Le parc a rendu cette zone accessible grâce à un escalier pour le moins tortueux, flanqué d'un garde-fou, de même que d'un système de ponts sans lesquels il serait impossible de traverser ces lieux mystérieux. Lorsque la rosée commence à se lever sur l'océan, les arbres et les trottoirs de bois moussu acquièrent l'atmosphère d'une peinture japonaise. Il apparaît alors clairement pourquoi ce sentier complète à merveille ce paysage tourmenté.

Les forêts de feuillus occupent surtout une zone du parc: les hautes terres moyennes, à environ 3 kilomètres du quartier général. Le superbe **sentier Maple Grove** (où l'on se guide soi-même à partir d'une brochure poétique et plutôt sibylline) peut être atteint en voiture par la **piste pour voitures Hastings**. Ce sentier passe surtout entre des arbres; mais, puisque la couverture du sol est surtout constituée d'un large éventail de fougères, il est facile de jeter un coup d'oeil aux clairières lumineuses où les cerfs broutent à l'aube ou au crépuscule. On peut y écouter le chant d'oiseaux de la forêt tels que les viréos aux yeux rouges et de quelques grives. Il s'agit d'un endroit calme et spacieux, qui fait contraste avec la luxuriance des boisés de la côte ou la rugosité de Devil's Half Acre, où un visiteur, venant de lieux situés plus au sud, retrouvera un certain air familier.

L'habitat des tourbières surélevées

Les tourbières sont des endroits magnifiques; mais y marcher peut s'avérer problématique. Ce qui ressemble à un terrain solide n'est rien d'autre qu'un immense tapis de sphaignes. À Fundy, sur le **sentier Caribou Plains**, on a résolu ce problème. Après une brève marche, au départ du terrain de stationnement, à travers des boisés magnifiques et de plus en plus humides (il faut ouvrir l'oeil pour les nombreuses cypripèdes acaules en juin), les visiteurs sont aidés de façon consciencieuse. On peut d'abord emprunter ici et là les ponts situés à proximité de l'ancienne digue de castors à l'extrémité du **Beaver Pond**. Puis, lorsqu'on se retrouve tout à coup dans l'espace ouvert de la principale tourbière, on trouve un trottoir de planches, solide et tortueux, à quelques centimètres à peine au-dessus du tapis de sphaignes. Le trottoir de planches se rend jusqu'au milieu de la tourbière et un ou deux embranchements mènent vers le lac. On y trouve même un petit quai flottant où il est possible de s'asseoir et de manger son casse-croûte en compagnie de quelques autres personnes. Dans la tourbière, il vaut vraiment la peine d'examiner de près le tapis de sphaigne rose et brun qui est à la base de la flore de la tourbière. On pourra souvent apercevoir, lorsqu'il y a des échancrures de quelques centimètres, cette fleur des plus fascinantes qu'est le rossolis. Elle ressemble à un assemblage de minuscules raquettes de tennis vertes dont les poils roses rayonnent depuis la tige. Il est possible que des gouttelettes de rosée collent aux poils ou à la surface des raquettes. Ces poils sont poisseux et les insectes qui s'en approchent sont facilement pris au piège. Cette plante (ou ces plantes, car, pour être vraiment pris au piège, un insecte aussi imposant qu'une demoiselle doit aboutir au milieu de plusieurs fleurs très rapprochées les unes des autres) se nourrit en exsudant un enzyme qui dissout les protéines de l'insecte et relâche ainsi l'azote qu'elle peut absorber.

Plus important que le rossolis, le thé du Labrador apparaît soit en petites touffes soit en grand tapis. Sa taille atteint le demi-mètre et, au printemps, ses grappes de fleurs blanches sont magnifiques. Les fleurs roses du kalmia ajoutent une délicieuse touche au rose plus pâle de la mousse.

Une autre résidente bien connue des tourbières, la sarracénie pourpre, se signale par une fleur rouge frappante, large de 2 à près de 6 centimètres, au bout d'une tige de 10 à 20 centimètres. Elle pousse isolément ou en groupe, parfois plusieurs groupes ensemble, parfois très dispersée. La fleur elle-même domine une rosette de feuilles rouges et vertes incurvées qui retiennent l'eau. Celle-ci représente un leurre puisqu'elle ne nourrit pas directement la fleur. La sarracénie est, elle aussi, carnivore. Les insectes et les araignées sont attirés par la couleur des feuilles et les sécrétions de leur rebord et tombent à l'eau. À l'intérieur des feuilles flûtées, des poils dirigés vers le bas empêchent l'insecte de ressortir. Celui-ci est alors dissous par des enzymes et nourrit la plante. La sarracénie ne dispose pas toujours de sa fleur épanouie pour attirer l'attention, mais on peut en rechercher les touffes parmi la mousse. Elles seront certainement présentes.

Dans la tourbière, les plantes les plus hautes sont les arbres, minuscule, qui, souvent, ne dépassent pas un mètre. On aperçoit ici et là des mélèzes de 10 centimètres. Sur les tertres de terre plus sèche, quelques arbres, des buissons de thé du Labrador et quelques kalmias constituent une île de plantes au milieu d'une

Embarcations laissées sur les rives par la marée basse.

H. Dieckman, Parcs Canada.

mer d'autres plantes. On peut commencer à comprendre les processus souvent lents de changement dans la nature et le potentiel de croissance limité dans une tourbière en apprenant qu'un mélèze ou une épinette noire de moins d'un mètre a pu mettre 100 ans ou davantage pour atteindre cette hauteur. Le même arbre, dans un sol profond et riche, pourrait atteindre 30 mètres de hauteur.

On trouve peu d'animaux dans la tourbière. L'extraordinaire humidité n'est guère favorable aux petits mammifères. Mais les insectes y abondent, de même que les amphibiens. Les oiseaux chassent les insectes au-dessus de la tourbière et de son lac; les hirondelles y volent constamment.

Le sentier Caribou Plains court sur 6,5 kilomètres, dont la moitié environ au-dessus de la tourbière.

Histoire humaine

Les Amérindiens archaïques des Maritimes ont été les premiers habitants, suivis des Micmacs qui pêchaient et chassaient en s'établissant brièvement ici et là en suivant leurs réserves alimentaires. Puis, au XVIIe siècle, arrivèrent les missionnaires, les marchands de pelleteries et, enfin, les pêcheurs; la plupart d'entre eux ne faisaient que passer par la rude région de Fundy. La forêt dense et souvent accidentée rendait l'agriculture presque impossible.

Bien qu'un certain nombre de Français se soient établis dans les Maritimes, qu'ils appelaient Acadie, très peu habitaient la région du parc. De nouveaux établissements européens s'installèrent à cause d'une demande accrue pour le bois qui servait à la construction de bâtiments et de navires, puis, par la suite, pour la pulpe. La coupe du bois et l'amélioration des outils agricoles rendirent la culture possible bien que le sol n'ait été ni assez riche ni assez profond pour alimenter de nombreuses personnes. Mais, on achetait la prospérité en payant le prix fort. Dans la région, les arbres furent abattus sans qu'on s'attarde à la conservation et les scieries polluèrent les rivières voisines et l'intérieur des terres. Aujourd'hui, grâce à la protection du parc, les saumons revivent et les arbres ont la chance de mener une existence entière. Un certain nombre de dépliants explicatifs et de maquettes présentés par le parc retracent une partie de cette histoire.

Le meilleur exemple d'agriculture dans la région se trouve au **Matthews Head Farmstead**. Un sentier y zigzague à travers des champs maintenant déserts. La ferme, établie en 1865, a permis à une famille de vivre durant une génération. Par la suite, elle a été transformée en ferme expérimentale, administrée par le gouvernement, pour la culture de la pomme de terre. Maintenant il n'y a là que des champs magnifiques où s'alimentent les cerfs et que survolent les goglus en chantant dans le vent.

Si l'on veut observer d'autres exemples d'établissements, on peut suivre le **sentier East Branch**, où l'on se guide soi-même, ou de longs sentiers d'excursions tels que **Coppermine** et **Goose River**.

SERVICES ET COMMODITÉS

Programme d'interprétation

Contrairement à plusieurs parcs nationaux, Fundy ne possède pas de centre d'interprétation central. Mais on trouvera les bureaux de certains interprètes dans la salle de réunion de la zone du quartier général. On offre un horaire varié et composé de causeries et de tours à travers tout le parc. On devrait pouvoir se faire une bonne idée de l'horaire semaine après semaine en consultant le babillard de n'importe quel terrain de camping de juin à septembre. Des interprètes visitent en outre les terrains de cam-

Crapaud et clintonies blanches.

ping et les autres zones d'habitation pour parler avec les visiteurs des attraits du parc, répondre aux questions, etc.

L'un des principaux attraits du programme d'interprétation consiste en diaporamas et en animations présentés en soirée dans les deux théâtres en plein air. Le plus important de ces théâtres, dans le secteur du quartier général, occupe le flanc d'une colline et domine un étang panoramique. L'autre théâtre se trouve dans une éclaircie de la forêt, à quelques pas du terrain de camping de Chignecto.

Il existe un certain nombre de cartes et de brochures explicatives portant sur l'histoire du parc et sur les sentiers qui ne sont pas encore aménagés, de même que des listes d'oiseaux, de mammifères et de plantes. On les trouvera au kiosque d'enregistrement des terrains de camping de même qu'à la salle de réunion. Zones et sentiers explicatifs disposent souvent de leur propre kiosque où l'on peut se procurer les brochures respectives. Des maquettes sur panneaux se trouvent aussi à un certain nombre de points d'intérêt.

Camping

Il existe dans le parc trois terrains de camping principaux et 64 chalets tous équipés, de même qu'un certain nombre de terrains de camping sauvage à l'intention de ceux qui parcourent les sentiers non aménagés. En hiver, une partie du terrain de camping du quartier général demeure ouverte pour ceux qui veulent y planter leur tente. Les routes sont déneigées et les toilettes fonctionnent.

Les terrains de camping disposent tous de toilettes, de douches et d'abris fermés pour la cuisine où l'on peut utiliser les poêles à bois et manger sur les tables de pique-nique. Tous disposent d'un terrain de jeu bien équipé pour les enfants. Le **terrain de camping du quartier général** est en pelouse et boisé; l'une de ses extrémités domine le port d'Alma et le marais tidal à l'embouchure de la rivière. Le **terrain de camping collectif Micmac** est situé dans ce qui était autrefois des terres de culture; on y trouve de grands espaces ouverts, quelques arbres fruitiers et le champ y est parfois bordé d'arbres. Les groupes doivent réserver. Le **terrain de camping de Point Wolfe** est à la fois en pelouse et boisé; il se trouve à proximité de la rivière Point Wolfe à quelques minutes de marche de la plage et de la tête de plusieurs sentiers intéressants. Le **terrain de camping de Chignecto-Nord** dispose d'emplacements boisés et il se trouve sur le plateau du parc, près de plusieurs sentiers, en face du théâtre en plein air, de l'autre côté de la route.

Autres terrains de camping

En approchant d'Alma par la route 114, on trouvera quelques terrains de camping privés.

Autres agréments, essence, nourriture et approvisionnements

On trouvera plusieurs motels modestes et bien entretenus, disposant ou non d'aménagements domestiques, à Alma et dans les

Parcs Canada.

Une autre façon d'observer les marées de la baie de Fundy
ainsi que la baie elle-même.

environs, de même qu'en direction d'Albert. On compte 32 chalets à proximité du quartier général du parc et le même nombre 2
kilomètres à l'ouest, sur la route 114. Ces chalets appartiennent
au parc et sont administrés par l'entreprise privée. Chaque chalet
comprend deux lits doubles, une cuisine entièrement équipée, de
même qu'une salle de bains. On y apporte sa propre nourriture.
Pour connaître les tarifs ou réserver, on s'adresse au surintendant.

Il existe un restaurant à cinq minutes de marche de la salle
de réunion. On trouvera un casse-croûte à la boutique du golf. La
localité d'Alma, en bas de la côte lorsqu'on vient du quartier
général, est située à l'est sur la route 114; on y trouve deux petites
épiceries, une boulangerie, et plusieurs petits restaurants où
l'on peut se procurer de la nourriture à emporter. Une boutique
où l'on vend des souvenirs du parc et de l'artisanat régional fait
face à la salle de réunion de l'autre côté d'une grande pelouse.
Les boutiques-souvenirs d'Alma sont spécialisées en artefacts de
la région.

Il n'y a pas de station-service dans le parc, mais plusieurs à
Alma ou, un peu plus loin, à Albert.

Loisirs

Une grande zone réservée aux sports se trouve à quelques minutes de marche de la salle de réunion.

Golf   Il y a un superbe parcours de 9 trous, une boutique pour l'équipement dont on peut avoir besoin; les tarifs sont modestes.

Tennis   Il y a plusieurs courts gratuits près du secteur de la piscine.

Natation   En plus des plages, où il est préférable la plupart du temps de vagabonder, il y a une piscine d'eau salée chauffée qui ouvre au plus fort de la saison estivale. Elle se trouve à 10 minutes de marche vers le bas de la côte au départ de la salle de réunion. Les lacs Bennett et Wolfe ont des plages où l'on peut se baigner et l'eau y est assez tiède dès la mi-juin.

Navigation   On peut se promener en canot sur un certain nombre de lacs du parc. On peut louer des chaloupes au lac Bennett. Les embarcations motorisées sont interdites dans le parc, bien qu'on les utilise dans les eaux de la baie.

Pêche   Il est permis de pêcher dans le parc. Le saumon et la truite sont les espèces les plus recherchées. On se procure un permis des Parcs nationaux à l'entrée (ce permis est valable dans l'ensemble des parcs nationaux canadiens). On peut s'y informer sur la durée de la saison et sur les limites des prises.

Sports d'hiver   On met de plus en plus l'accent sur le ski de fond dans le parc. Trente kilomètres de pistes bien entretenues font une boucle à travers l'arrière-pays en suivant d'anciens sentiers équestres, d'anciennes routes et d'anciennes pistes. On peut aussi utiliser quelques-uns des sentiers interprétatifs aux ondulations les plus douces. Il est possible de faire de la raquette presque partout, mais l'idée d'emprunter les sentiers interprétatifs en hiver a quelque chose de particulièrement attrayant.

LECTURE COMPLÉMENTAIRE

Burzynski, Michael, *Guide du parc national Fundy*, Ottawa, Parcs Canada et le Centre d'édition du Gouvernement du Canada, 1986.

POUR DE PLUS AMPLES INFORMATIONS

Le surintendant,
Parc national de Fundy,
Alma, Nouveau-Brunswick,
E0A 1B0

Tél. : [506] 887-2000

KEJIMKUJIK

L'eau, les forêts et les habitants constituent les éléments clés du parc national de Kejimkujik.

Le schéma typique des eaux de cette partie de la Nouvelle-Écosse en est un de nombreux lacs à la configuration irrégulière et émaillés d'îles. L'altitude y varie très peu et les nombreux ruisseaux et rivières serpentent dans ce sol, qui s'érode facilement, en se dirigeant lentement vers la mer. Rivières et lacs occupent le tiers de la superficie de ce parc de 381 kilomètres carrés; le plus grand de ces lacs, le Kejimkujik, a donné son nom au parc. Ce lac et ses nombreuses îles, de même que la tortueuse rivière Mersey, sont ce qu'un visiteur retiendra surtout du parc.

Les pluies, à Kedge*, sont importantes: il en tombe en moyenne 150 centimètres par année; en conséquence, l'été, il fait très chaud et très humide dans le parc. Ces pluies sont essentielles au maintien du niveau des lacs et des ruisseaux puisque quelques-uns seulement sont alimentés par des sources. La luxuriance de la flore des tourbières et des plaines, de même que dans les forêts de conifères et de feuillus, dépend de l'importance des pluies, le sol peu profond et pauvre en éléments nutritifs de cette région ne pouvant soutenir seuls une telle abondance. Toutefois, ainsi que le fait remarquer l'interprète, les pluies acides risquent de représenter bientôt une source de problèmes épineux pour la flore et la faune.

Les ruisseaux lents, qui débordent régulièrement au printemps, et les nombreux lacs peu profonds sont souvent bordés de tourbières. Celles-ci représentent des habitats particuliers pour la

---

* On appelle ainsi familièrement le parc.

faune et la flore, à l'instar du seul véritable marais du parc, près du lac Grafton.

À Kejimkujik, la forêt appartient à la variété des terres hautes de l'Atlantique du type acadien. Dans les parties basses et mal drainées du parc, les arbres sont, pour une bonne part, des conifères tels que l'épinette rouge, le pin baumier et, parfois, le pin blanc. Lorsque le sol est plus profond et mieux drainé, les feuillus tels que l'érable, le bouleau et le chêne abondent. Bien qu'on ne voie que rarement des bosquets constitués d'une seule essence, il est particulièrement frappant d'apercevoir des bosquets dominés par le hêtre ou la belle pruche de l'Est. Des sentiers mènent à ces secteurs.

Les bois et les rivières fournissent d'excellents habitats aux cerfs, aux rongeurs (dont le castor, le rat musqué et le campagnol), et à de nombreux amphibiens. Les forêts sont habitées par de nombreux oiseaux et, en particulier, par la fauvette parula et la fauvette verte à gorge noire qui y sont très communes. Les observateurs d'oiseaux auront peut-être l'occasion d'apercevoir le pic tridactyle et l'énorme grand pic. La chouette rayée y habite elle aussi. Les forêts constituent également la limite nord pour des oiseaux du sud tels que le tangara écarlate et le tyran huppé qui y apparaissent chaque été.

Dans les secteurs d'essences mixtes, qui recouvrent les trois quarts du parc, on trouvera un large éventail de plantes. Les fleurs de printemps y sont splendides. Les orchidées présentent un spectacle unique: on y voit des calopogons gracieux, des corallorhizes maculées et des goodyéries. On y aperçoit aussi des souchets, très au nord de leur habitat habituel. L'orobanche uniflore pousse à certains endroits; on pourra peut-être l'apercevoir au début de juillet en empruntant le sentier du lac Grafton.

Durant des millénaires, les humains ont joué un rôle important dans la région de l'actuel parc Kejimkujik. Les Micmacs y habitaient, intégrés qu'ils étaient aux eaux et aux forêts nourricières. Ils pêchaient et chassaient; les voies d'eau servaient de routes à leurs canots: ils portageaient lorsque cela était nécessaire et campaient où ils le souhaitaient.

Les Micmacs sont presque disparus au cours du XIXᵉ siècle lorsque les Européens ont envahi la région. Les nouveaux arrivants étaient en quête de bois pour la construction et les bateaux. La coupe du bois a été pratiquée de façon intense au cours des deux derniers siècles et, à quelques exceptions près, le territoire

boisé a été profondément dé-
rangé par la coupe et les brûlis
pratiqués sans discernement.
Quelques anciens mais petits
bosquets de hêtres et de feuillus ont survécu sans domma-
ges. Vers la fin du XIXᵉ siècle,
une petite ruée vers l'or eut
lieu et on peut encore apercevoir ici et là les ruines de puits
de mine et d'équipement.
Au tournant du siècle,
Kedge avait été transformé en
centre de chasse et de pêche
sportives, mais, encore une
fois, sa vogue passa lentement.
Présentement, on tente de

*Orobanche uniflore en bordure
d'un sentier de la forêt.*

préserver Kedge plutôt que de l'exploiter. Des milliers de visiteurs
peuvent maintenant apprécier chaque année une partie de notre
pays à laquelle on permet, dans la mesure du possible, de vivre
de nouveau selon les lois naturelles.

COMMENT VISITER LE PARC

Il existe, en gros, deux façons de visiter le parc. On peut faire seul
l'expérience des ses secteurs sauvages soit par des excursions, soit
en canot, dans les zones non développées du parc (90 % de sa
superficie) ou en campant dans les emplacements aménagés et en
se laissant guider par des interprètes.

Expérience indépendante du territoire sauvage

Le parc comprend 100 kilomètres de pistes d'excursions. Une
bonne partie de cette distance est faite de sentiers qui longent le
périmètre du parc et d'embranchements qui mènent vers l'intérieur. En cours de route, on trouvera des terrains de camping
disposant de plates-formes pour les tentes, de foyers et de toilettes.
    Le canoteur expérimenté pourra profiter de plusieurs kilo-
mètres de routes sauvages, dont 23 portages allant de quelques
mètres à plus de 2 kilomètres de longueur. Plusieurs des lacs
étant grands et peu profonds, comme c'est surtout le cas du lac
Kedge, ils peuvent devenir très éprouvants pour peu que le vent
se lève ; on s'attend que les canoteurs fassent preuve d'expérience

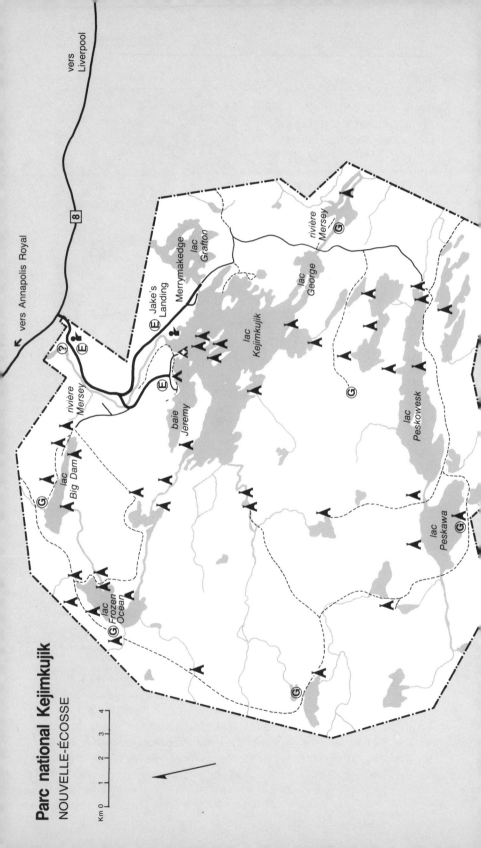

Parc national Kejimkujik

NOUVELLE-ÉCOSSE

vers Liverpool

vers Annapolis Royal

8

Jake's Landing

lac Merrymakedge

lac Grafton

rivière Mersey

lac George

lac Kejimkujik

baie Jeremy

lac Peskowesk

rivière Mersey

lac Big Dam

lac Peskawa

lac Frozen Ocean

Km 0 1 2 3 4

et de prudence. Ceux-ci bénéficient de terrains de camping sauvage.

On trouvera au parc des cartes topographiques gouvernementales, imperméables et à l'épreuve des déchirures, à l'usage des excursionnistes de l'arrière-pays. La carte du parc indique les routes, les portages, les distances, etc. Le parc dispose en outre de dépliants explicatifs portant sur une route de canot populaire, la **Big Dam-Frozen Ocean**.

Il existe plusieurs points de départ, voisins des terrains de stationnement, tant pour les sentiers d'excursions dans l'arrière-pays que pour les routes de canot. Certains terrains de camping sauvage, à la tête du sentier Big Dam, se trouvent à quelques centaines de mètres à peine et il est possible en les visitant d'expérimenter en partie la vie sauvage sans avoir à faire une longue excursion ou à emprunter une longue route de canot.

Appréciation du parc en compagnie d'un guide

La plupart des visiteurs s'en remettent, pour expérimenter le parc, au programme intensif et varié offert par les interprètes. Les terrains de camping aménagés et le programme d'interprétation s'adressent en grande partie aux familles. On porte beaucoup d'attention aux intérêts des enfants et on présente à leur intention des maquettes spéciales et des marches, bien que les adultes ne soient pas ignorés.

On peut entreprendre l'exploration de Kejimkujik au centre d'accueil des visiteurs où des maquettes, des illustrations, des cartes, des jeux et des textes servent d'entrée en matière aux forêts et aux eaux.

Lorsqu'on a quitté le centre d'accueil, on peut participer de cinq façons au programme d'interprétation: par des marches guidées par des interprètes, par des excursions en canot le long des rives des lacs et des ruisseaux (il est possible de louer un canot); en assistant à des causeries illustrées présentées chaque soir dans les amphithéâtres en plein air; en examinant les expositions explicatives présentées par le centre d'accueil et dans une caravane à proximité de **Jake's Landing**; en prenant connaissance des nombreux dépliants gratuits qu'on trouve à ces endroits. Il n'y a dans le parc que deux sentiers où l'on se guide soi-même, l'un vers **Mills Falls**, l'autre vers la **rivière Mersey**, et tous deux sont très courts. Les explications y sont sous forme de brefs énoncés sur des écriteaux qu'on trouve en cours de route. Une tour d'observation surplombe le lac Kejimkujik; des écriteaux y expliquent la géologie et l'histoire glaciaire de la région.

Les marches et le canotage interprétatifs font le lien entre les principaux éléments de Kejimkujik. Dans le cas des eaux du parc, toute excursion qui longe la rivière Mersey ou n'importe quel lac fait l'affaire. J'ai emprunté le **sentier Flowing Waters** le long de la Mersey et j'y ai appris ses origines: les raisons pour lesquelles elle s'incurve comme elle le fait; comment elle déborde; quels sont les arbres et les herbes caractéristiques de ses rives; quels animaux habitent la rivière, de quelle façon les îles se forment et se transforment avec le temps. À un moment donné, l'interprète a littéralement plongé dans son sujet en tentant de trouver dans les eaux des roches qui abritent des insectes aquatiques.

Après avoir entrepris ce tour guidé le long de la rivière, on peut marcher seul vers un habitat similaire tel que le **sentier Rogers Brook**, puisqu'il s'agit d'une véritable révélation: on comprend alors ce qui constitue l'habitat qui nous entoure!

Le **sentier Grafton Lake** traverse le seul véritable marais du parc. Celui-ci a été artificiellement créé au moment de l'endiguement du lac, il y a 50 ans. Au début de juillet, l'orobanche uniflore y abonde, de même que la fauvette parula. J'y ai vu de splendides nymphéas à fleurs blanches dont la feuille qui les protège de l'eau flottait. De minuscules îles se forment sur les souches partiellement submergées et elles représentent un habitat parfait pour des plantes telles que le rossolis qu'on trouve habituellement dans les tourbières.

Le court **sentier Beech Grove** ou le **sentier Hemlocks and Hardwoods**, plus longs, situés au-delà du terrain de stationnement de Big Dam, sont l'idéal si l'on veut se faire une idée des zones particulières de la forêt. Le plus long des deux sentiers est lui aussi assez aisé et à la portée de personnes de tous âges. Les marches guidées comprennent toutes de nombreux arrêts consacrés à l'exploration et à la discussion.

Si l'on veut mieux comprendre de quelle façon les humains ont été impliqués dans la région de Kejimkujik, le **sentier Micmac Memories** ou une visite guidée de la petite zone de terres de culture permettent d'apercevoir les traces des Amérindiens et des premiers pionniers. Si l'on désire se retrouver seul, on peut toujours avironner dans le calme vespéral depuis Jake's Landing, un peu en aval sur la Mersey. Pendant quelque temps, on voyagera comme d'autres l'ont fait dans ce lieu même durant des milliers d'années.

*Lorsqu'elle sort de son lit, la rivière nettoie ses rives
de ses arbres et de ses grands buissons.*

SERVICES ET COMMODITÉS

Programme d'interprétation

Le parc dispose de plusieurs feuillets informatifs, de guides pour les sentiers, d'une excellente brochure portant sur l'observation des oiseaux accompagnée d'une liste, de l'horaire et de la description de ses marches guidées et de ses causeries, ainsi que de brochures portant sur le parc lui-même et sur les activités hivernales. On trouvera sur les babillards des terrains de camping, du centre d'accueil, du centre d'interprétation, des casse-croûte, etc., les informations les plus récentes sur les programmes offerts en soirée et les autres activités.

Camping

Jeremy's Bay, ouvert de la mi-mai à la mi-octobre, dispose de 329 emplacements aménagés pour le camping. Ces emplacements sont répartis en trois zones. Chaque zone est équipée de salles de bains où l'on trouvera toilettes à chasse d'eau de même qu'éviers à eau chaude et froide; on trouvera en outre des robinets entre les emplacements, des terrains de jeu bien équipés pour les enfants et une plage sans surveillance. Des sentiers mènent d'une zone à l'autre ainsi qu'à quelques-uns des sentiers d'excursion les plus courts. Un bâtiment servant à tous les emplacements abrite des douches propres aux parois de céramique. Ce bâtiment se trouve à quelques minutes de voiture ou de marche des zones elles-mêmes. Le parc fournit le bois de chauffage qu'on ne peut faire brûler que dans les âtres prévus à cet effet. Cette règle s'applique aussi bien aux terrains de camping sauvage qu'aux terrains aménagés. On n'y dispose pas de raccords électriques. Un poste de vidange pour les roulottes est aménagé de l'autre côté de la route, près des douches.

Camping sauvage

Il existe 42 emplacements sauvages qu'on peut atteindre à pied ou en canot. L'occupation en est gratuite, mais il faut s'enregistrer au centre d'accueil des visiteurs.

Camping hivernal

Un terrain de camping hivernal est aménagé en face de **Jake's Landing**. Ce terrain comprend eau courante chaude et froide, toilettes, foyers et bois de chauffage. On peut y camper en roulotte ou sous la tente. On peut aussi camper en hiver dans une partie du principal terrain de camping.

Camping collectif

On peut s'informer des réservations en écrivant au surintendant.

Autres agréments, essence, nourriture et approvisionnements

On trouvera à l'extérieur du parc quelques terrains de camping privés ainsi que quelques établissements offrant le gîte et le déjeuner. Les villes de Lunenburg, Bridgewater, Liverpool, Annapolis Royal et Bear River se trouvent toutes à moins d'une heure de route. Elles disposent de motels, d'auberges, etc.

À l'intérieur du parc, un casse-croûte disposant d'épicerie de base est installé à la plage Merrymakedge. Il existe une épicerie et une boutique où l'on trouve de l'équipement de camping et de la quincaillerie à Caledonia, à une quinzaine de minutes de route du parc sur la route 8. On peut obtenir de l'essence dans le parc, mais il y a plusieurs stations-service à 10 ou 15 minutes de route sur la 8.

Loisirs

Natation   On trouvera à chaque terrain de camping un certain nombre de plages propres, mais non surveillées. On recommande aux visiteurs de se rendre à la plage Merrymakedge qui, elle, est surveillée.

Navigation   Les embarcations motorisées sont permises sur le lac Kejimkujik, où la limite de vitesse est fixée à 15 km/h. On peut louer un canot ou une chaloupe à Jake's Landing.

Pêche   La pêche à la truite est bonne au printemps et à l'automne. Aux autres époques de l'année, la perchaude constitue la prise habituelle. Un permis des parcs nationaux est nécessaire. On se le procure au centre d'accueil des visiteurs où l'on peut obtenir un résumé des règlements de pêche dans les parcs nationaux canadiens de l'Atlantique.

Sports d'hiver   Les quantités de neige varient énormément d'une année à l'autre. Les bonnes années sont excellentes pour le ski de fond et la raquette le long des sentiers les plus larges. La plage Merrymakedge, Jim Charles Point et Mill Falls disposent d'abris chauffés au bois.

POUR DE PLUS AMPLES INFORMATIONS

Le surintendant,
Parc national de Kejimkujik,
C. P. 36,
Maitland Bridge,
Nouvelle-Écosse,
B0T 1N0
Tél.: [902] 242-2770

ÎLE-DU-PRINCE-ÉDOUARD

Au parc national de l'Île-du-Prince-Édouard, un samedi matin du début de l'été, je me suis rendue à la plage tout près de mon terrain de camping et j'y ai marché seule sans apercevoir âme qui vive durant des heures. Plus tard, au cours de la journée et plus loin sur la plage, j'ai erré à travers des foules qui se faisaient dorer au soleil, jouaient, ou se baignaient dans ce même décor de sable rose et chaud. Le contraste était frappant, mais ces deux expériences témoignent du principal plaisir qu'on éprouve au parc national de l'Île-du-Prince-Édouard: quelque chose dans l'environnement de la plage convient à presque chacun.

Le parc est fait d'une mince bande de terrain entrecoupée, longue de 40 kilomètres, qui court le long du littoral nord de l'Île-du-Prince-Édouard. En roulant le long de la promenade Gulf Shore — ou à bicyclette le long de sa piste cyclable — on peut se rapprocher de beaucoup du principal attrait du parc qu'est son système de dunes. Du côté nord de la route, on aperçoit le golfe Saint-Laurent. Jusqu'à une vingtaine de kilomètres au large, l'eau n'est pas plus profonde que 15 mètres, ce qui explique sa tiédeur et ses vagues peu impressionnantes. Des barres de sable, parallèlement au littoral, contribuent à alimenter en sable les plages et les dunes dont la superficie augmente.

Une fois les dunes établies, le gourbet prend racine peu à peu dans le sable des pentes douces du côté sud ou côté de la baie. Cette herbe pousse ses racines à plus d'un mètre de profondeur et celles-ci retiennent le sable contre les secousses du vent et de l'eau. Plus longtemps des herbes poussent dans des dunes,

311

plus l'eau douce et la matière organique s'y rassemblent et, à la longue, des pousses d'autres plantes telles que la baie de laurier parfumée ou la rose sauvage s'y enracinent. Des arbres tels que l'épinette blanche commencent à faire de même, bien qu'ils n'atteignent jamais plus d'un mètre ou deux de hauteur. Près de la route, dans les zones protégées et fertiles, les buissons et les arbres peuvent atteindre une plus haute taille, ce qui contribue davantage à la rétention de l'eau et au développement du sol. Des graines portées par les vents peuvent alors prendre racine, bordant par endroits les deux côtés de la route.

Vers l'intérieur de l'île, en direction sud, se trouvent d'anciennes dunes entièrement recouvertes d'une forêt d'épinettes parvenues à maturité plutôt que du mélange antérieur de petits buissons et d'arbres rabougris. Mais les vents et l'eau salée laissent des traces de leur puissance dans la première rangée de grands arbres qui marquent l'orée de la forêt du côté nord : ils sont plus courts que les autres et leurs branches sont tordues vers le sud à l'instar d'un drapeau qui serait constamment battu par les vents. Il s'agit là d'un exemple de *krummholz*, ou de « bois tordu ». À un moment donné au cours de leur croissance, ces arbres ne peuvent plus endurer le vent salin constant qui les fouette et leurs squelettes forment un mur protecteur derrière lequel les autres épinettes peuvent croître.

COMMENT VISITER LE PARC

Dunes et plages

Le système de dunes et de plages du parc national de l'Île-du-Prince-Édouard est marqué de plusieurs particularités. La plupart des plages sont adossées contre des dunes. Celles qui ne le sont pas sont limitées par des falaises escarpées de grès rouge fournissant le matériau de base des dunes qui se forment ailleurs. Il est merveilleux de marcher au sommet des falaises et de regarder en contrebas le bord de la mer à des endroits tels que **Orby Head** ou **Cape Turner**, tout deux dans le secteur ouest du parc. Les falaises tourmentées servent d'habitat à certains oiseaux de mer qui y nichent tels que le guillemot noir, aisément identifiable à son vol rapide, à son corps noir et aux taches blanches de ses ailes, de même qu'à ses pattes palmées d'un rouge brillant qui traînent derrière lui.

En ce qui a trait aux kilomètres de plages adossées contre les dunes, on peut choisir parmi huit zones de natation sous surveil-

lance passablement achalandées qui émaillent le parc sur
toute sa longueur. On peut,
par ailleurs, marcher seul le
long de la mer puisque ces plages sont séparées par de longues distances. Plusieurs baies
abritées offrent des plages tranquilles comme c'est le cas de
Cavendish Beach Sandpit et il
est aussi possible de surplom-
ber une baie telle que **Rustico**
en marchant le long de la bordure de la prairie herbeuse.

Des marches le long des
plages, qui sont souvent faites
en compagnie d'interprètes,

*Vesses-de-loup et herbes des dunes
intérieures.*

peuvent augmenter la conscience qu'on a de cet environnement
de dunes et de plages. J'ai participé à l'une de ces marches et l'on
nous a demandé de ramasser des objets sur la plage. Nous les
avons rapportés à l'interprète qui les a identifiés pour la plupart et
nous a expliqué brièvement les interrelations de la faune et de la
flore. Certaines marches sur les plages se font dans le but spécifique d'observer les oiseaux. Plusieurs des causeries offertes en
soirée dans les terrains de camping portent sur la nature changeante d'un environnement de dunes et de plages. Au cours de
l'une de ces causeries, les enfants comme les adultes étaient
visiblement ravis d'examiner, dans un grand bol, des poignées de
sable rose des dunes qu'ils se passaient de l'un à l'autre. Nous
avons visionné un diaporama portant sur la formation des dunes
et avons appris un certain nombre de données: pour qu'un grain
de sable soit, par exemple, soufflé d'un travers à l'autre de la
plage, il faut un vent de 20 km/h. Nous avons aussi appris à quel
point il était facile aux marcheurs d'endommager les dunes et à
quel point il est important de longer celles-ci plutôt que de
progresser sur elles. Il existe, pour se rendre sur les plages, des
sentiers qui traversent les dunes tout en minimisant leur destruction.

Bois et eau douce

La beauté du parc national de l'Île-du-Prince-Édouard n'est pas
limitée au sable et à la mer. Au sud des plages, de l'autre côté de
la promenade Gulf Shore, on trouve de longues et minces bandes

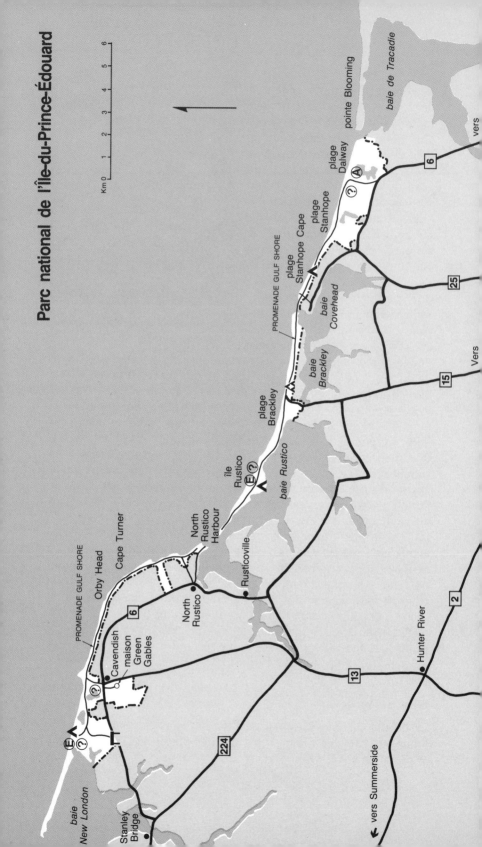

Parc national de l'Île-du-Prince-Édouard

Km 0 1 2 3 4 5 6

baie de Tracadie

vers

pointe Blooming

plage Dalway

6

plage Stanhope

plage Stanhope Cape

Stanhope Cape

25

baie Covehead

PROMENADE GULF SHORE

baie Brackley

15

Vers

plage Brackley

île Rustico

baie Rustico

North Rustico Harbour

Cape Turner

Orby Head

PROMENADE GULF SHORE

Rusticoville

6

North Rustico

2

Hunter River

Cavendish maison Green Gables

13

224

baie New London

vers Summerside

Stanley Bridge

forestières brisées ici et là par des prairies et des étangs d'eau douce. En empruntant les courts sentiers **Bubbling Spring** et **Farmlands**, on aura l'occasion d'observer de quelle façon les bois ont pris le dessus sur les anciennes dunes et les terres de culture plus récentes. Certaines de ces terres sont toujours ouvertes et, au milieu de l'été, le thym parfume l'air, les baies sont mûres et des roses sauvages ornent les sentiers. Celui de Bubbling Spring passe près d'un endroit où l'on surplombe un marais avant de s'enfoncer de nouveau dans un bois. Une magnifique source coule au sommet du sentier et le sable rose dégage des bulles comme un chaudron froid. Au cours de cette marche, j'ai aperçu un pic tridactyle, un oiseau rare qui compensait pour les maringouins.

Les vents du nord sont responsables de la formation des dunes et des plages ainsi que de celle, subséquente, des étangs d'eau douce. On trouve tout au long de la lisière sud du parc de petits étangs appelés barachois. Ce mot, d'origine purement acadienne, signifie barricade. Là où des criques d'eau salée se sont formées le long du littoral ou encore là où des ruisseaux ont formé des criques, il est possible que le sable s'accumule jusqu'à ce que le goulot en soit étranglé (bien que parfois un goulot étroit permette aux eaux de s'écouler dans la mer). L'eau salée n'y pénètre alors plus; l'eau douce des pluies ou provenant des ruisseaux ou des sources remplit lentement cet espace fermé et un nouvel environnement riche se crée à l'intention des poissons, de la flore, des insectes et des oiseaux. Le **sentier Reeds and Rushes**, qui mène à l'étang Dalvay, est l'endroit rêvé pour observer ce phénomène. Je m'y suis rendue à l'occasion d'une marche menée par un interprète au cours de laquelle nous avons traversé la barre maintenant boisée qui ferme la baie et jeté nos filets à l'eau pour voir de plus près ses habitants. Nous les avons versés dans des cabarets et des jarres fournis par l'interprète et les avons examinés de près. Tous les membres du groupe ont apprécié ce coup d'oeil à un univers en miniature.

Histoire humaine

Cette partie de la côte de l'île du Prince-Édouard a été transformée en parc national dans les années 1930. En 1973 une bonne partie du territoire situé à l'arrière des dunes a été ajoutée au parc original. On peut apercevoir les bases de vieilles clôtures de terre sur le **sentier Farmlands**, de même que les ruines de petites fosses dont se servaient certains résidents entreprenants pour cacher des barils illicites de rhum durant la prohibition.

Mais le spectacle le plus significatif aux yeux d'amateurs de littérature demeure celui de **Green Gables House**, dans le secteur de Cavendish, à l'ouest du parc. Il s'agit de la maison qui a servi de décor au livre *Anne of Green Gables*, de Lucy Maud Montgomery. Celle-ci n'a pas vécu dans cette maison où habitaient des membres de sa famille qui lui ouvraient toujours leur porte. Aujourd'hui, les visiteurs se rapprocheront beaucoup de l'univers d'Anne en visitant la maison et en entreprenant, avec un interprète, une marche guidée à travers les superbes bois d'érables et de bouleaux, le long d'un ruisseau que le sentier traverse plusieurs fois. Le secteur de la maison et le **sentier Balsam Hollow** se trouvant sur des terres plutôt hautes, ce dernier a l'avantage supplémentaire d'être le seul sentier traversant des bois qui soient dénués de maringouins au cours de l'été.

SERVICES ET COMMODITÉS

Programme d'interprétation

En été, le parc offre un programme intéressant et original. L'horaire en est disponible aux kiosques d'entrée et sur le babillard d'un bout à l'autre du parc. Plusieurs sentiers où l'on se guide soi-même, de bonnes routes larges qu'on peut emprunter en voiture, la possibilité de se rendre sur les plages, à vélo ou en marchant ainsi qu'aux étangs et dans les bois font qu'il est plutôt facile d'explorer ce parc.

Camping

On trouvera trois terrains de camping, disposant de plus de 500 emplacements, dans le parc national de l'Île-du-Prince-Édouard. **Cavendish**, un site légèrement boisé, est situé à l'extrémité ouest du parc. Puisqu'il est en face d'une plage surveillée, il est très achalandé ; on y trouve un théâtre explicatif en plein air et un terrain de pique-nique.

Les **terrains de camping Stanhope et Rustico** sont dans le secteur est du parc. Stanhope occupe un site boisé achalandé de l'autre côté de la route en face de deux plages surveillées. L'île Rustico, face à la baie Rustico, dispose d'emplacements en terrain boisé et en terrain ouvert. En haute saison, il s'agit du terrain de camping le plus tranquille et du dernier à afficher complet.

Les commodités ne sont pas les mêmes dans tous les terrains ; Cavendish et Stanhope offrent des raccords triples pour les roulottes tandis que d'autres ne le font pas.

Zone de transition entre les dunes, les herbes et la forêt.

La haute saison commence à la mi-mai et se termine à la mi-octobre, mais il existe une zone réservée au camping hivernal dans l'aire de pique-nique de **Stanhope Cape**. Ce terrain dispose de toilettes sèches, d'une pompe à eau et d'une couverture d'arbres.

On n'accepte aucune réservation; les emplacements sont distribués aux premiers arrivants, qui peuvent y séjourner au maximum deux semaines.

Autres terrains de camping

On évalue à 1 500 les emplacements disponibles dans la région qui longe le parc d'une extrémité à l'autre; il devrait donc être possible de trouver à se loger à quelques minutes à peine du parc même au plus fort de la haute saison.

Autres agréments, essence, nourriture et approvisionnements

Il existe de nombreux hôtels et motels à proximité du parc, de même que quelques concessions à l'intérieur. Pour de plus amples informations, on peut écrire à P.E.I. Tourism Services, C. P. 940, Charlottetown, Île-du-Prince-Édouard.

On trouvera des comptoirs d'alimentation rapide sur les plages surveillées de Brackley, de Stanhope et de Cavendish, de même qu'un restaurant et une boutique de souvenirs dans le secteur de la Green Gables House.

Il existe des magasins dans le parc, mais on trouvera tout l'éventail de nourriture, d'essence, d'équipement de camping, etc., au village de Cavendish.

Il existe en outre de petits magasins et des stations-service dispersés le long des nombreuses routes qui permettent d'accéder au parc.

Loisirs

Natation   Le parc offre huit plages surveillées. Cette surveillance s'exerce de la mi-juin jusqu'à quelques jours après la fête du Travail.

Cyclisme   Le cyclisme est particulièrement en faveur dans le parc puisque, d'une extrémité à l'autre de celui-ci, des pistes cyclables larges de deux mètres flanquent de chaque côté la promenade Gulf Shore. Le territoire situé à l'extérieur du parc est sillonné de routes plus étroites, mais très achalandées par les cyclistes, puisqu'il s'agit de terres de culture.

Navigation   Il est permis de se promener en chaloupe et en canot dans les lacs et les étangs d'eau douce. Les embarcations motorisées sont interdites. On peut pratiquer le tourisme ou la pêche en haute mer en s'adressant à Tracadie, à North Rustico Harbour et à Covehead Bay.

Tennis   Le parc dispose de quatre courts gratuits, dont deux courts doubles à Dalvay et à Brackley, et un court double à Cavendish.

Golf   Le parcours de 18 trous de Green Gables, dans le secteur ouest, est absolument magnifique et très populaire. Les tarifs varient selon l'heure.

Boulingrin   On trouvera un boulingrin à Dalvay, du côté est du parc. Aucun tarif n'est exigé.

POUR DE PLUS AMPLES INFORMATIONS

Le surintendant,
Parc national de
l'Île-du-Prince-Édouard,
C. P. 487,
Charlottetown,
Île-du-Prince-Édouard,
C1A 7L1

Tél. : [902] 672-2211

HAUTES TERRES DU CAP-BRETON

Au nord de l'île du Cap-Breton, le sommet de la piste Cabot est invariablement associé au parc national des Hautes Terres du Cap-Breton. Cette piste longe le parc durant 106 pénibles kilomètres et offre en cours de route de magnifiques panoramas. Les visiteurs peuvent passer des heures à marcher le long des plages, à pique-niquer ou à manger à Keltic Lodge. On peut se procurer des souvenirs ou prendre des photos dans l'un des charmants petits villages éparpillés sur des terrains privés à la périphérie des limites du parc. De cette façon, on bénéficiera d'un séjour agréable et intéressant, mais il y a bien davantage à explorer et à apprécier dans ce grand parc unique. Il faut prendre son temps.

Le parc dispose de sept terrains de camping bien équipés; certains sont calmes, d'autres achalandés; certains sont protégés par les bois, d'autres sont exposés aux vents sur les plages océaniques. De courts sentiers où l'on se guide soi-même sont accessibles directement depuis la piste Cabot. De plus longs sentiers mènent au haut de vallées de rivières plongeantes, au-dessus des Eternal Barrens et le long d'un littoral battu par les vagues. Le printemps y arrive très tard; les oiseaux occupent des nids partout dans les forêts et même dans les landes; en juillet, les visiteurs pourront apercevoir des fleurs depuis longtemps fanées plus au sud.

La diversité et la majesté des Hautes Terres du Cap-Breton découlent de leur géologie et de leur géographie. Il s'agit d'une immense plaine qui, il y a longtemps, a été soulevée par endroits à plus de 300 mètres au-dessus du niveau de la mer, avec une

Parcs Canada.

321

inclinaison plus prononcée du côté ouest. Les tensions générées par ce mouvement ont produit de longues fissures dans l'écorce terrestre et celles-ci se sont transformées en vallées aux parois abruptes dans lesquelles coulent les rivières vers la mer. Les embouchures des rivières ont formé des anses ou des criques entre les promontoires massifs qui s'avancent dans l'océan.

Le sol de ce haut plateau central est très mince et sert d'habitat à une faune et à une flore de la toundra et de la lande. Dans la zone la moins élevée, du côté est du parc, de même que tout au long des flancs et des lits des vallées, les forêts peuvent croître: forêts boréales dans les zones les plus élevées, pauvres en éléments nutritifs; forêts mixtes de feuillus et de conifères dans les zones basses, plus riches. À une latitude aussi nordique, la saison de croissance est brève, mais l'océan tempère le climat et fournit énormément d'humidité. Il en résulte une flore luxuriante sinon variée.

Les côtes elles-mêmes sont très imposantes puisque plusieurs des immenses promontoires boisés se précipitent abruptement dans la mer. D'autres promontoires s'avancent loin dans les eaux et ont été érodés presque jusqu'au niveau de la mer ou, par endroits, complètement raclés par la puissance de l'océan.

COMMENT VISITER LE PARC

Les landes éternelles

Grâce au rôle que joue le réseau des parcs nationaux dans la préservation, cet immense plateau de terres hautes risque effectivement d'être éternel; mais il n'est pas et ne devrait jamais être désolé. Aux yeux des premiers pionniers, qui s'intéressaient aux terres pour l'agriculture ou le pâturage, le plateau pouvait paraître désolé; mais, si l'on apprécie des kilomètres de panoramas brumeux, le thé du Labrador qui nous arrive à la taille, les excroissances de granit rose couvertes de cladonie gris perle ou de doux lichen vert, il s'agit là de l'endroit rêvé.

J'ai roulé par la courte route pierreuse jusqu'au lac **Paquette**, puis entrepris de pénétrer dans la lande en empruntant le large sentier. Après une dizaine de minutes de marche, j'ai bifurqué sur un sentier étroit vers un autre petit lac. La cladonie, les brandes et les mélèzes s'agrippaient au sol mince et aux quelques protubérances de granit. Après avoir atteint une petite crête, j'ai commencé à redescendre vers une tourbière humide. À cet endroit, les buissons poussent encore moins et sont remplacés par de grands lits de sphaignes, dont une partie était d'un rose extraordinaire. Il y avait ici et là des lacs minuscules; près de l'un d'entre eux, un grand chevalier à pattes jaunes entreprit de plonger à maintes reprises dans le brouillard au-dessus de moi en lançant de grands cris et en me frôlant la tête dans une tentative désespérée de m'éloigner de son nid. Comme je n'avais aucun moyen de savoir où le nid se trouvait, donc aucun moyen de m'assurer de l'éviter, j'avançais en faisant attention tout en me dépêchant.

Au printemps, les rougets tapissent le sol de la forêt.

Parcs Canada.

En descendant, j'aperçus un torrent étroit et profond et, après l'avoir traversé grâce à quelques vieux billots de bois, j'arrivai dans une prairie ouverte et très humide. Il s'agissait certainement de l'une des zones spéciales du parc puisqu'elle déployait des douzaines d'orchidées! J'apercevais partout des habénaires à gorge frangée et des aréthuses bulbeuses roses. Après m'être quelque temps régalée de leur beauté et les avoir photographiées en faisant attention où je mettais les pieds, je suis retournée sur mes pas puisque la brume se transformait en nuages et qu'il m'était de plus en plus difficile de suivre le sentier.

Plusieurs sentiers mènent dans les landes et un trottoir de planches où l'on se guide soi-même à travers la tourbière des hautes terres passe à proximité de la piste Cabot à **French Mountain**. On peut en apercevoir les écriteaux à environ 20 kilomètres de Chéticamp ou à 85 kilomètres d'Ingonish. Ce sentier représente une miniature enchanteresse des landes situées plus loin à l'intérieur.

Les forêts et les rivières

Lorsqu'on se trouve sur la piste Cabot en juillet, on a l'impression que tout ce qui n'est pas l'océan dans le parc est une forêt luxuriante. Il est difficile de constater que plus d'une essence y pousse; les variantes dans les teintes de vert et l'apparition fortuite du tronc d'un bouleau en représentent les seuls indices.

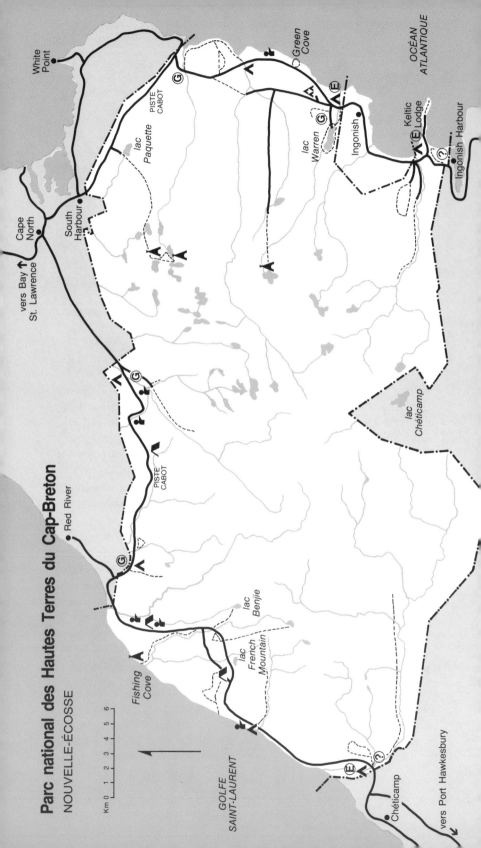

Parc national des Hautes Terres du Cap-Breton

NOUVELLE-ÉCOSSE

White Point

OCÉAN ATLANTIQUE

Green Cove

Keltic Lodge

Ingonish Harbour

Ingonish

lac Warren

lac Paquette

PISTE CABOT

Cape North

vers Bay St. Lawrence

South Harbour

lac Chéticamp

Red River

PISTE CABOT

lac Benjie

lac French Mountain

Fishing Cove

GOLFE SAINT-LAURENT

Chéticamp

vers Port Hawkesbury

Km 0 1 2 3 4 5 6

L'automne venu, le contraste entre les arbres caduques brillamment colorés et le vert des conifères saute aux yeux.

N'importe quel itinéraire le long des flancs d'une vallée et sur l'un des promontoires massifs révélera la progression qui se fait jour depuis les forêts caduques du lit des vallées jusqu'aux forêts de conifères en altitude. Il existe des clairières battues par les vents où les arbres ne parviennent pas à tenir, contrairement à des fleurs et à des herbes superbes. Le **sentier Acadien**, qui commence à l'arrière du terrain de camping Chéticamp, représente un excellent moyen de passer à travers toute cette séquence et de rentrer en moins de trois heures. On y trouvera des points de vue spectaculaires sur l'intérieur du parc, la vallée de la rivière Chéticamp et le village de Chéticamp, de même que sur les marécages et les barachois qui bordent l'océan avant que celui-ci ne s'allonge vers l'horizon. Les étangs qu'on appelle barachois proviennent de la formation de dunes de sables ou de récifs à l'embouchure de ruisseaux d'eau douce. Les dunes contiennent l'eau douce dans ces étangs quelque peu saumâtres, mais très riches en flore et en faune.

Le **sentier Franey Tower**, à proximité d'Ingonish, permet de connaître une autre magifique expérience de la forêt, des rivières et des promontoires du secteur est du parc. On y a une vue d'ensemble de l'océan et des rives, si tourmentées à cet endroit.

Pour une marche agréable qui mène à un lac forestier, on peut emprunter le **sentier Jigging Cove**, un embranchement du sentier Cabot, à une courte distance en voiture du terrain de camping Black Brook. On peut faire le tour du lac à pied en moins d'une heure tout en appréciant la forêt mixte, le lac sombre et la superbe végétation. À cet endroit, l'observation des oiseaux est vraiment récompensée. Je suis demeurée au même endroit environ cinq minutes à tenter d'attirer l'attention des oiseaux en sifflotant. En moins de quelques secondes, j'étais entourée de sept espèces de fauvettes et de quatre autres espèces d'oiseaux!

Au **lac Benjie's**, un court sentier à travers une forêt plus élevée, boréale, mène à des tapis de fleurs printanières. Le moment le plus extraordinaire de cette marche a finalement été d'apercevoir une orignale et ses deux petits au moment où je sortais d'une courbe de l'étroit sentier bordé d'arbres. J'en ai été sidérée. Nous nous sommes observés plusieurs minutes durant tandis que je les photographiais dans la brume du soir. Puis ils se sont retournés et ont fui si rapidement et silencieusement que seules les traces de leurs pas prouvaient qu'ils se trouvaient bien là quelques instants auparavant.

Les interprètes du parc offrent un certain nombre de marches dans les bois dont quelques-unes le long des plaines d'inondation des rivières Clyburn et Chéticamp. Ces deux zones particulières permettent de saisir les interrelations de la forêt et de la rivière. Au **sentier Clyburn**, on offre parfois un détour vers les ruines d'une mine d'or abandonnée.

Le littoral

Il existe un certain nombre d'endroits dans le parc national des Hautes Terres du Cap-Breton où le visiteur peut marcher en se fondant à la mer et au littoral. Le secteur de Chéticamp, au nord-ouest, comprend d'autres rivages avec les énormes et hauts promontoires qui plongent dans la mer; en conséquence, on y marche sur les arêtes et les crêtes qui surplombent l'océan. Mais à l'est, du côté d'Ingonish, où les terres sont moins élevées, il est possible de marcher des kilomètres durant le long de sentiers agréables qui serpentent de forêts émaillées de champignons en champs d'apparence marécageuse, en passant par les éperons de roc rose à **Green Cove**, tout cela à proximité de l'océan. Des fraisiers luxuriants tapissent une prairie à **Middle Head** et l'on y est survolé par des sternes.

SERVICES ET COMMODITÉS

Programme d'interprétation

Au cours de l'été, le parc offre plusieurs marches guidées chaque jour et des programmes en soirée. À cause des dimensions du parc, les horaires ne sont pas les mêmes à l'ouest et à l'est. Il faut s'assurer d'obtenir les deux horaires de façon à prévoir qu'il faudra se rendre en voiture d'un côté ou l'autre.

Plusieurs dépliants portent sur les sentiers où l'on se guide soi-même et une brochure décrit les différents sentiers d'excursions. Il existe aussi une liste d'oiseaux à l'intention des observateurs. Le centre d'accueil de Chéticamp présente une superbe exposition explicative portant sur ce qu'on risque de voir en empruntant les principaux sentiers d'excursions. Celle-ci aide beaucoup à décider lesquels emprunter. Dans un parc aussi étendu, il est particulièrement utile de discuter avec un membre du personnel de ce qu'on aimerait voir et faire, compte tenu du temps dont on dispose et de son expérience de la vie au grand air.

Parcs Canada.

La péninsule de Middlehead.

Camping

Les deux côtés du parc étant aménagés dans un décor naturel très différent, on devrait songer à camper d'un côté durant quelque temps, puis à déménager de l'autre.
Les terrains de camping de ce parc sont parmi les plus luxueux du réseau. Au nombre des terrains aménagés, **Broadcove** et **Chéticamp** offrent plusieurs emplacements équipés de raccords triples pour les caravanes, de douches dans les salles de bains, d'espaces séparés pour laver la vaisselle et d'abris pour la cuisine.
Chéticamp et **Black Brook** sont les moins achalandés, les plus densément boisés et les plus calmes. **Ingonish** affiche complet le premier puisqu'il est petit et situé près de l'entrée est par où la plupart des gens semblent pénétrer dans le parc en empruntant le sentier Cabot.
Il existe quatre terrains sans raccords pour les roulottes, mais ils sont tout de même équipés de salles de bains, de foyers et d'abris pour la cuisine. **Ingonish** offre des emplacements aménagés et non aménagés. **McIntosh Brook** se trouve dans une clairière; **Corner Brook** est situé près de la plage, dans le secteur ouest; **Big Intervale** occupe une clairière située à peu près à mi-chemin sur la piste Cabot.

Le long du sentier Franey, une épaisse forêt recouvre les promontoires.

Camping sauvage

Il existe aussi quelques terrains de camping sauvage équipés de foyers et de toilettes sèches. La plupart sont à l'intérieur du parc et ont surtout été aménagés à l'intention des pêcheurs. Le **terrain de camping Fishing Cove** se trouve sur la côte. Leur utilisation est gratuite, mais un permis est requis. On peut s'adresser au personnel des centres d'information pour tout renseignement de même que pour les permis.

Camping collectif

Il existe un terrain de camping collectif à **Marrach**. On obtiendra les informations nécessaires en écrivant au surintendant.

Tous les terrains de camping sont à proximité des sentiers, de même que près de l'eau, qu'il s'agisse de l'océan, des rivières ou des lacs.

Autres terrains de camping

On trouvera des terrains de camping privés au sud du parc, le long des routes de la partie inférieure de la piste Cabot.

Autres agréments, essence, nourriture et approvisionnements

Keltic Lodge est une station balnéaire aménagée dans le parc et administrée par le gouvernement provincial,. Il existe quelques motels dans les petites agglomérations à l'extérieur des limites du parc, de chaque côté, de même que dans les petits villages éparpillés le long de la piste Cabot.

On ne trouvera pas dans le parc lui-même d'essence, de nourriture ou d'approvisionnements, mais plutôt dans les localités de Chéticamp et d'Ingonish ainsi que dans plusieurs villages le long de la piste Cabot. On ne se trouve jamais à plus d'une heure de voiture d'un éventail limité mais suffisant d'essence, de nourriture, d'équipement de camping, de souvenirs, d'artisanat local, de films, etc.

Keltic Lodge, près d'Ingonish, comprend un restaurant. On peut téléphoner pour se renseigner. Dans les localités, on trouvera des casse-croûte, de petits cafés et, de temps à autre, un véritable restaurant.

Loisirs

Natation   On peut se baigner sous surveillance dans l'océan, aux plages de South Bay, d'Ingonish et du lac Freshwater. Les plages non surveillées sur l'océan sont à North Bay, à Broad Cove, à Black Brook, et près de Jerome Brook, juste au nord du terrain de camping de Chéticamp. On peut se baigner dans l'eau douce au lac Warren, au nord d'Ingonish.

Pêche   On prend surtout deux espèces de poissons dans le parc : le saumon atlantique dans la rivière Chéticamp et la truite de ruisseau dans les lacs et les rivières qui coulent vers l'océan. La plupart des ruisseaux renferment beaucoup de truites de mer. On peut obtenir auprès du personnel à l'entrée ou de tout gardien un permis de pêche et des informations sur les saisons et les limites.

Golf   Ingonish dispose d'un parcours de 18 trous dans les terres hautes, administré par les parcs nationaux. Les tarifs sont à la journée, à la semaine, à la saison. On trouvera au chalet des rafraîchissements, un service de location et de vente d'équipement. Un professionnel y donne des leçons.

Tennis   On trouvera dans l'aire d'utilisation diurne d'Ingonish Beach trois courts gratuits à surface dure. Les joueurs changent aux 45 minutes selon un code d'honneur.

Ski de fond   Cette activité est de plus en plus populaire dans le parc où l'on trouve quelques abris pour se réchauffer. Ces abris sont équipés de banquettes, de poêles à bois et de bois de chauffage. On peut s'informer auprès du personnel.

Observation des oiseaux   Il existe dans le parc une grande variété d'habitats et d'espèces d'oiseaux, mais les visiteurs qui désireraient observer des oiseaux du large tels que le macareux ou le gode devraient suivre les indications à l'extérieur du parc qui font état de croisières vers les sanctuaires d'oiseaux situés à proximité de Bras-d'Or, à environ une heure au sud de l'entrée d'Ingonish. Le personnel du parc dispose d'une provision de dépliants à cet effet au cas où l'on n'aurait pas vu les écriteaux. Ces excursions servent de complément à un séjour au parc même si l'on ne se trouve pas à l'intérieur de ses limites.

POUR DE PLUS AMPLES INFORMATIONS

Le surintendant,
Parc national des Hautes Terres
du Cap-Breton,
Ingonish Beach,
Cap-Breton, Nouvelle-Écosse,
B0C 1L0

Tél. : [902] 285-2270

On peut se renseigner sur l'ensemble du Cap-Breton auprès du ministère du Tourisme de Nouvelle-Écosse en téléphonant au [800] 565-7166.

GROS MORNE

Des montagnes tourmentées et farouches et de longues plages nacrées sont plutôt inattendues dans cette région du Canada, qu'est le parc national de Gros Morne*. On y trouve en outre des fjords escarpés, des ruisseaux de truites et de saumons, des lacs engouffrés par les tourbières. Plusieurs petites enclaves pour la pêche et l'agriculture sont nichées dans la majesté de cet environnement. En marchant le long des quais couverts de cages à homard ou en évitant les bêtes de trait qui se promènent librement sur les routes, on a le sentiment de comprendre comment, au cours des cinq derniers millénaires, les humains ont réussi à tirer leur subsistance de ce territoire situé au bord de l'océan : on y pêchait dans la mer et les fjords et on cultivait ou chassait le long des pentes boisées.

L'histoire géologique de cette combinaison particulière de fjords d'eau douce et salée, de plaine côtière et de montagnes, fait de Gros Morne un élément essentiel du programme de conservation du réseau des parcs canadiens. Certaines de ses formations rocheuses n'existant qu'en quelques autres endroits sur la planète, on songe à transformer Gros Morne en patrimoine mondial, c'est-à-dire en un site d'un intérêt et d'une valeur exceptionnels non seulement à l'intérieur du pays, mais pour la terre entière. À certains endroits, du roc provenant du manteau de la terre se trouve exposé tout à côté de roc provenant de son écorce. On y trouve des sites où il est possible d'observer clairement les fossiles en filigrane qui indiquent la ligne de partage entre les dépôts de l'ère cambrienne et ceux de l'ère ordovicienne qui lui a succédé.

---

* Se prononce localement « grosse ».

La variété de la composition du terrain et du roc du parc découle en grande partie de deux phénomènes connexes. L'un de ces phénomènes est la glaciation grâce à laquelle l'immense poids des rivières de glace remplies de débris a taillé les fjords. En fondant, les rivières ont déposé leur charge, formant ainsi la vaste plaine côtière. L'autre phénomène est celui du « ricochet », lorsqu'une bonne partie de la région s'est soulevée hors de l'eau comme elle continue probablement de le faire. Le territoire déjà exposé s'est soulevé après la fonte des glaciers en n'étant plus écrasé sous leur immense poids. L'océan put alors sculpter ce littoral surélevé; les rivières, en empruntant les terres hautes, se sont engouffrées dans les gorges profondes laissées par les glaciers qui retraitaient; le froid a craquelé et fendu le roc des surfaces dénudées des zones de montagnes les plus élevées. La dernière retraite de glaciers a eu lieu il y a environ 10 000 ans.

COMMENT VISITER LE PARC

Si l'on veut voir le plus possible de ce parc au cours d'un séjour de quelques jours, on peut le percevoir sous la perspective de trois niveaux qui s'échelonnent vers l'est: celui de la mer, d'abord, à son point de rencontre avec la terre ferme; celui, ensuite, de la longue et basse plaine côtière avec sa forêt, ses fjords et ses tourbières; celui, enfin, des terres hautes et tourmentées du Gros Morne même, ainsi que des autres montagnes du secteur nord du parc, de même que des Tablelands du secteur sud. À chaque niveau, les visiteurs trouveront des endroits facilement accessibles qui leur permettront d'apprécier et de comprendre chaque région.

La côte

Moins de 15 minutes après avoir pénétré dans le parc par son accès sud (le plus rapproché de la route Transcanadienne), le rôle de la glaciation dans la formation de segments de la côte saute aux yeux. Durant près de 16 kilomètres, la route longe un profond fjord d'eau salée, le **Bonne Bay**. Ce fjord donne sur la mer à l'est et ses bras s'enfoncent vers le sud dans les terres hautes escarpées. Il a été entaillé dans le roc par des langues glaciaires et, lorsque le flux de glace s'est résorbé, l'océan a comblé la dépression aux falaises abruptes qu'il laissait derrière lui.

Les panoramas y sont spectaculaires. On éprouvera davantage le sentiment de son étendue si l'on est en mesure de participer à l'une des croisières offertes par un pourvoyeur à **Rocky Harbour**. Pour une traversée plus courte de la baie jusqu'au charmant village de Woody Point et au terrain de camping de Tablelands et de Lomond, on emprunte le petit traversier à **Norris Point**. La traversée est brève, mais elle représente un excellent moyen pour observer la baie bleue et les montagnes qui l'enveloppent.

Certaines fleurs parviennent à s'enraciner dans les falaises de Green Cove.

À un quart d'heure de route de Woody Point, on trouvera la tête du **sentier Green Gardens**. Il faut compter deux journées d'excursion pénible pour en atteindre l'autre extrémité. Avant de se lancer dans une telle entreprise, on doit vérifier auprès du personnel du parc si ce sentier convient au niveau d'expérience du groupe dont on fait partie. Le parc dispose d'une excellente brochure qui décrit ce sentier.

Orientée vers le nord le long du parc depuis Norris Point, la route de la côte offre bientôt l'occasion de constater de quelle façon les habitants traitaient leur environnement. Quelques minutes après avoir dépassé l'embranchement qui mène au bâtiment du centre d'information, on arrive à Rocky Harbour où la vie quotidienne ressemble à ce qu'elle a toujours été dans les villages de Terre-Neuve. Les bateaux de pêche vont et viennent; les cages à homard forment de hautes piles; et une usine de traitement de poisson laisse échapper son odeur caractéristique.

Une côte rocheuse serait incomplète sans un phare. On en trouvera un à **Lobster Cove Head**, juste au nord et en vue de Rocky Harbour. Ce phare demeure ouvert à l'intention des visiteurs de 13 à 20 heures tous les jours de l'été. La mer qui se fracasse sur les rochers et les arbres verts et noueux qui s'accrochent au-dessus de ces rochers forment une toile de fond frappante pour le phare d'un blanc brillant.

À environ mi-chemin de l'étendue du parc, **Green Cove**, situé juste au-delà du terrain de camping de Green Point, offre deux endroits à visiter qui sont cachés par les escarpements qui flanquent la route principale. En empruntant la route de gravier (on peut stationner à l'intersection avec la route principale lors-

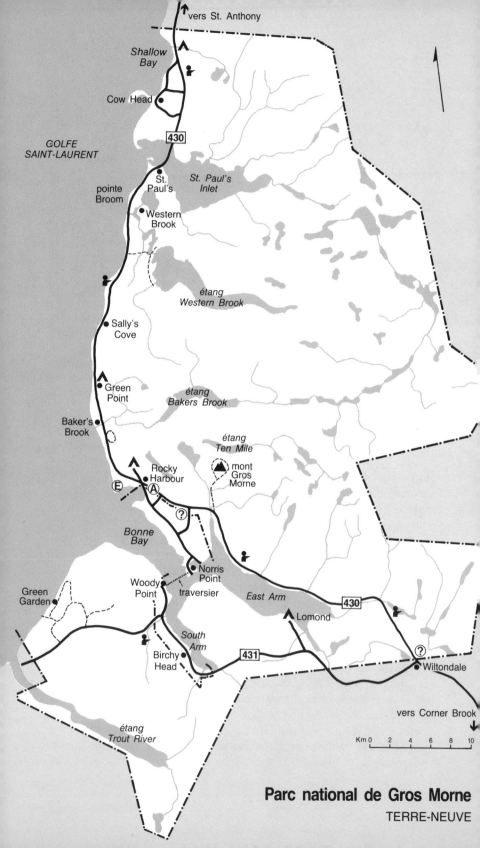

vers St. Anthony

Shallow Bay

Cow Head

430

GOLFE
SAINT-LAURENT

pointe Broom

St. Paul's

St. Paul's Inlet

Western Brook

étang Western Brook

Sally's Cove

Green Point

Baker's Brook

étang Bakers Brook

étang Ten Mile

mont Gros Morne

Rocky Harbour

E

A

?

Bonne Bay

Norris Point

Woody Point

traversier

Green Garden

East Arm

Lomond

430

South Arm

Birchy Head

431

?

Wiltondale

vers Corner Brook

étang Trout River

Km 0   2   4   6   8   10

Parc national de Gros Morne
TERRE-NEUVE

qu'on ne peut pas compter sur sa voiture pour gravir des pentes de gravier abruptes), on peut découvrir le premier de ces endroits, un camp de pêche actif sur la plage de galets. Durant l'été, les personnes qui tirent une bonne partie de leurs revenus de la pêche viennent de plusieurs kilomètres à la ronde dans cette crique abritée où ils peuvent haler leurs bateaux sur la plage étroite, sécher leur morue sur les claies de bois et camper dans la rangée de petites cabanes qui se trouvent sur les lieux. Les visiteurs chanceux pourront y acheter du poisson et du homard luisant. La saison du homard prend cependant fin au cours de la première semaine de juillet et il faut prévoir en conséquence.

Un peu plus loin sur la route de Green Cove, on trouvera à visiter un autre endroit très différent. Quelques minutes de marche en direction nord, le long de la plage, permettent d'observer plusieurs strates géologiques. Après avoir contourné le promontoire, on peut emprunter les dalles de roc ; celles-ci sont de niveau et abritent des mares tidales ; les basses falaises, à droite, formées de strates sédimentaires, ont été dressées à la verticale par les mouvements lents mais immenses de la terre qui ont fait basculer ces rocs âgés de 450 millions d'années. La démarcation qui sépare les ères cambrienne et ordovicienne apparaît clairement dans une échancrure de la ligne des falaises. La partie ordovicienne renferme ses fossiles caractéristiques : des graptolites à plumes, une espèce maritime disparue, et des coquilles sculptées appartenant à une espèce qui rappelle les escargots. L'ère cambrienne, plus ancienne, ne recélait pas ces formes de vie animale et les fossiles n'en témoignent donc pas. Les strates sont particulièrement faciles à examiner puisque, étant dressée sur le côté, elles se sont érodées inégalement. Après quelques strates, on voit un espace fait de surfaces claires avant que n'apparaissent les strates suivantes, un peu comme si quelqu'un avait déposé un livre épais sur sa tranche avant d'en tourner les pages lentement en les laissant s'échapper de ses doigts quelques-unes à la fois. Les textures sont tour à tour picotées, ondulées, ridées, unies ou déchiquetées. Les verts, les jaunes et les gris forment un éventail subtil de couleurs.

Plus au nord, la route longe la première véritable zone de dunes des côtes, au terrain de pique-nique de **Western Brook**. On peut y pêcher dans le large ruisseau et on y trouvera plusieurs tables de pique-nique, un abri pour la cuisine et des toilettes.

Les eaux salées de Bonne Bay et du golfe Saint-Laurent, lorsqu'elles se déversent au-dessus des plages étroites, ne se trouvent pas à l'intérieur des limites du parc, bien que les visiteurs puissent facilement y accéder. Vers l'extrémité nord du parc, on parvient cependant à **St. Paul's Bay**, dont la plupart des eaux font partie intégrante du parc. Cette baie a, elle aussi, été taillée par les glaciers, mais ses flancs ne sont pas aussi escarpés que ceux des autres fjords. Elle est bordée en grande partie de marais salins. Des phoques qui prennent le soleil sont fréquents sur les barres de sable et les oiseaux y sont nombreux; les migrateurs du littoral y sont particulièrement abondants. On peut stationner à proximité du pont ou dans le minuscule hameau de St. Paul's et marcher sur la presqu'île crochue qui forme la limite la plus basse de la crique. La plage longue et plate recèle des barnacles et des coquillages, du bois et des algues rejetés sur le rivage; il s'agit d'un endroit idéal pour les moules et les manches de couteau. Le chenal étroit qui mène à la mer est appelé un « chatouillement », un terme relativement doux si l'on songe que la mer se précipite à l'intérieur et à l'extérieur à une vitesse alarmante lors des changements de marée.

À l'extrémité de la presqu'île, le territoire ne fait plus partie du parc et l'on peut observer de nouveau l'utilisation qui est faite des côtes où broutent quelques moutons et chevaux dispersés. Les chevaux circulent librement bien qu'ils appartiennent toujours en principe à des propriétaires qui s'en servaient autrefois lors de la coupe du bois. Le côté droit, raclé par les vents du golfe, demeure un bon endroit pour observer la colonisation des côtes par la flore. Le délicieux caquillier édentulé y pousse à côté de la potentille ansérine qui allonge ses tentacules d'un rouge brillant de façon à s'ancrer dans tout endroit solide où elle puisse s'enraciner. On trouvera peut-être, comme ce fut notre cas, une vieille mâchoire inférieure de baleine, longue de 2,5 mètres, à l'ombre de laquelle poussent des fleurs protégées du vent. Une visite à St. Paul's prend un tout autre relief lorsque le groupe est mené par un naturaliste; on aura donc intérêt à consulter les horaires affichés dans les terrains de camping ou au centre d'accueil.

Les plages rocailleuses et les plats salins cèdent le pas à de longues étendues de plages sablonneuses flanquées de dunes ou de champs dont les herbes sont parsemées de fleurs. Ce paysage s'étend sur plusieurs kilomètres à **Shallow Bay**, dans le secteur le plus boréal du parc. On peut y pique-niquer dans une zone ou camper dans une autre. Par contre, on peut se contenter de stationner le long de la route qui passe au-delà du terrain de camping, marcher à travers une étroite bande forestière qui commence de l'autre côté du petit pont de la rivière Stanford, et passer par les dunes pour atteindre la plage.

Le squelette de l'ancienne forêt émerge des dunes.

Il vaut vraiment la peine de consacrer une journée à explorer cette plage luxuriante sur toute sa longueur, mais l'histoire géologique de la région est tout aussi intéressante. Une bonne part du secteur nord de la plage descend en pente douce vers la mer où le sable fait place à des plaines de roc plutôt horizontales où l'on observe des strates très nettes qui s'allongent vers la mer. Il s'agit encore une fois de strates sédimentaires qui ont jadis basculé sur le côté et qui se présentent verticalement plutôt qu'horizontalement. Ces plaines ont été adoucies par l'action de la mer et on peut y marcher sans difficulté à marée basse. Des entonnoirs et des pustules forment de superbes mares tidales où les eaux peu profondes sont réchauffées par le soleil. La pente douce et graduelle n'est cependant pas horizontale puisqu'elle est jonchée de blocs erratiques. Ces immenses pierres rondes ont été laissés par les glaciers.

Si l'on veut observer un aspect remarquable de Gros Morne, il faut marcher en direction nord jusqu'où la presqu'île basse s'enfonce dans les eaux. Cette presqu'île est constituée d'un seul rocher, le célèbre **Cow Head Breccias**. Un examen attentif fait apparaître une façade rocheuse pâle où un type de roche sédimentaire engouffre de gros morceaux aux arêtes vives d'un autre type. On y aperçoit de plus des fossiles ici et là. On n'observe nulle part ailleurs dans le parc de telles brèches, comme c'est le cas, par exemple, à Green Point, mais c'est à cet endroit que les géologues ont d'abord compris ce qui semblait être un paradoxe : comment pouvait-il exister, dans ce climat boréal froid, des rochers comportant des fossiles d'animaux qui ne pouvaient subsister ailleurs que dans les eaux tièdes et peu profondes de la mer en même temps que des fossiles d'espèces qui ne subsistaient que dans les eaux profondes ? Jadis, ces rochers faisaient partie de la bordure du bouclier continental peu profond qui s'étendait alors loin dans ce qui était l'océan. Des avalanches sous-marines survenaient de temps à autre à la bordure et des tonnes de roc appartenant au bouclier, de même que la faune, aussi bien vivante que piégée dans les sables une fois morte, plongeaient tout à coup le long des pentes vers les profondeurs de la mer. Ces fragments se sont recouverts durant des milliers d'années d'autres débris et se sont entassés pour former des brèches. Les mouvements incessants des immenses plaques techtoniques dont est constituée l'écorce terrestre soulevaient lentement ces zones tout en les déplaçant vers l'endroit qu'elles occupent de nos jours. Les Cow Head Breccias de Gros Morne ont donc contribué de façon fondamentale à la théorie des plaques techtoniques et de la dérive des continents. On peut toujours se joindre à des excursions guidées par des naturalistes si l'on désire conaître ces théories en détail.

La plaine côtière

La plaine côtière était autrefois un bouclier peu profond submergé par la mer, mais le ricochet consécutif à la retraite glaciaire l'a soulevée à son niveau actuel qui constitue le deuxième niveau du parc. De nos jours, elle s'élève légèrement à l'intérieur des terres puis se transforme de façon dramatique en terres hautes. Cette mince bande renferme un monde qui lui appartient en propre. Le sol s'y est stabilisé ; l'humidité peut s'y accumuler en quantités impressionnantes ; les ruisseaux y coulent doucement depuis les lacs taillés par les glaciers d'autrefois. On peut y examiner une particularité écologique propre à Gros Morne, qui sert de point de rencontre à trois zones écologiques, la tempérée, la boréale et l'arctique-alpine. Dans la plaine, on peut distinguer deux de ces zones. Les secteurs sud, du côté de la mer, sont tempérés avec leurs bois mixtes d'érables rouges, de bouleaux, de frênes noirs, de pins blancs, même des exemplaires les plus boréaux de merisiers de Virginie. Merles, geais, mésanges et fauvettes y abondent. À mesure qu'on prend de l'altitude, la forêt boréale domine

Le sentier qui mène au sommet de Gros Morne peut être emprunté sans difficulté, mais nécessite un effort constant le long de la pente ardue.

de plus en plus avec ses pins baumiers, ses épinettes noires et blanches et ses bouleaux blancs. Orignaux, lynx, lièvres, renards roux, castors et loutres partagent cet environnement. De fortes précipitations annuelles et un taux d'évaporation faible résultent en un taux d'humidité élevé dans l'atmosphère. Le sol qui retient bien les eaux et qui est relativement horizontal a permis la formation de plusieurs tourbières, lacs et ruisseaux tortueux.

Il existe trois bons endroits où se rendre si l'on veut examiner les fjords, les boisés et les tourbières des basses terres. Le secteur de **Lomond**, à l'extrémité sud du parc, en est le premier. On peut marcher sans difficulté d'un point situé au-delà du terrain de camping Lomond jusqu'à Stanleyville en traversant la zone de forêt tempérée qui caractérise les limites les plus basses de la plaine. À Stanleyville, on peut apercevoir les ruines d'une scierie de même que des jardins et des vergers abandonnés.

Le deuxième endroit qui vaut le détour est **Berry Head Pond**. Une courte marche par la route qui se trouve au nord du terrain de camping de Berry Hill mène à un lac d'eau douce typique de cette région. Ce lac contient des digues de castors; iris, soucis d'eau et orchidées des tourbières atteignent une haute taille au bord du lac. Une grande tourbière surélevée s'étend de trois côtés du lac. Il est rare que les tourbières soient si aisément accessibles. La partie la plus humide en est traversée par un trottoir de planches étroit mais bien construit. On peut y observer des touffes de sphaignes, de kalmias des tourbières, de thé du Labrador de même que des rossolis et des sarracénies pourpres, deux plantes carnivores. Cette randonnée très facile peut s'effectuer en moins d'une heure.

Le troisième endroit qui vaut le détour se trouve plus au nord et réserve l'une des expériences les plus intéressantes qu'on puisse vivre dans le parc; il s'agit de l'excursion qui mène à l'**étang Western Brook** et d'une promenade en bateau sur celui-ci. « Étang » n'est rien d'autre que le terme relativement modeste qu'utilisent les habitants de la région pour désigner les énormes fjords qui s'élancent dans le parc. L'étang Western Brook est en fait long de 16 kilomètres et large de 3 à son extrémité ouest, la plus évasée. Sa profondeur atteint 150 mètres. Il s'étend toutefois dans quelques-unes des parties les plus élevées de la région des hautes terres; en se rétrécissant presque d'un seul coup, il se trouve enveloppé de falaises de près de 800 mètres de hauteur! À basse altitude, les pentes supportent quelques arbres et buissons, mais plus haut, les falaises sont presque perpendiculaires et seuls les goélands parviennent à s'agripper aux minuscules fissures et aux corniches. Des chutes d'eau y forment une couverture, quelquefois transformée en rideaux de brume dans le vent aux altitudes les plus élevées.

Pour observer tout ce qui précède, il est nécessaire de participer à une balade en bateau, un service administré à la façon d'une concession par une personne très expérimentée de la région. Pour réserver, on obtiendra le numéro de téléphone au bureau d'information du parc. Il n'est pas certain que ce service soit offert chaque été. Au parc, on sera en mesure de confirmer s'il l'est ou pas.

Le plaisir qu'on éprouve à l'étang Western Brook commence lorsqu'on y accède à pied. Le sentier débute dans la forêt mixte tempérée de la zone la plus basse de la plaine côtière et traverse lentement des bandes de tourbières avant de poursuivre à travers d'autres bois mixtes, d'autres tourbières, puis la zone de forêt boréale avec ses étangs à castors et ses ruisseaux. Les zones les plus humides disposent d'un large trottoir de bois. Dans chaque direction, cette marche prend environ une heure. Une caméra constitue un excellent compagnon, de même que des jumelles. On pourra peut-être apercevoir un castor. Dans un bosquet boréal, les fauvettes abondent, tandis que sur le sol on apercevra des orchidées, des ronces petit-mûrier et autres fleurs qui croissent dans les éclaircies humides.

Même s'il est impossible de participer à la croisière en bateau, l'excursion vaut le détour. Dans le secteur d'accostage, on peut pique-niquer, marcher le long du rivage ou sauter d'une pierre à l'autre en traversant le plan d'eau. Plus loin encore sur le sentier, on trouvera l'un des terrains de camping sauvage du parc à Stag Brook, à environ une autre heure d'une marche facile. L'eau y est abondante : cet étang est à la source de certaines des eaux douces les plus pures de la planète. La plage permet de se détendre et le camping en ces lieux est vivifiant.

Les zones arctiques-alpines

La troisième zone écologique qui vaut le détour à Gros Morne est une zone arctique-alpine et cet environnement existe en trois endroits. Celui des **montagnes Long Range**, au coin sud-est du parc, n'est pas accessible aux visiteurs. La zone la plus australe est celle des **Tablelands**, un plateau dont est constituée en grande partie le secteur sud-ouest du parc. On y accède par la route 431 qui bifurque vers la gauche à Wiltondale, le hameau qui se trouve à la limite du parc. Il est de même facile de s'y rendre depuis Woody Point en empruntant le traversier de Norris Point.

L'interprète de la marche appelait son programme « Un voyage vers le centre de la terre », un titre dramatique tout à fait justifié. Les altières Tablelands sont constituées de péridotite, un roc qu'on trouve dans le manteau de la terre, cette couche dense mais active profondément enfouie sous l'écorce terrestre. Comme on peut l'imaginer, il existe très peu d'endroits sur la planète où le roc du manteau se retrouve à la surface ; il s'agit donc d'un lieu tout à fait spécial et le roc possède des qualités peu communes. Il est en grande partie constitué de fer, de magnésium et de cuivre, des éléments qui accueillent très mal la flore. En guise de corollaire, ce roc est pauvre en azote, en phosphore, en calcium, de même qu'en d'autres éléments nécessaires aux plantes. On trouve néanmoins une flore active sur les pentes du plateau. Peu d'espèces de plantes sont en mesure de subsister sans leurs éléments nutritifs habituels, mais on peut apercevoir sur la surface sèche et jaunâtre des sarracénies pourpres, des rossolis, des grassettes vulgaires et des utriculaires, toutes des plantes capables d'extraire les éléments nutritifs des espèces **animales** qu'elles absorbent. Des plantes telles que les silènes, les séneçons et les rhododendrons de Laponie réussissent aussi à y subsister parce qu'elles sont capables de tolérer d'importantes quantités de magnésium.

La péridotite est aussi intéressante parce que des veines de serpentine se sont formées là où l'eau suintait de ses fissures et y sont demeurées durant des millénaires. Dans de telles conditions, avec le passage d'une période de temps encore plus longue, la serpentine se transforme en amiante. Le long du ruisseau Winterhouse, à la base des Tablelands, de même qu'en d'autres endroits, le roc révèle des plaques dénudées de serpentine dont la couleur verte luit au soleil. Certaines sont flanquées de bordures plumeuses de quasi-amiante.

Gros Morne, la montagne qui donne son nom au parc, constitue la troisième zone arctique-alpine; elle se trouve au tiers du chemin de la principale route du parc en direction nord. Emprunter un sentier qui mène à sa base puis s'acharner le long de sa face jusqu'au sommet dénudé et parsemé de roches représentent une expérience inoubliable. La croûte de roc s'élève sur plus de 805 mètres jusqu'à une étendue où la quartzite, fracassée par le gel et le dégel des eaux dans un espace glacial et venteux, a formé une *felsenmeer* — une « mer de rocs » — de 9 kilomètres carrés.

De la poussière s'est accumulée dans quelques échancrures et des plantes s'y sont agrippées. Elles appartiennent au genre capable d'adopter une forme naine comme les épilobes et quelques plantes à baies, ou encore elles ressemblent au silène alpin qui peut former des coussins compacts pour résister aux vents et retenir la chaleur dans son intérieur spongieux.

Les panoramas depuis Gros Morne sont fantastiques. Les fjords et les rivières qui entourent la montagne s'enfoncent vivement dans les terres environnantes; d'autres montagnes se dressent tout aussi vivement au loin. La plaine côtière, avec son environnement mixte de tourbières, de forêts, de lacs et de ruisseaux s'étend en contrebas et la couleur bleue de la côte, de Bonne Bay et du golfe lointain accentue le monde gris et vert des environs.

Une excursion jusqu'en ces lieux est extrêmement difficile, bien qu'on ne doive pas compter plus de deux ou trois heures dans chaque direction. Une brochure détaillée, portant sur cette excursion, est disponible au terrain de stationnement de la tête du sentier. Au cours de la première heure, on emprunte une pente assez régulière qui traverse la gamme des différents types de forêt côtière, puis on accède à une lande subalpine plus sèche. Ce sentier est bien balisé et très bien entretenu; même les enfants ne devraient pas éprouver de difficulté en progressant lentement. À la fin de ce segment, près de la base de la montagne, on trouvera plusieurs lacs qui sont de véritables joyaux, de même qu'un torrent rafraîchissant qui est un excellent lieu pour un pique-nique ou pour explorer.

Si l'on décide de grimper jusqu'au sommet, on doit d'abord monter, en se servant de ses mains, un éboulis large et très escarpé. Lorsque le terrain revient à l'horizontale, aux deux tiers environ de la montée, le sentier est clairement balisé avec des bornes en ciment. Il s'agit d'une escalade épuisante, mais le panorama est magnifique. On recommande de grimper par l'éboulis et de redescendre en empruntant le sentier qui se trouve de l'autre côté de la montagne. À mi-chemin de la descente, on découvrira un petit lac où sont aménagées une aire de repos et des toilettes sèches.

SERVICES ET COMMODITÉS

Gros Morne est l'un des parcs nationaux les plus récents, mais il dispose déjà d'aménagements fort réussis pour les visiteurs, d'un vaste éventail de sentiers qui permettent une variété d'excursions, et d'un programme d'interprétation très élaboré. Ce programme donne lieu à des activités à la grandeur du parc, mais il est coordonné au centre d'accueil de Rocky Harbour. Installé dans un très beau bâtiment, ce centre offre d'excellentes expositions et dispose d'un bel amphithéâtre intérieur pour ses présentations.

Camping

On trouve au total 250 emplacements dans le parc. Aucun ne dispose de raccords électriques, mais le terrain de camping Berry Hill possède un poste de vidange pour les roulottes et d'une réserve d'eau pour remplir les réservoirs d'entreposage. Les emplacements sont distribués à ceux qui arrivent les premiers. On peut cependant réserver auprès du surintendant pour le terrain de camping collectif aménagé dans un autre secteur. À **Berry Hill**, 156 emplacements sont aménagés dans une zone densément boisée 4 kilomètres à l'intérieur des terres. Les arbres apportent une grande intimité. Le terrain est équipé de douches chaudes, de salles de bains et de toilettes, d'excellents abris pour la cuisine qui sont pourvus d'eau courante, d'éviers et de poêles à bois sophisti-qués. Bois et scies y sont fournis pour la cuisine et les emplacements. On y trouve un poste de vidange pour les roulottes et une réserve d'eau. Les enfants y trouveront trois carrés de sable et terrains de jeu dont l'un, très grand et bien conçu, est du type aventure. Un sentier menant à un bon point de vue commence à l'arrière du terrain de camping tandis qu'un nouveau permet de faire le tour de l'étang qui se trouve à l'arrière. Trois babillards dispensent de l'information au sujet du programme d'interprétation. On y trouve en outre six emplacements où l'on se rend à pied au bord d'un petit lac. Le terrain de stationnement en est éloigné d'environ 45 mètres. Ces emplacements sont plus isolés, mais la marche pour s'y rendre est plus longue.

Camping sauvage

Ces terrains disposent de toilettes sèches, d'eau de puits, de torrent ou d'étang; on trouve une table de pique-nique sur chaque emplacement. Grilles à cuisson et bois de chauffage sont fournis (dans certains cas, ils disposent de scies, mais il est préférable d'apporter sa propre hachette ou scie manuelle). **Green Point** dispose de 17 emplacements où l'on s'enregistre soimême dans un champ ouvert entouré sur trois côtés de forêt boréale regorgeant de fauvettes et limité de l'autre côté par la mer. Une petite falaise s'y trouve, mais un escalier permet d'accéder à la plage. La mer est trop violente pour qu'on puisse y nager, mais la plage est merveilleuse pour la marche et les couchers de soleil. Le véritable atout de ce terrain de camping tranquille et modeste réside dans sa proximité du village de pêcheurs de Green Cove et dans la fascinante géologie de ce havre. Un babillard affiche la carte du parc et l'horaire du programme d'interprétation. À **Shallow Bay**, 44 emplacements sont situés dans un champ ouvert plutôt ennuyeux, mais ce terrain est le plus proche des dunes et des grandes plages aux eaux peu profondes qui s'étendent sur des kilomètres dans le secteur nord du parc. Un kiosque permet de s'y enregistrer et de se renseigner. Le secteur de **Lomond** se trouve à la limite sud du parc, sur le segment ouest à proximité des Tablelands. Il se trouve à 4 kilomètres à l'est de la route 431 sur la route de Woody Point. Le champ gazonneux réservé au camping donne sur le bras gauche de Bonne Bay. Ce bref trajet traverse des plaines tapissées de fleurs. Des poneys sauvages vagabondent parmi les tentes et les roulottes. Il est possible de pêcher le long de la rivière Lomond à proximité. Un kiosque permet de s'y enregistrer.

Camping collectif

On peut s'informer en écrivant au surintendant.

Autres agréments, essence, nourriture et approvisionnements

On trouvera des motels dans les villages de Rocky Harbour, de Cow Head et de Woody Point. Il existe des terrains de camping privés près de Woody Point et de Rocky Harbour. Ces deux derniers endroits disposent d'essence, de nourriture et d'approvisionnements.

Loisirs

Terrains de jeu   Le terrain de camping Berry Hill est pourvu de trois petits carrés de sable et d'un grand terrain de jeu du type aventure.

Natation   On peut se baigner sans surveillance dans le parc et patauger ou nager dans plusieurs segments du littoral et des torrents. L'aire de pique-nique de Shallow Bay est la seule où l'on trouve des cabines pour se changer. La localité de Rocky Harbour dispose d'une plage sans surveillance au bord de l'étang du même nom, de même que d'un parc pour la mise en forme.

Pêche   Il s'agit d'une excellente région pour le saumon atlantique et la truite. Les règlements provinciaux ont force de loi. Le personnel du parc peut fournir des renseignements à ce sujet, de même que les commerçants locaux qui desservent les visiteurs, les motels, les épiceries, etc.

POUR DE PLUS AMPLES INFORMATIONS

Le surintendant,
Parc national de Gros Morne,
C. P. 130,
Rocky Harbour, Terre-Neuve,
A0K 4N0

Tél. : [709] 458-2417

TERRA NOVA

Terra Nova s'étend sur près de 400 kilomètres carrés le long de la côte est de Terre-Neuve; il s'agit d'un excellent endroit où observer l'héritage que nous ont laissé les ères glaciaires. C'est un parc qu'on peut littéralement regarder de bas en haut, depuis les fjords profonds, à la zone de tourbières et de marécages, en montant le long des pentes couvertes de grosses pierres, jusqu'à la forêt boréale qui s'agrippe au sol mince et, enfin, aux cimes chauves, battues par les vents.

COMMENT VISITER LE PARC

Parce qu'une bonne part du parc est constituée d'un littoral accidenté, exposé aux éléments, émaillé d'îles et comprenant de nombreux hectares de tourbières détrempées, les visiteurs n'y accèdent pas facilement. On y trouve toutefois au moins une ou deux routes et des sentiers qui mènent aux principaux secteurs : la côte, les tourbières, les forêts et les hautes terres infertiles.

Au cours de la dernière glaciation, survenue il y a de 8 000 à 12 000 ans, une calotte glaciaire massive d'où partaient des rivières de glace qui ont creusé des vallées, approfondi le lit des rivières, concassé le lit de roc jusqu'à ce que celui-ci soit poli, recouvrait le sud-est de Terre-Neuve. Lorsqu'elle a commencé à fondre et à battre en retraite, elle a laissé derrière elle une piste de sable, de gravier, de pierres et de rocs qui se trouvaient pris dans les glaces. Le creusage et le raclage accomplis par ces dépôts ont façonné la topographie diversifiée de Terra Nova.

Le littoral

Environ 30 pour cent de Terra Nova se trouve sous l'eau. Celle-ci est la plupart du temps salée dans les fjords, les anses et les plats

349

tidaux alignés aux limites sud, est et, en partie, nord du parc. Par endroits, la limite de la terre ferme est sculptée de cavernes, de falaises et de hauts rochers; ailleurs, on trouve des plages de sable et de galets. Si l'on veut apprécier la beauté et la variété du littoral, on peut emprunter le sentier riverain qui longe une bonne partie de **Newman Sound**, à l'intérieur des terres, de **Buckley's Cove** à **South Broad Cove**. On peut atteindre ce sentier en empruntant l'un des nombreux embranchements de la route Transcanadienne qui traverse le parc du nord au sud, ou encore s'y engager à proximité du principal terrain de camping, celui de Newman Sound. Une courte balade en voiture ou à pied jusqu'à l'aire d'utilisation diurne où l'on trouve un abri pour la cuisine à l'intention des pique-niqueurs, et sa plage douce et sablonneuse mènera directement à un point situé à peu près au milieu du sentier. Il s'agit d'un bon sentier si l'on veut observer le littoral, ou vagabonder sur la plage à marée basse, ou observer le vol des oiseaux du nord ou les fleurs de la forêt dans laquelle il serpente.

La zone du rivage est riche en flore et en oiseaux. On peut y observer des oiseaux du littoral et des canards au printemps et à l'automne. Aigles à tête blanche et aigles-pêcheurs nichent dans le parc et on peut régulièrement les observer depuis ce sentier. Des oiseaux rares, poussés par les tempêtes ou ayant dévié de leur route vers leur habitat du Groenland, d'Angleterre ou d'Europe s'y réfugient souvent. (Le parc dispose d'excellents dépliants portant sur l'observation des oiseaux; on peut les demander au centre d'information.) On peut s'arrêter près de la zone des quais et contempler les **chutes Pissing Mare**, beaucoup plus élégantes que leur nom ne l'indique. Sur les quais, on s'arrêtera pour observer les pêcheurs ou pêcher soi-même.

Les eaux douces

L'eau douce s'écoule par plusieurs torrents étroits et vifs, ralentit dans d'innombrables étangs, et dort dans les tourbières et les marécages. Ici aussi, les glaciations ont laissé leurs empreintes. Certains torrents ont été taillés par les eaux de fonte des glaciers en retraite, il y a fort longtemps. Certains des lacs et des tourbières ont été creusés par l'action des glaces, ou rehaussés lorsque le sol meuble a été tassé par les glaciers de sorte que les torrents d'eau ne pouvaient plus s'écouler rapidement. Un drainage lent et une grande accumulation d'humidité représentent les conditions idéales pour la formation des tourbières et des marécages qui recouvrent plus de 15 % de la superficie de Terra Nova.

Si l'on veut observer de près certaines de ces terres détrempées, on peut emprunter le **sentier en boucle Ochre Hill Ponds** en gardant l'oeil ouvert à cause de la bifurcation qui permet de retrouver la route; ou encore, on peut poursuivre en dépassant Ochre Hill Ponds et atteindre Ochre Hill Lookout (et non pas Fire Tower Lookout puisqu'il s'agit d'un autre sentier). À cet endroit, on se trouve dans un sentier de gravier et de planches qui traverse des tourbières à base de sphaigne ou des marécages spongieux

Aréthuses bulbeuses à la lisière d'une fondrière.

émaillés d'îlots de minuscules mélèzes et épinettes tordus. Les tourbières cèdent le pas à un torrent parsemé de roches déchiquetées où l'on observe d'étranges dessins formés par les lichens. En cours de route, on verra partout des sarracénies pourpres, de même que des kalmias et des rossolis piégeant des insectes.

Le sentier entre et sort de la forêt boréale qui délimite le complexe tourbière-étang. Éventuellement, on atteint un lac dont les eaux sont propres, bien que teintes en brun par les acides tannique et ulmique qui suintent des kalmias qui l'environnent. On peut parcourir ce sentier dans toute sa longueur jusqu'aux Ochre Hills dominantes. De cet endroit, un coup d'oeil révèle des tourbières qui s'étendent dans presque toutes les directions. Celles de **Bread Cove Meadow** sont les plus fascinantes. Elles ressemblent à un colisée à moitié immergé où les demi-cercles concentriques d'eau représentent les dernières volées de sièges qui subsistent.

Le **sentier Sandy Pond** offre une agréable marche autour de ce lac d'eau douce. En partant juste de l'autre côté de la plage pour baigneurs, on en a pour une heure de marche paresseuse en forêt, le long des minces rives marécageuses du lac, d'une zone de tourbières, et au-dessus du torrent qui unit le lac à la principale route de canot du lac. À une extrémité il existe une ancienne digue qui est entièrement faite de billots dégrossis. Cet agréable

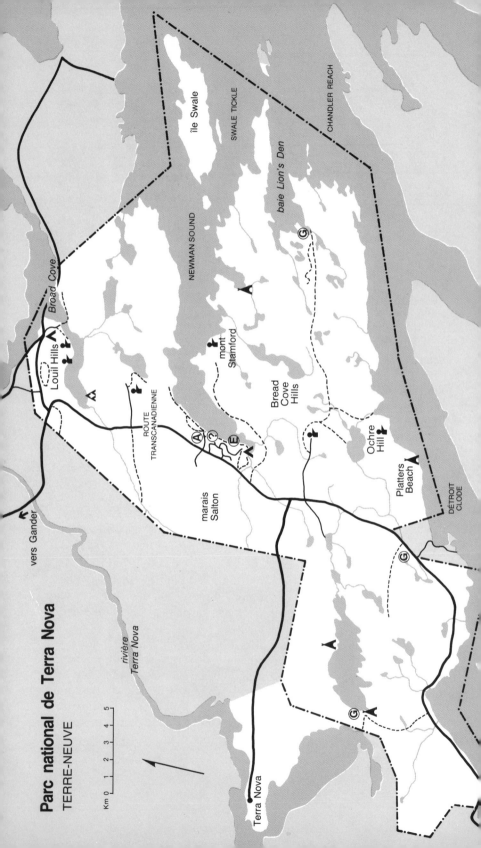

Parc national de Terra Nova
TERRE-NEUVE

mélange d'eau, de littoral, de fleurs forestières et d'autre végétation en fait une marche splendide.

Les forêts

À Terra Nova, les forêts sont boréales et ne supportent que les essences d'arbres qui peuvent croître sur un sol mince, à des températures basses durant un très court été. Les arbres dominants sont l'épinette noire et le pin baumier. Une marche le long du littoral de **Newman Sound**, Malady Head et le terrain de camping de Norman Sound offrent de bonnes occasions d'apprécier la forêt boréale et ses chants d'oiseaux tôt le matin et en soirée.

L'endroit que j'ai préféré se trouve sur le court sentier qui mène à **Malady Head**. Il est difficile de trouver ce sentier. Il court depuis l'arrière du terrain de camping Malady Head; le responsable du kiosque devrait être en mesure d'indiquer comment s'y rendre et où stationner. On peut alors vivre l'expérience calme et intense d'une véritable forêt boréale. Une odeur et une douceur particulières flottent dans l'air. Les arbres sont dépouillés de leurs aiguilles sur à peu près leur moitié inférieure. Les chicots de vieilles branches et les troncs eux-même sont drapés de viorne des pauvres, un lichen vers pâle qui pend en triangles. La viorne des pauvres n'endommage pas les arbres et témoigne de la pureté de l'air puisqu'elle ne peut survivre même aux taux les plus bas de pollution chimique de l'atmosphère.

Le sol de la forêt est recouvert de la masse confuse de mousse familière ou d'un méli-mélo de roches couvertes de kalmias, tout dépendant de la pente et du taux de sécheresse de chaque petite zone. La mousse, qui semble « étagée », mérite un examen attentif. Chaque année, une nouvelle barbe plumeuse pousse audessus de ce qui a poussé la saison précédente et l'ensemble paraît très épais tout en étant très doux au toucher.

Les landes

Les côtes, les tourbières et les forêts cèdent le pas aux landes. Dans les zones de transition, on trouve de la cladonie gris perle qui forme des boules ou des rouleaux, entrecoupée ici et là d'un mélèze robuste ou d'une épinette naine dont les branches poussent en un large cercle et dont le sommet n'atteint pas un mètre. On peut observer cette flore sur les pentes qui mènent à l'**observatoire de la tour de feu d'Ochre Hill** ou à l'**observatoire d'Ochre Hills**. Mais au sommet des deux observatoires, l'altitude et les vents ont uni leurs forces pour empêcher une telle flore de s'enraciner. De même qu'à **Malady Head** et à **Louil Hills**, on n'y voit que du roc dénudé, refaçonné à travers les âges, et que vient déranger parfois quelque bloc erratique. Les lichens qui recouvrent les roches sont merveilleux et des buissons de baies tenaces s'étirent à proximité du sol depuis des fissures du roc où ils s'agrippent fermement.

SERVICES ET COMMODITÉS

Programme d'interprétation

Le parc offre un programme d'interprétation qui comprend des marches guidées au cours de la journée et des diaporamas en soirée. On trouvera un petit théâtre d'interprétation en route vers le terrain de camping Newman Sound, juste en face du quartier général de l'administration.

Camping

Il existe deux terrains de camping pour les tentes et les caravanes. **Newman Sound** est le plus achalandé et le mieux équipé, avec ses douches chaudes, sa salle de lavage (plutôt qu'une buanderie), et ses toilettes à chasse d'eau grandes et propres. Le site est parcimonieusement boisé. On y trouve des entrées en gravier pour les automobiles et des tables de pique-nique sur chacun de ses 417 emplacements. Il n'y a pas de raccords, mais un poste de vidange pour les caravanes. **Malady Head** est moins achalandé, plus petit avec ses 164 emplacements, et sans doute plus tranquille. Il est plus densément boisé que Newman Sound. On y trouve d'excellents aménagements pour les toilettes avec eau froide et chaude dans les éviers, mais il n'y a pas de douches ni de salle de lavage. Comme à Newman Sound, il n'y a pas de raccords, mais un poste de vidange pour les caravanes.

Camping sauvage

Il existe quelques terrains de camping disposant de toilettes sèches et de tables de pique-nique à l'usage des canoteurs dans l'arrière-pays. On peut obtenir de plus amples informations à ce sujet auprès des membres du personnel.

Parcs Canada.

Les collines de Bread Cove, dans une région raclée par les glaciers.

Autres agréments, essence, nourriture et approvisionnements

Le parc dispose de 28 chalets équipés d'une cuisinette et administrés par l'entreprise privée. Ils se trouvent dans le secteur administratif du parc et à quelques minutes de marche de l'aire d'utilisation diurne de Newman Sound. On peut s'informer davantage en écrivant au surintendant.

Il y a des stations-service à chaque extrémité du parc ainsi qu'une épicerie administrée par l'entreprise privée et disposant d'un vaste choix d'aliments et autres approvisionnements pour le camping près du secteur administratif. On trouvera dans les villages de la région des épiceries, des quincailleries et des stations-service. Charlottetown se trouve à la limite du parc; Terra Nova et Eastport sont à environ 16 kilomètres à l'extérieur de ses limites. Le village le plus près du parc est celui de Traytown, à environ 2 kilomètres au-delà de Burnt Point.

Loisirs

Natation   On peut nager sous surveillance à Sandy Pond de 10 à 18 heures, 7 jours par semaine, de juin à la fin de semaine de la fête du Travail. On y trouve des cabines pour se changer et un casse-croûte.

Blue Hill.

Canotage   À Sandy Pond, on peut louer des canots et des kayaks à l'heure, à la journée ou à la semaine durant l'été. Des cartes aériennes du parc, à l'épreuve de l'eau, indiquent les routes de canot. On peut se les procurer à un prix modique.

Pêche   La pêche est autorisée dans un certain nombre d'étangs et de torrents, mais un permis du parc est requis à cet effet. La pêche en eau salée depuis les quais du parc ne nécessite toutefois pas de permis. On peut obtenir des détails supplémentaires en s'adressant au responsable du kiosque d'information ou aux gardiens.

Croisières en bateau   Certains étés, on offre des croisières à bord d'embarcations privées à partir des quais du parc. Les horaires varient. Si ces croisières sont importantes aux yeux du groupe dont on fait partie, on peut téléphoner au parc au préalable. Des pêcheurs de la région acceptent parfois d'emmener des visiteurs en croisière en procédant à des arrangements individuels.

POUR DE PLUS AMPLES INFORMATIONS

Le surintendant,
Parc national de Terra Nova,
Glovertown, Terre-Neuve,
A0G 2L0

Tél. : [709] 533-2801

LE PARC NATIONAL DES

PRAIRIES

Depuis le milieu du XIXᵉ siècle, la presque totalité des prairies canadiennes ont été profondément modifiées: les établissements humains et leur cortège d'agriculture, d'élevage et d'élimination systématique de grands mammifères tels que le bison et l'antilope les ont transformées de façon permanente.

Une petite partie de la prairie d'herbes courtes du sud-ouest de la Saskatchewan est toutefois demeurée presque intacte et deux petits territoires à proximité de Val-Marie et de Killdeer sont devenus le parc national des Prairies. Le vingt-neuvième parc national canadien protège un écosystème riche et complexe fait de landes avec leurs contours dépouillés de buttes et de ravins, de bourbiers avec leurs réserves d'eau et leurs bordures marécageuses qui sont le territoire de nidification d'une invraisemblable variété d'oiseaux aquatiques et d'oiseaux du littoral, et les grandes étendues de plaines herbeuses qui constituent l'habitat de l'antilocapre, de la gélinotte des armoises, de la chouette des terriers, du chien de prairie à queue noire et de plusieurs espèces de serpents.

Le territoire du parc n'ayant été réservé qu'en 1981, il faudra des années avant que ses limites soient finalement fixées et que des aménagements et services à l'usage des visiteurs, tels que programme d'interprétation, soient mis sur pied. Jusqu'à au moins la fin de 1985, il n'y aura qu'un surintendant et son assistant dans le secteur Val-Marie du parc. Ils se feront un plaisir de répondre aux questions des visiteurs portant sur le statut actuel du parc et sur son histoire naturelle. On n'y trouvera ni sentiers, ni terrains de camping, ni emplacements explicatifs avant quelque temps. Si l'on passe dans la région, on peut écrire ou téléphoner au préalable pour savoir si l'on peut s'y arrêter.

359

Les terres herbeuses constituent l'habitat des chiens de prairie qui vivent dans des terriers.

W. Lynch, Parcs Canada.

POUR DE PLUS AMPLES INFORMATIONS

Le surintendant de district,
Saskatchewan-Sud,
Parcs Canada,
Parc national des Prairies,
Val-Marie, Saskatchewan,
S0N 2T0

Tél. : [306] 298-2257

LE PARC NATIONAL DU

NORD DU YUKON

Le coin de pays qui occupe le nord-ouest de la terre canadienne est maintenant appelé le parc national du Nord du Yukon. Les rivières y serpentent sur les versants des montagnes du Yukon avant de se jeter dans les vastes deltas de la mer de Beaufort. Les terres arides que baigne la rivière Porcupine servent de lieu de passage aux migrations de caribous. Le parc abrite des centaines de milliers d'oiseaux aquatiques durant leur courte saison de nidification vers la fin de l'été. On y trouve de nombreuses espèces de plantes rares qui survivent dans ce sol ingrat.

C'est le royaume des grizzlys, des ours polaires et des ours noirs.

Comme le parc national du Nord du Yukon vient tout juste d'être créé, de nombreuses années s'écouleront avant que le territoire ne soit tout à fait défini et que les ententes territoriales soient paraphées avec les Amérindiens. Enfin, la vocation de ce parc ne sera consacrée qu'après de sérieuses discussions sur l'impact de la présence humaine.

Parce que l'écosystème est très fragile et peut être abîmé de façon irréversible, la fonction première du parc sera toujours la conservation de la faune et de la flore. Le patrimoine écologique du parc du Nord du Yukon constitue un lieu privilégié pour la recherche scientifique.

Les visiteurs pourront pratiquer le canotage et le kayak, faire l'observation des oiseaux, des randonnées et de la photographie.

POUR DE PLUS AMPLES INFORMATIONS

Le Surintendant,
Parc national du Nord du Yukon,
a/s Parc national de Kluane,
Haines Junction,
Territoire du Yukon,
Y0B 1L0

Tél.: [403] 634-2251

ARCHIPEL
DE MINGAN

Le parc national de l'Archipel de Mingan protège une région fragile, unique et d'une grande beauté dans le golfe Saint-Laurent. Située à l'est de Sept-Îles et au nord de l'île d'Anticosti, cette réserve se présente comme un chapelet d'une quarantaine d'îles et d'îlots qui s'égrène à environ 3,5 kilomètres du rivage, dans le détroit de Jacques-Cartier, sur une distance de plus de 150 kilomètres. La Minganie, située à 1 100 kilomètres au nord-est de Montréal, est accessible par avion, par la route 138 et par un bateau-passeur qui effectue une navette hebdomadaire entre Rimouski et Blanc-Sablon.

La réserve du parc offre la plus grande concentration de monolithes au Canada. À l'observation de ces formes insolites s'ajoute la découverte d'une flore riche et diversifiée, composée de plantes vivant autant en milieu de type arctique que dans les tourbières, les landes, la forêt boréale et le littoral marin. On trouve dans les îles des colonies de sternes, de mouettes tridactyles, de goélands, de guillemots, de marmettes et de macareux.

Tout au cours de l'été et particulièrement durant le mois d'août, des baleines, des phoques, des marsouins et, occasionnellement, des dauphins sillonnent les eaux baignant l'archipel.

La réserve du parc présente des programmes d'interprétation et un service d'accueil sur la terre ferme et dans les îles. La saison s'étend normalement du début de juin à la fin de septembre. On recommande fortement aux visiteurs de communiquer avec l'administration du parc afin d'obtenir tous les renseignements disponibles concernant les visites. À cause de l'affluence, en période de pointe, il est souhaitable de réserver en matière d'hébergement, de transport et d'excursion.

365

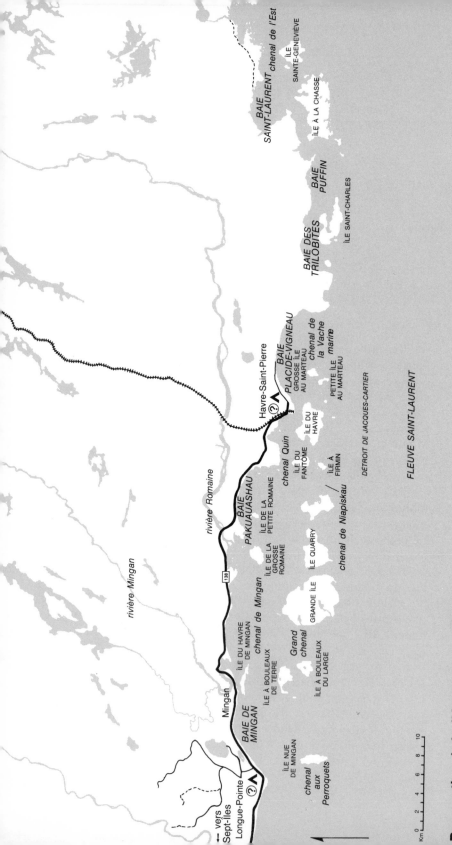

Parc national de l'Archipel de Mingan

QUÉBEC

Km 0 2 4 6 8 10

Des emplacements de camping sauvage sont disponibles : 4 à l'anse au Noroît, dans l'île Niapiskau, et 4 autres dans la baie de Quarry, dans l'île du même nom. Dans chacune de ces îles, on trouve une toilette sèche, deux emplacements pour le feu et du bois de chauffage.

LECTURES COMPLÉMENTAIRES

COUILLARD, Line, Pierre GRONDIN *et al.*, *Les Îles de Mingan, des siècles à raconter*, Québec, Éditeur officiel du Québec, 1983.

JOMPHE, Roland, *Aux îles de Mingan*, Ottawa, Parcs Canada et le Centre d'édition au Gouvernement du Canada, 1984.

POUR DE PLUS AMPLES INFORMATIONS

Le Surintendant,
Parc national de l'Archipel de Mingan,
C. P. 1180,
1047, rue Dulcinée,
Havre-Saint-Pierre, Québec.
G0G 1P0

Tél. : [418] 538-3331

Les adresses utiles

On peut obtenir des renseignements sur les parcs nationaux du Canada en s'adressant à:
Parcs Canada
3, rue Buade,
C. P. 6060, Haute-Ville
Québec
G1R 4V7

Tél.: [418] 694-4177

Les associations suivantes se retrouvent au sein du Regroupement des organismes nationaux du loisir du Québec. Ce sont:
* l'Association québécoise des groupes d'ornithologues
* la Fédération des associations pour la protection des lacs
* la Fédération québécoise du canot-camping
* Sentiers-Québec
* la Société québécoise de plein-air
* les Cercles de jeunes naturalistes

On peut les rejoindre au
Regroupement des organismes nationaux du loisir du Québec
4545, boul. Pierre-de-Coubertin
C. P. 1000, succursale M
Montréal, Québec
H1V 3R2

Tél.: [514] 252-3000

Il existe aussi des associations coopérantes à Parcs Canada dans les parcs nationaux de Forillon et de la Mauricie. Ce sont
Club des ornithologues de la Gaspésie,
C. P. 189,
Percé, Québec.
G0C 2L0

Tél.: [418] 982-2240

Info-Nature,
C. P. 174,
Shawinigan, Québec.
G9A 5H7

Tél.: [819] 537-4555

Enfin, d'autres associations de conservation de la nature oeuvrent et rayonnent dans tout le Québec:
Union québécoise pour la conservation de la nature,
2728, rue de l'Anse,
Sainte-Foy, Québec.
G1W 2G5

Tél.: [418] 653-6090

La Société linéenne du Québec, inc.
(Aquarium du Québec)
1675, avenue du Parc
Sainte-Foy, Québec.
G1W 4S3

Tél.: [418] 653-8186

L'Association forestière québécoise inc.
et ses **Clubs 4-H du Québec,**
Bureau 110,
915, boul. Saint-Cyrille Ouest,
Québec, Québec.
G1S 1T8

Tél.: [418] 681-3588

Table des matières

Remerciements   5

Légende des cartes   12

Introduction   13

Le parc national de Pacific Rim   19

Les parcs nationaux du Mont Revelstoke et Glacier   33

Le parc national de Yoho   47

Le parc national de Kootenay   61

Le parc national des Lacs Waterton   75

Le parc national de Banff   89

Le parc national de Jasper   109

Le parc national d'Elk Island   123

Le parc national de Kluane   133

Le parc national de Nahanni   147

Le parc national de Wood Buffalo   157

Le parc national de Prince-Albert   167

Le parc national du Mont Riding   181

Le parc national de Pukaskwa   193

Le parc national des Îles de la Baie Georgienne   203

Le parc national de Pointe-Pelée   217

Le parc national des Îles du Saint-Laurent   229

Le parc national de la Mauricie   239

Le parc national d'Auyuittuq   251

Le parc national de Forillon   263

Le parc national de Kouchibouguac   275

Le parc national de Fundy   287

Le parc national de Kejimkujik   301

Le parc national de l'Île-du-Prince-Édouard   311

Le parc national des Hautes Terres du Cap-Breton   321

Le parc national de Gros Morne   333

Le parc national de Terra Nova   349

Le parc national des Prairies   359

Le parc national du Nord du Yukon   361

Le parc national de l'Archipel de Mingan   365

Les adresses utiles   369

Index   373

Index

Abruzzi, duc d', 137, 142
Acadie, 294
Achigan à grande bouche, 224, 236
  à petite bouche, 236
Aconit, 138
Agassiz, tour, 186, 190
Agnes, lac, 98, 99
Aigle à tête blanche, 159, 175, 350
  -pêcheur, 90, 350
Ajawaan, lac, 174
Akamina, 81
Alaska, route de l', 133, 135, 138, 144
Albert, 297
Alderson, lac, 82, 83
Algonquins, 240
Alma, N.-B., 288, 296, 297
Alphonse, lac, 246
Alpinisme, 137, 144, 259
Amiante, 344
Ancolies jaunes, 68
Andain, 24
Anémone, 23
Anémonelle faux-pigamon, 233
Angel's Staircase Falls, 51
Anguille, 285
Anse-aux-Sauvages, 268
Anse-Blanchette, 267
Anthracite, 94
Anticagamac, lac, 240
Anticosti, île d', 365
Antilocapre, 259

Antilope d'Amérique, 14, 359
Appalaches, monts, 263
Archipel de Mingan, parc national de l', 15, 365-367
Arctique, océan, 21, 251, 256
Aréthuse bulbeuse, 323
Arnica cordifoliée, 82
Aster, 68
Astotin, lac, 125, 131
Asulkan, glacier, 40
Athabaska, glacier, 110, 111, 119
Athabasca, rivière, 111, 113, 118, 120, 157, 158, 162, 163
Atlantique, océan, 302
Attikamèques, 240
Aubrey, île, 231
Audy, lac, 185, 189, 190
Aulne, 172, 280
Auriol, chaîne, 140
Automobile, randonnées en, 93, 106, 113, 137, 138, 168, 169, 174, 183, 185, 241, 263, 281, 287, 291, 316, 325, 337, 350
Auyuittuq, parc national d', 15, 251-261
Avalanche, 34, 35, 37, 39, 45, 51, 54, 99, 256
  sous-marine, 340
Axe de Frontenac, 230

Baffin, île de, 251, 256, 260
Balane, 23
Baleine, 338, 365
  grise, 21

Balsam, lac, 41
Bamfield, 19, 31
Banff, 58, 62, 89, 93, 95, 96, 98, 100, 101, 102, 103, 104, 105, 106, 107
Banff, parc national de, 13, 14, 15, 47, 65, 89-107, 109, 110
Bankhead, 94, 95
Bar rayé, 285
Barachois, 315, 325
Barbon, 219
Barbote brune, 236
Barnacles, 338
Beachy Cove, 208
Beaufort, mer de, 361
Beausoleil, île, 204, 205, 207, 210, 212, 213, 214, 215
Beaver Hills, 123
Bécasse américaine, 221
Bécasseau de Baird, 253
    maritime, 253
Belette, 221
Bennett, barrage, 159
Béring, mer de, 21
Birch, rivière, 158
Bison, 77, 84, 123, 124, 125, 127, 128, 157, 159, 161, 163, 167, 175, 185, 359
    des bois, 157
    des plaines, 128, 157
Blaireau, 175
Blakiston, mont, 79
Bois, coupe du, 14, 20, 28, 157, 267, 294, 302, 303, 338
Bon-Ami, cap, 265, 270
Bonaventure, île, 264
Bonne Bay, 334, 337, 344, 346
Bouclier canadien, 158, 182, 193, 194, 198, 203, 204, 207, 208, 214, 230
    continental, 340
Bouleau, 264, 279, 302, 316, 323, 340
    blanc, 127, 194, 289, 341
    jaune, 240, 243
Boulingrin, 319
Bow, rivière, 93, 104
Bow Valley, 93, 96, 98, 103, 104, 106
Box, île, 24
Boyer, lac, 246

Brochet, 164, 179, 190, 200
    grand, 190, 191, 224, 236
    rouillé, 164, 190, 191, 200
Broken Group, îles, 19, 24, 29, 30, 31
Broughton, île, 255, 256, 259, 260
Bruant à queue aiguë, 277
    des neiges, 253
    des prés, 277
    lapon, 253
Bruce, péninsule de, 203, 204
Burgess Shale, 48

Cabot, piste, 321, 323, 327, 329
Calcaire, 47, 65, 67, 98, 148, 151, 181, 203, 204, 209, 210, 240, 263
Calotte glacière, 349
Cameron, chutes, 82
Cameron, lac, 81, 82, 83, 84, 86
Campagnol, 302
Camping sauvage, 29, 44, 52, 56, 70, 85, 98, 101, 105, 119, 139, 140, 153, 161, 162, 188, 197, 198, 212, 235, 245, 257, 284, 296, 305, 308, 329, 343, 346, 354, 367
Canards, 127, 350
    arlequins, 90
Canmore, 106, 107
Canotage, 30, 31, 73, 82, 91, 100, 102, 105, 106, 119, 120, 125, 130, 144, 152, 154, 159, 161, 162, 163, 164, 172, 174, 176, 177, 178, 190, 193, 194, 197, 198, 199, 200, 211, 213, 214, 215, 227, 233, 234, 240, 241, 243, 244, 245, 246, 247, 257, 260, 279, 284, 298, 303, 305, 306, 308, 309, 318, 351, 354, 356, 361
Cap-Breton, île du, 321
Cap-des-Rosiers, 267
Caquillier édentulé, 279, 338
Cariboo, monts, 33
Caribou, 361
Caribou, lac, 240, 247, 248
Caribou et de Birch, terres hautes de, 157
Carottes sauvages, 268

Carpe, 224
noire, 164
Carthew, lac, 82, 83
Caryer à fruits doux, 230
Cascade, mont, 94
Castilléjie écarlate, 183
Castle, mont, 89, 104
Castor, 91, 111, 123, 125, 127,
128, 168, 169, 172, 174, 175,
182, 190, 280, 291, 302, 341,
342
Cavendish, 316, 318
Ceinture verte, 133, 134, 138,
144
Cerf, 85, 89, 221, 230, 282, 291,
294, 302
Champ de glace, 40, 90, 94,
100, 103, 109, 110, 111, 134,
144
Champignon, 39, 185, 279, 326
Champs de glace, route des, 93
Charbon, 94, 95
Chasse, 14, 123, 134, 135, 194,
303
Chauve-souris, 221
Chemin de fer, 13, 39, 40, 48,
53, 56, 104
Cheminée des fées, 54, 56, 103
Chêne, 185, 302
à gros fruits, 181
des teinturiers, 218
Chéticamp, 323, 325, 326, 327,
329, 330
Cheval, 338
Cheval-qui-rue, col du, 48, 49
Cheval-qui-rue, rivière du, 51,
54, 56, 59
Chevalier, grand, 323
Chèvre des montagnes, 51, 63,
113
Chevreuils, 124, 175
Chief Mountain, route, 85
Chien de prairie, 14
à queue noire, 359
Chou puant, 40
Chouette des terriers, 359
rayée, 302
Cigale, 223
Cladonie, 174, 264
gris perle, 322, 353
Claytonie de Virginie, 233

Clear, lac, 189, 190, 191
Columbia, fleuve, 33, 34, 41, 68
Columbia, monts, 33, 34, 35, 40,
41, 42, 61, 63
Connaught, tunnel, 34, 40
Consolation, lacs, 99, 100
Coquillages, 30
Corégone, 72, 164, 190, 191, 200
Cormoran à aigrette, 264
Cornouiller, 218, 219
Couleuvre d'eau, 222
fauve, 222
rayée, 222
Cow Head, 347
Cow Head Breccias, 339, 340
Coyote, 113, 124, 221, 230, 282
Crapet à oreilles bleues, 224
soleil, 224
Crean, lac, 169, 178
Crypt, lac, 82
Cumberland, péninsule de, 260
Cyclisme, 102, 118, 179, 227,
263, 275, 280, 281, 285, 311,
316, 318

Dauphin, 365
Davis, détroit de, 252, 259, 260
Deep, lac, 190
Demoiselle, 292
Devil's Half Acre, 289, 291
Dezadeash, lac, 143
Dicentre à capuchon, 218, 233
Dickson, chutes, 288, 289
Drumlin, 204, 205
Dune, 275, 311, 312, 313, 315,
325, 337, 338, 346
Dykes, 208

Écureuil, 67, 90, 221, 230, 233,
234
de l'Arctique, 140
Édith-Cavell, mont, 110, 111
Édouard, lac, 240, 246, 247, 248
Eider, 253, 264, 277
Elk Island, parc national d',
123-131
Élyme, 219
Emerald, lac, 49, 52, 53, 55, 57,
59
Enfants, installations pour les,
176, 215, 236, 270, 283, 296, 345

Engoulevent bois-pourri, 221
Éperlan, 224
Épilobe, 344
à feuilles étroites, 68, 172, 183
Épinette, 90, 172, 173, 174, 182, 184, 312, 351, 353
blanche, 79, 89, 125, 181, 264, 312, 341
Engelmann, 63, 82, 110
noire, 167, 240, 293, 341, 353
rouge, 240, 289, 302
Sitka, 25, 26
Épinoches, 124
Équitation, 59, 82, 83, 87, 91, 106, 116, 117, 144, 179, 190
Érable, 243, 264, 302, 316
à épi, 185
argenté, 218, 219
à sucre, 240
du Manitoba, 181
rouge, 289, 340
Ère cambrienne, 333, 337
crétacée, 158
ordovicienne, 333, 337
Érié, lac, 217, 221, 224
Érythrone d'Amérique, 233, 279
Escarpement manitobain, 181, 183, 186
Esclaves, grand lac des, 158
Esclaves, rivière des, 157, 158, 159, 161, 163
Eternal Barrens, 321
Étoile de mer, 23
Eutrophe, étang, 124, 125, 127
Excursions, 58, 72, 79, 83, 86, 90, 91, 99, 101, 116, 120, 125, 130, 138, 142, 144, 159, 161, 163, 168, 175, 178, 189, 194, 197, 199, 211, 214, 225, 241, 243, 244, 247, 255, 256, 257, 259, 264, 303, 308, 340, 342, 343, 344, 345
Extraction minière, 14, 28, 48, 94, 157
Eva, lac, 42

Fairy, lac, 207
Falaises, 24, 34, 47, 62, 65, 67, 151, 209, 252, 253, 263, 264, 268, 270, 287, 288, 312, 334, 337, 342, 346, 350

Faucon pèlerin, 159, 253
Fauvette, 127, 172, 205, 277, 281, 325, 340, 342, 346
à croupion jaune, 280
à tête cendrée, 280
du Canada, 280
flamboyante, 280
jaune, 234
masquée, 280
obscure, 280
parula, 302, 306
verte à gorge noire, 302
Faux ellébore, 80
Felsenmeer, 344
Fétuque, 167, 175, 183, 185
Field, 47, 48, 49, 54, 55, 56, 57, 58
Field, mont, 48
Figuier de Barbarie, 218
Fjord, 251, 252, 259, 333, 334, 338, 341, 342, 344, 349
Flat, rivière, 147, 149, 152, 154
Florencia, baie, 23, 24, 25
Flowerpot, île, 204, 208, 209, 210, 212
Forêt acadienne, 264, 279, 280, 288, 289, 302
alpine, 35
australe, 240
boréale, 125, 167, 168, 171, 172, 173, 181, 183, 185, 187, 193, 194, 195, 198, 219, 240, 264, 268, 322, 325, 340, 342, 346, 349, 351, 353, 365
caduque, 181, 185, 193, 194, 240, 325
de feuillus, 230, 291, 301, 322
humide, 35, 39, 40, 138
mixte, 187
montane, 75, 79, 80, 89, 90, 95, 109
subalpine, 35, 42, 51, 63, 70, 75, 79, 82, 89, 90, 95, 110, 114, 116
Forillon, parc national de, 263-273
Fort Chipewyan, 161, 162, 163, 164
Fort Saskatchewan, 130
Fort Simpson, 153, 154

Fort Smith, 159, 161, 162, 163, 164
Fossiles, 48, 76, 158, 333, 337, 339, 340
Fou de Bassan, 264, 277
Fougère, 39, 291
Fraisier, 326
Frêne, 185, 340
Fundy, baie de, 287, 288, 289
Fundy, parc national de, 287-299

Gabet, lac, 243
Gaillarde, 79
Gananoque, 229, 231, 235
Garrot de Barrow, 90
Gaspésie, 263, 267, 268
Geai, 340
Gélinotte des armoises, 359
    huppée, 233, 234
Génévrier rouge, 218
Georgienne, baie, 203, 210
Georgina, île, 230
Gerfaut, 253
Gerris, 195
Glaciations, 169, 203, 334, 349, 350
Glacier, 34, 35, 37, 40, 47, 54, 72, 76, 77, 90, 93, 94, 98, 105, 110, 111, 113, 114, 123, 133, 134, 148, 149, 167, 169, 171, 182, 186, 204, 207, 208, 230, 251, 252, 289, 334, 338, 339, 340, 350
    de roc, 134, 138, 139
    houleux, 134
Glacier, lac, 255
Glacier, C.-B., parc national de, 13, 33-45, 63
Glacier, É.-U., parc national de, 75, 85
Glaciers, promenade des, 104, 105, 106, 110
Glouton, 175
Goat Haunt, É.-U., 80, 81
Goblin, lac, 207
Gode, 330
Goéland, 268, 279, 342, 365
Goglu, 294
Golden, 44, 57, 58
Golf, 87, 106, 121, 123, 125, 127, 128, 131, 179, 190, 297, 298, 319, 330

Goodyérie, 302
Gourbet, 277, 311
Grafton, lac, 302, 306
Grande-Grève, 265, 267, 268
Granit, 182, 193, 203, 208, 259, 322
Graptolites à plumes, 337
Grassette vulgaire, 66, 282, 343
Grèbe, 124
    jougris, 128
Green Cove, 335, 337, 346
Green Gables House, 316
Green Point, 26, 28
Grenadier, île, 230, 233, 235
Grenouille-léopard du nord, 22
    verte, 222
Grès, 47, 289, 312
Grey Owl, 168, 174, 186
Grillons, 223
Grimpereau brun, 233
Grive, 277, 280, 291
    à collier, 99
Gros Morne, parc national de, 66, 333-347
Grottes, 209
Groupe des Sept, 203, 207
Guêpes, 223
Guillemot, 365
    noir, 264, 312
Gulf Shore, promenade, 311, 313, 318
Gypse, 158

Haines, jonction, 133, 137, 139, 142, 143
Hamilton, chutes, 52
Hamilton, lac, 52
Handicapés, aménagements pour les, 28, 66, 115, 178, 183, 186, 245, 246, 277
Hanging Heart, lac, 178
Harfang des neiges, 253
Hattie Cove, 194, 195, 197, 198, 199, 200
Hautes Terres du Cap-Breton, parc national des, 321-331
Height of Land, 171
Hépatiques, 218, 233
Herbe à la puce, 185, 212
    « aux ours », 81

Hermine, 253
Héron, 90, 124
Heron Bay, 199, 200
Herring Cove, 288
Hêtre, 243, 302, 303
à grandes feuilles, 240
Hibou, 277, 282
Hirondelle, 293
à ailes hérissées, 24
violettes et vertes, 67
Histoire géologique, 89, 103,
123, 142, 174, 205, 217, 241,
306, 333, 338, 340
humaine, 16, 19, 33, 35, 39,
42, 48, 77, 140, 152,
168, 174, 176, 194, 211,
240, 241, 243, 244, 315
naturelle, 16, 19, 33, 42, 115,
152, 168, 176, 205, 208,
211, 244, 269, 275, 282, 306
Homard, 333, 335, 337
Honey Harbour, 204, 207, 208,
210, 212, 213, 214
Huards, 253
Huîtriers-pies, 25

Ice Push Ridge, 169, 171
If, 80
Île-du-Prince-Édouard, parc
national de l', 14, 311-319
Îles de la Baie Georgienne, parc
national des, 203-215
Îles du Saint-Laurent, parc
national des, 229-237
Illecillewaet, rivière, 39, 40, 43
Ingonish, 323, 325, 326, 327,
329, 330
Inkpots, 98
Interprétation, programme d',
16, 55, 61, 65, 69, 84, 102,
116, 129, 133, 142, 144, 152,
161, 168, 176, 186, 194, 195,
198, 210, 211, 212, 224, 234,
241, 243, 244, 246, 256, 265,
269, 270, 282, 294, 295, 305,
307, 316, 326, 354, 359, 365
Inuit, 260
Iris, 341
Iroquois, 240
Ivy Lea, 231

Jacques-Cartier, détroit de, 365
Jake's landing, 305, 306, 308,
309
Jasper, 109, 110, 111, 113, 116,
120, 121
Jasper, parc national de, 93, 94,
109-121
Johnston, canyon, 93, 96, 103,
104
Jonc, 124, 182, 224

Kalmia, 279, 292, 342, 351, 353
Kames, 77, 114
Karstique, région, 151, 158
Kaskawulsh, glacier, 137
Katherine, lac, 182, 187, 190, 191
Kathleen, lac, 138, 143, 144
Kayak, 30, 31, 120, 356, 361
Kejimkujik, lac, 301, 303, 306,
309
Kejimkujik, parc national de,
301-309
Kellys Bog, 276, 277, 281
Keltic Lodge, 321, 329
Killdeer, 359
Kingsmere, lac, 169, 174, 177,
178
Kingston, 230, 235
Kingsville, 226
Kinosao, lac, 182
Klondyke, 135
Kluane, lac , 140
Kluane, monts, 133, 137
Kluane, parc national de, 15,
133-145
Klukshu, 140
Kootenay, parc national de, 47,
61-73
Kootenay, rivière, 63, 70, 73
Kouchibouguac, parc national
de, 275-285
Kouchibouguac, rivière, 279
Krummholz, 312

Lac-Louise, 104, 105, 106, 107,
109
Lacs alpins, 42, 49, 90
Lacs Waterton, parc national des,
13, 75-87
Lagopède des rochers, 253
Lagune, 275, 276, 279, 284

Laisse de mer,   24, 26
Lamont,   130
Lande,   321, 322, 323, 353, 359, 365
  subalpine,   344
Larch, vallée,   100, 102
Laughing Falls,   51
Laurentides, chaîne des,   239
Lave volcanique,   193
Leamington,   222, 226
Lemming,   253
Lentilles d'eau,   127
Lépidoptères,   172
Lewis Overthrust,   75
Libellules,   69, 125, 195, 223, 280
Lichen,   174, 252, 264, 322, 351, 353, 354
Lièvre,   124, 234, 341
  arctique,   253
Linnet, lac,   77
Lis,   80
  d'eau,   219
  des glaciers,   37, 82
Logan, mont,   137
Lomond,   341, 346
Lone, lac,   163
Lonesome, lac,   77
Long Beach,   19, 20, 21, 23, 28, 30
Long Range, monts,   343
Lost Shoe, ruisseau,   25
Louise, lac,   48, 49, 54, 57, 58, 90, 93, 94, 96, 98, 99, 101, 102, 103, 104, 106
Loup,   124, 173, 175, 176
Loutre,   175, 341
  de mer,   20
Lower Bertha, chutes,   80
Lynx,   124, 341

Macareux,   330, 365
Macdonald, mont,   34
Macdonald-Cartier, route,   230
Mackenzie, monts,   147
Maligne, lac,   110, 113, 114, 115, 120
Maligne, rivière,   113, 114
Maligne, vallée,   113, 114, 116
Mallorytown Landing,   229, 230, 234, 236
Manche de couteau,   338

Maquereau,   272, 285
Marais salin,   264, 269, 275, 276, 277, 338
  tidal,   288, 296
Marathon,   194, 199, 200
Marble, canyon,   63, 65, 66, 67, 68, 70
Mare tidale,   24, 337, 339
Marécage,   25, 40, 80, 111, 118, 127, 128, 130, 134, 158, 172, 198, 205, 214, 217, 218, 219, 222, 223, 224, 226, 243, 264, 269, 280, 306, 315, 325, 326, 350, 351, 359
Marée,   23, 288, 338
Marée rouge,   30
Maringouin,   113, 125, 159, 172, 205, 212, 214, 224, 315, 316
Maritimes,   288, 289, 293, 294
Marmette,   253, 365
  commune,   264
Marmites,   124, 125, 127, 151, 173, 182, 185, 186
Marmottes blanchâtres,   37
Marne, lit de,   208, 209, 210
Marsouin,   365
Martin-pêcheur,   124, 280
Martre,   57
Maskinongé,   236
Massasauga,   214, 222
Mattawin, rivière,   239
Mauricie, parc national de la, 239-249
McLeod, pré,   63, 67, 70
McPhee, lac,   179
Medicine, lac,   114, 120
Mélèze,   100, 167, 292, 293, 322, 351, 353
  de Lyall,   90
  subalpin,   82
Merisier de Virginie,   340
Merle,   340
Mermaid, île,   233
Mersey, rivière,   301, 305, 306
Mésange,   172, 340
Micmac,   293, 302, 306
Micocoulier,   218
Miette, rivière,   111
Miette, sources thermales de,   110, 113, 116, 120
Mille-Îles,   229-237

Mille-Îles, route des, 229, 236
Minganie, 365
Minnewanka, lac, 94, 103, 106
Mirror, lac, 99
Modène, lac, 246
Moineau, 172
Mollusque, 30
Monashee, monts, 33, 41
Monolithe, 365
Monotrope uniflore, 279
Mont Revelstoke, parc national du, 33-45
Mont Riding, parc national du, 14, 181-191
Moon, lac, 182, 189, 190, 191
Moqueur roux, 234
Moraine, 111
Moraine, lac, 96, 99, 100, 106
Morue, 263, 264, 285, 337
Motoneige, 45, 107, 117, 121, 144, 191, 215, 259, 260
Moucherolle, 277
à côtés olive, 99
Mouette, 25, 264, 268
tridactyle, 253, 365
Mouffette, 221
Mouflon, 63, 81, 94, 95, 111
Moule, 338
Mousse, 68, 174, 252, 289, 292, 353
Mouton, 89, 93, 338
de Dall, 134, 140
Mule-cerf, 111
Musaraigne, 230
Mye, 285

Nahanni, parc national de, 15, 147-155
Nahanni Butte, 152, 154
Nahanni du Sud, rivière, 147, 148, 149, 152, 154
Natation, 72, 106, 120, 123, 125, 130, 179, 189, 215, 233, 298, 309, 330, 347, 351, 355
en eau salée, 30, 271, 275, 284, 298, 311, 312, 318, 330, 346, 347
Navigation, 30, 59, 73, 106, 120, 130, 138, 144, 161, 163, 178, 189, 204, 211, 214, 231, 233, 236, 247, 264, 284, 288, 298, 309, 318, 342, 343, 356

Newman Sound, 350, 353, 354, 355
Niapiskau, île, 367
Nootka, peuplade, 20
Nord du Yukon, parc national du, 361-363
Norquay, mont, 95, 101, 107
North Swallow, rivière, 195, 197
Northumberland, détroit de, 279
Noyer noir d'Amérique, 218
Nymphéa à fleur blanche, 306

Ochre Hills, 351, 353
Ocre, lits d', 62, 66
O'Hara, lac, 49, 51, 55, 56, 58, 59
Oie, 233
Oiseau, rivière, 197
Oiseaux, observation des, 212, 221, 225, 231, 302, 307, 313, 325, 326, 330, 350, 361
Omble arctique, 259
Ominik, marais, 186
Or, 20, 135, 140, 142, 326
Orchidée, 80, 210, 243, 302, 343
calypso, 97, 174, 210
corallhorize maculée, 302
corallhorize striée, 210
cypripède acaule, 208, 291
cypripède soulier, 205
des tourbières, 341
habénaire à feuilles orbiculaires, 174
habénaire à gorge frangée, 323
habénaire hyperboréale, 174
listère boréale, 210
orchis d'Alaska, 210
spiranthes de Romanzoll, 174
Orignal, 63, 80, 111, 124, 173, 175, 282, 325, 341
Orme, 185
Orobanche uniflore, 302, 306
Otarie, 21
Otter Cove, 199, 200
Ouaouaron, 222
Ours, 37, 44, 54, 57, 63, 90, 101, 135, 175, 186, 188
grizzly, 37, 39, 134, 140, 361
noir, 111, 135, 361
polaire, 361

Overlord, 255, 257, 260
Owl, rivière, 255, 260

Pacific Rim, parc national
  de, 19-31
Pacifique, océan, 19, 34
Paint Pots, 62, 66, 70
Paix, rivière de la, 158, 159,
  162, 163, 164
Palliser, chaîne de
  montagnes, 94
Pangnirtung, 256, 259, 260
Pangnirtung, col, 252, 255, 256,
  260
Papillons, 69, 125, 223, 280
  monarques, 223
Partage des eaux, 47, 48, 61, 80
Parc international de la paix, 75,
  80
Patinage sur glace, 227
Patricia, lac, 110, 113
Pêche, lac à la, 240
Pêche
  en eau douce, 30, 45, 59,
    72, 82, 85, 86, 106, 113, 115,
    120, 138, 143, 144, 164, 177,
    179, 190, 191, 194, 200, 224,
    233, 236, 247, 272, 285, 298,
    303, 309, 329, 330, 337, 346,
    347, 356
  en eau salée, 30, 259, 263,
    265, 272, 285, 293, 298,
    318, 335, 350, 356
Pédalo, 179, 246
Pékan, 175
Pélican blanc, 174
Pelleterie, 20, 135, 293
Péniche, 231
Penny, calotte glaciaire, 252
Penouille, 264, 268, 269, 271
Perchaude, 224, 309
Perche, 191, 236
  d'Amérique, 236
Pergélisol, 251, 255
Péridotite, 343, 344
Pétroglyphe amérindien, 28
Peuplier, 125, 128
  à feuilles deltoïdes, 219
  baumier, 127
Phare, 208, 210, 264, 268, 335
Phasme, 223

Phoque, 279, 338, 365
  commun, 264
  gris, 264
Pic, 233, 280
  tridactyle, 302, 315
  grand, 302
Picnic, île, 213
Pigamon, 68
Pin, 240, 264
  à écorce blanche, 82, 90
  alpin, 110
  amabilis, 26
  baumier, 181, 194, 289, 302,
    341, 353
  blanc, 276, 279, 302, 340
  blanc noueux, 207
  de Murray, 79
  Douglas, 63, 68, 69, 79, 89,
    109
  gris, 182
  résineux, 230
  subalpin, 63, 82, 90
Pine, lac, 158, 161, 162, 163,
  164
Pingouin, petit, 264
Plage, 19, 23, 24, 26, 28, 127,
  129, 131, 152, 153, 169, 172,
  176, 177, 189, 194, 195, 209,
  212, 215, 217, 219, 224, 226,
  229, 233, 236, 244, 247, 263,
  267, 270, 275, 277, 279, 280,
  282, 284, 288, 296, 298, 308,
  309, 311, 312, 313, 315, 316,
  318, 321, 330, 333, 337, 338,
  339, 346, 347, 350, 351
Plaine boréale, 157, 158
  côtière, 340, 342, 344
  maritime, 275, 276
Planche à voile, 130, 268
Platane d'Occident, 218
Plateau albertain, 157, 158
  continental, 21
Plie, 285
Plongée sous-marine, 21, 23, 30,
  248, 265, 268, 272
Pluvier à collier, 253
Pocahontas, 113, 120
Podophylle pelté, 233
Pogonie, 282
Point Wolfe, rivière, 296
Point Lace Falls, 51, 52

Pointe-Pelée, parc national de, 15, 217-227
Polaire, cercle, 252
Poney sauvage, 346
Porc-épic, 175, 230, 234
Porcupine, rivière, 361
Port Alberni, 23, 29, 31
Port Renfrew, 19
Potentille ansérine, 338
Prairie alpine, 35, 41, 134
subalpine, 40
Praries, 14, 75, 77, 79, 168, 182, 185, 359
Prairies, parc national des, 14, 15, 359-360
Primevère, 268
Prince-Albert, parc national de, 167-179
Pruche de l'Est, 302
Pukaskwa, parc national de, 193-201
Pukaskwa Pits, 194
Pukaskwa, rivière, 195, 199, 200
Purcell, monts, 33
Pyramid, lac, 110, 113, 120

Quarry, île de, 367
Quartzite, 344
Quenouille, 124, 127, 218

Rabbitkettle, lac, 151, 154
Rabittkettle, sources thermales, 149, 151, 152
Radeau, expédition en, 73, 106, 120, 152
Radium, sourches thermales de, 61, 62, 63, 65, 68, 70, 72
Rainbow, lac, 163
Rainette, 222
chrysocale, 221
faux-criquet, 221
Randonnées, 30, 37, 39, 44, 55, 65, 68, 76, 79, 80, 91, 96, 116, 162, 168, 176, 233, 279, 287, 294, 305, 306, 307, 313, 315, 316, 322, 326, 341, 343, 346, 350, 351, 354, 361
Raquette, 87, 107, 131, 144, 179, 191, 248, 272, 285, 298, 309
Rat musqué, 302
Raton laveur, 221

Red Rock, canyon, 77, 79
Redwall, faille, 62
Renard, 175, 230
bleu, 253
roux, 341
Résonance, 288
Revelstoke, 41, 42, 44
Revelstoke, mont, 44
Rhododendron de Laponie, 343
Richibucto, 284
Riding, mont, 181
Rocheuses, montagnes, 14, 33, 34, 47, 61, 63, 75, 89, 93, 94, 100, 109, 114, 239
Rockport, 231
Rocky Harbour, 335, 345, 347
Rogers, col, 34, 35, 39, 40, 42, 44, 45
Ronce petit-mûrier, 343
Rose sauvage, 312, 315
Rossolis, 243, 282, 292, 306, 342, 343, 351
Rouget, 279
Rudbeckie hérissé, 68
Rundle, mont, 89, 95
Rustico, île, 316

Saint-Élias, mont, 137
Saint-Élias, montagnes, 133, 134, 139, 144
Saint-Jean-des-Piles, 241, 243, 244, 248
Saint-Laurent, fleuve, 13, 229, 230, 240
Saint-Laurent, golfe, 311, 337, 344, 365
Saint-Mathieu, 244, 246, 248
Saint-Maurice, rivière, 240
St. Paul's Bay, 338
Salt Plains, 158
Sapins, 25, 26, 39
Sarracénie pourpre, 174, 243, 282, 292, 342, 343, 351
Saskatchewan Crossing, 105, 106
Saskatchewan du Nord, rivière, 93, 94
Saule, 219
Saumon, 135, 140, 200, 285, 294, 298, 333
Atlantique, 330, 347
Coho, 236

Sauterelle, 223
  verte, 223
Schäffer, Mary, 114
Schiste, 47, 289
  silicieux, 181
Schooner Cove, 25
Séisme, 133
Sel, dépôt de, 161, 173
Selkirk, monts, 33
Séneçon, 343
Sept-Îles, 365
Serpent, 214, 222, 359
Serpentine, 344
Shady, lac, 171, 172, 178
Sheep, mont, 140
Silène, 343
  acaule, 37
  alpin, 344
Silver City, 140
Sinclair, canyon, 62, 63, 68
Sittelle, 99
  à poitrine blanche, 233
Ski
  alpin, 45, 107, 121, 190
  de fond, 45, 59, 73, 87, 107,
    121, 131, 139, 144, 162, 179,
    191, 215, 227, 243, 244, 245,
    248, 272, 285, 298, 309, 330
  nautique, 190
Souchet, 302
Souci d'eau, 341
Sources thermales, 61, 62, 67, 69,
  72, 103, 106, 110, 113, 116, 120,
  149, 151
Souris, 230
Sphaigne, 174, 243, 277, 281, 291,
  292, 323, 342, 351
  dorée, 282
Spruce, rivière, 171
Stanley, glacier, 70
Steeles, glacier, 134
Stephen, mont, 55
Sterne, 279, 326, 365
Suisse, 90, 230, 234
Sulphur, montagne, 101
Summit, lac, Alta, 81, 82, 83
Summit, lac, T. N.-O., 255
Sunblood, mont, 148
Sunwapta, col de, 93
Supérieur, lac, 193, 194, 195, 197,
  198, 199, 200

Surf, 30

Tablelands, 334, 335, 343, 344,
  346
Taïga, 264, 269
Takakkaw, chutes, 49, 51, 52, 55,
  56
Tangara écarlate, 302
Tawayik, lac, 130
Téléphérique, 95, 101, 107, 115
Tennis, 121, 190, 298, 318, 330
Tern, île, 279
Terra Nova, parc national, de,
  349-357
Thé du Labrador, 243, 292, 322,
  342
Thufor, 252, 255
Thuya, 25, 26, 39, 205
Thym, 315
Till, 167, 204
Tobermory, 204, 208, 210, 213,
  214
Tofino, 23, 24, 25, 29, 30
Tortue, 222, 223
Toundra, 35, 40, 116, 219, 252,
  253, 322
  alpine, 42, 75, 82, 89, 90, 109,
    110, 114, 115, 116, 134
« Tour de Babel », 100
Tourbière, 25, 157, 167, 173, 210,
  240, 243, 276, 277, 279, 281,
  282, 289, 291, 292, 293, 301,
  306, 322, 323, 333, 334, 341,
  342, 344, 349, 350, 351, 353,
  365
Tourne-pierres, 253
Traîneau à chiens, 144, 162, 163
Transcanadienne, route, 47, 49,
  53, 70, 93, 95, 197, 200, 334,
  350
Tremble, 89, 127, 142, 167, 171,
  172, 174, 181, 182, 185, 187
Trille, 233, 279
Trois-Rivières, 240
Truite, 45, 59, 73, 86, 164, 179,
  190, 200, 236, 285, 298, 309,
  330, 333, 347
Twin Falls, 51, 52
Tyran, 280
  huppé, 302

Ucluelet, 24, 29, 30, 31
Utriculaire, 343

Vairon, 124, 179, 236
Vallisnérie spirale, 269
Val-Marie, 359
Vancouver, île de, 19
Varech, 21
Vaux, mont, 54
Vent salin, 26
Vermilion, lac, 91, 102, 106
Vermilion, rivière, 66, 67, 73
Vigne, 185
Vinaigrier, 218
Viorne des pauvres, 353
Viréo, 280
  aux yeux rouges, 291
Virginia, chutes, 148, 154
Vison, 127, 221
Voyageur, 198

Wapiti, 89, 102, 111, 124, 128, 173, 176, 183
Wapizagonke, lac, 240, 241, 243, 244, 247, 248
Wapta, lac, 57
Wardle, mont, 63
Wasagaming, 181, 182, 185, 187, 189
Waskesiu, 168, 178, 179
Waskesiu, lac, 168, 169, 171, 172, 177, 178
Waskesiu, rivière, 178
Waterton, lacs, 77, 80
Watson, lac, 153, 154
Wawa, 197
Weasel, rivière, 255

West Coast, sentier, 19, 24, 29, 30, 31
Whirlpool, lac, 188, 191
Whistler, mont, 110, 115
White, parc provincial du lac, 198
White, rivière, 197, 198, 199
White Gravel, rivière, 197
Whitehorse, 133, 143
Windsor, 226
Wood Buffalo, parc national de, 15, 157-165
Woody Point, 335, 343, 346, 347
Wya, pointe, 23, 24

Yellowstone, É.-U., parc national, 62
Yoho, glacier, 52
Yoho, parc national de, 13, 47-59
Yoho, rivière, 51, 52, 56

Zone alpine, 79, 82, 83, 90, 99, 110, 139
  arctique-alpine, 340, 343, 344
  boréale, 182, 183, 194, 340, 342
  carolinienne, 218
  forestière, 20, 24, 34, 90, 176, 240
  intertidale, 20, 21, 23, 24
  montane, 80, 83, 89, 111, 139
  riveraine, 20
  subalpine, 81, 83, 84, 90, 113, 139
  subtidale, 20, 21, 23
  tempérée, 340, 341, 342